醒世恒言

上

中国古典文学名著丛书

冯梦龙 著

黑龙江出版集团
黑龙江美术出版社

中国古典文学名著丛书

出品人：
李久军

责任编辑：
陈颖杰　郭建廷

藏

书

票

装帧设计：
滕文静

编　　务：
于　澜

电脑制作：
杨　鑫　郭志芹　李　莹

重梓弁语

说起最脍炙人口的中国古代短篇小说，当首推“三言”（《喻世明言》、《警世通言》、《醒世恒言》）了。诞生于距今近四百年、收录作品一百二十篇的这三卷奇书，在中国古代短篇小说发展史上堪称一座丰碑，它的编著者冯梦龙的名字理所当然地被镌刻在丰碑之上。

生于明万历初（1574）、卒于清军入关后（1646）的冯梦龙，长洲（今江苏苏州）人，字犹龙，别署龙子犹，自幼聪颖，少有文名。然而一生科场蹭蹬，仕途淹滞，反以文学著称；虽工诗文，但却于小说、戏曲和其他通俗文学的研究、整理和创作方面用力甚勤，成果颇丰。“三言”的编著，是他文学创作上最重要的成就。

在冯梦龙编著“三言”之前，白话长篇小说已经形成繁盛发展的局面，特别是《西游记》、《金瓶梅词话》等巨制自嘉靖以来相继问世并产生了广泛的影响。此刻白话短篇小说却还是几近荒芜，虽有少量话本小说汇编和刊行，也只是依据传抄原文，未经润饰，仍处于原生态阶段。冯梦龙以敏锐的观察力洞察到这一点，以宏大的魄力开始了这一中国古代小说史上首开先河的宏伟工程。

“问渠那得清如许，为有源头活水来。”编著洋洋大观的“三言”，冯梦龙首先把目光投向流传已久的宋元话本和当时流传的明代话本，这是“三言”作品创作的最重要的来源。来源之二是文言小说中的优秀篇章，像《喻世明言》中的《蒋兴哥重会珍珠衫》和《警世通言》中的《杜十娘怒沉百宝箱》，就是分别根据宋懋澄的《九籥别集》中的《珠衫》和《九籥集》中的《负情侬传》两篇改写而成。“三言”中的另一些篇章则是根据前代笔记小说、传奇、历史故事及社会传闻进行创作。这样，这些不同时代、不同文体的作品和素材，经过冯梦龙或移花接木、或脱胎换骨、或点石成金的重新创作，就成了我们今天所看到的“三言”。

由于作家注意从广阔的视角对社会观察提炼，继而以生动、细腻的笔触对新兴市民的风俗场景描摹刻画，“三言”再现了晚明社会丰富的生活图景和多姿的风貌，反映了新兴市民的思想感情和道德观念，使它成为一部广泛流传、深受各阶层人民喜爱的作品。同时，在艺术上也取得了巨大的成就，对后世的白话短篇小说创作产生了重大而深远的影响。当然，由于时代的局限，它在思想内容上的消极成分和糟粕之处也是显而易见的。今天，我们把“三言”重新整理出版，呈现在读者面前，主要着眼的是对它产生的那个时代的社会和文学两个方面的认识价值，也是为了使我们丰富的古代文学遗产得到继承和恢弘。

叙

六经国史而外，凡著述皆小说也。而尚理或病于艰深，修词或伤于藻绘，则不足以触里耳而振恒心。此《醒世恒言》四十种，所以继《明言》、《通言》而刻也。明者，取其可以导愚也。通者，取其可以适俗也。恒则习之而不厌，传之而可久。三刻殊名，其义一耳。夫人居恒动作言语不甚相悬。一旦弄酒，则叫号踯躅，视堑如沟，度城如槛。何则？酒浊其神也。然而斟酌有时，虽毕吏部、刘太常未有时时如滥泥者。岂非醒者恒而醉者暂乎？繇此推之，惕孺为醒，下石为醉；却为醒，食嗟为醉；剖玉为醒，题石为醉。又推之，忠孝为醒，而悖逆为醉；节俭为醒，而淫荡为醉；耳和目章，口顺心贞为醒；而即聋从昧，与顽用嚚为醉。人之恒心，亦可思已。从恒者吉，背恒者凶。心恒心，言恒言，行恒行。入夫妇而不惊，质天地而无怍。下之巫医可作，而上之善人君子圣人亦可见。恒之时义大矣哉！自昔浊乱之世，谓之天醉。天不自醉人醉之，则天不自醒人醒之。以醒天之权与人，而以醒人之权与言。言恒而人恒，人恒而天亦得其恒，万世太平之福，其可量乎！则兹刻者，虽与《康衢》、《击壤》之歌，并传不朽可矣。崇儒之代，不废二教，亦谓导愚适俗，或有藉焉。以二教为儒之辅可也。以《明言》、《通言》、《恒言》为六经国史之辅，不亦可乎？若夫淫谈亵语，取快一时，贻秽百世，夫先自醉也，而又以狂饮人，吾不知视此三言者得失何如也？

天启丁卯中秋陇西可一居士题于白下之栖霞山房

目 录

第　一　卷	两县令竞义婚孤女	〇〇一
第　二　卷	三孝廉让产立高名	〇一〇
第　三　卷	卖油郎独占花魁	〇一八
第　四　卷	灌园叟晚逢仙女	〇四一
第　五　卷	大树坡义虎送亲	〇五五
第　六　卷	小水湾天狐诒书	〇六三
第　七　卷	钱秀才错占凤凰俦	〇七四
第　八　卷	乔太守乱点鸳鸯谱	〇八七
第　九　卷	陈多寿生死夫妻	一〇二
第　十　卷	刘小官雌雄兄弟	一一三
第十一卷	苏小妹三难新郎	一二五
第十二卷	佛印师四调琴娘	一三三
第十三卷	勘皮靴单证二郎神	一三九
第十四卷	闹樊楼多情周胜仙	一五二
第十五卷	赫大卿遗恨鸳鸯绦	一六一
第十六卷	陆五汉硬留合色鞋	一七八
第十七卷	张孝基陈留认舅	一九三
第十八卷	施润泽滩阙遇友	二〇八
第十九卷	白玉娘忍苦成夫	二二二
第二十卷	张廷秀逃生救父	二三三
第二十一卷	张淑儿巧智脱杨生	二六五

第二十二卷　吕洞宾飞剑斩黄龙　二七二
第二十三卷　金海陵纵欲亡身　二八一
第二十四卷　隋炀帝逸游召谴　三〇三
第二十五卷　独孤生归途闹梦　三一三
第二十六卷　薛录事鱼服证仙　三二八
第二十七卷　李玉英狱中讼冤　三四一
第二十八卷　吴衙内邻舟赴约　三六一
第二十九卷　卢太学诗酒傲王侯　三七三
第 三 十 卷　李汧公穷邸遇侠客　三九二
第三十一卷　郑节使立功神臂弓　四一〇
第三十二卷　黄秀才徼灵玉马坠　四二〇
第三十三卷　十五贯戏言成巧祸　四三一
第三十四卷　一文钱小隙造奇冤　四四一
第三十五卷　徐老仆义愤成家　四六〇
第三十六卷　蔡瑞虹忍辱报仇　四七二
第三十七卷　杜子春三入长安　四八九
第三十八卷　李道人独步云门　五〇三
第三十九卷　汪大尹火焚宝莲寺　五二一
第 四 十 卷　马当神风送滕王阁　五三〇

第一卷
两县令竞义婚孤女

风水人间不可无，也须阴骘两相扶。

时人不解苍天意，枉使身心着意图。

话说近代浙江衢州府，有一人姓王名奉，哥哥姓王名春。弟兄各生一女，王春的女儿名唤琼英，王奉的叫做琼真。琼英许配本郡一个富家潘百万之子潘华，琼真许配本郡萧别驾之子萧雅；都是自小聘定的。琼英年方十岁，母亲先丧，父亲继殁。那王春临终之时，将女儿琼英托与其弟，嘱付道：“我并无子嗣，只有此女，你把做嫡女看成。待其长成，好好嫁去潘家。你嫂嫂所遗房奁衣饰之类，尽数与之。有潘家原聘财礼置下庄田，就把与他做脂粉之费。莫负吾言！”嘱罢，气绝。殡葬事毕，王奉将侄女琼英接回家中，与女儿琼真作伴。

忽一年元旦，潘华和萧雅不约而同到王奉家来拜年。那潘华生得粉脸朱唇，如美女一般，人都称玉孩童。萧雅一脸麻子，眼眍齿龅，好似飞天夜叉模样。一美一丑，相形起来，那标致的越觉美玉增辉，那丑陋的越觉泥涂无色。况且潘华衣服炫丽，有心卖富，脱一通换一通。那萧雅是老实人家，不以穿着为事。常言道：佛是金装，人是衣装。世人眼孔浅的多，只有皮相，没有骨相。王家若男若女，若大若小，那一个不欣羡潘小官人美貌，如潘安再出，暗暗地颠唇簸嘴，批点那飞天夜叉之丑。王奉自己也看不过，心上好不快活。

不一日，萧别驾卒于任所，萧雅奔丧，扶柩而回。他虽是个世家，累代清官，家无馀积，自别驾死后，日渐消索。潘百万是个暴富，家事日盛一日。王奉忽起一个不良之心，想道：“萧家甚穷，女婿又丑；潘家又富，女婿又标致。何不把琼英、琼真暗地兑转，谁人知道？也不教亲生女儿在穷汉家受苦。”主意已定，到临嫁之时，将琼真充做侄女，嫁与潘家，哥哥所遗衣饰庄田之类，都把他去。却将琼英反为己女，嫁与那飞天夜叉为配，自己薄薄备些妆奁嫁送。琼英但凭叔叔做主，敢怒而不敢言。

谁知嫁后，那潘华自恃家富，不习诗书，不务生理，专一嫖赌为事。父亲累训不从，气愤而亡。潘华益无顾忌，日逐与无赖小人酒食游戏。不上十年，把百万家资败得罄尽，寸土俱无。丈人屡次周给他，如炭中沃雪，全然不济。结末迫于冻馁，瞒着丈人，要引浑家去投靠人家为奴。王奉闻知此信，将女儿琼真接回家中养老，不许女婿上门。潘华流落他乡，不知下落。那萧雅勤苦攻书，后来一举成名，直做到尚书地位；琼英封一品夫人。有诗为证：

目前贫富非为准，久后穷通未可知。

颠倒任君瞒昧做，鬼神昭鉴定无私。

看官，你道为何说这王奉嫁女这一事？只为世人但顾眼前，不思日后，只要损人利己。岂知人有百算，天只有一算。你心下想得滑碌碌的一条路，天未必随你走哩，还是平日行善为高。今日说一段话本，正与王奉相反，唤做“两县令竞义婚孤女”。

这桩故事，出在梁、唐、晋、汉、周五代之季。其时周太祖郭威在位，改元广顺。虽居正统之尊，未就混一之势。四方割据称雄者，还有几处，共是五国三镇。那五国：周郭威，南汉刘晟，北汉刘旻，南唐李昪，蜀孟知祥；那三镇：吴越钱镠，湖南周行逢，荆南高季昌。

单说南唐李氏有国，辖下江州地方。内中单表江州德化县一个知县，姓石名璧，原是抚州临川县人氏，流寓建康。四旬之外，丧了夫人，又无儿子，止有八岁亲女月香，和一个养娘随任。那官人为官清正，单吃德化县中一口水。又且听讼明决，雪冤理滞，果然政简刑清，民安盗息。退堂之暇，就抱月香坐于膝上，教他识字，又或叫养娘和他下棋、蹴踘，百般顽耍，他从旁教导。只为无娘之女，十分爱惜。一日，养娘和月香在庭中蹴那小小球儿为戏。养娘一脚踢起，去得势重了些，那球击地而起，连跳几跳的溜溜滚去，滚入一个地穴里。那地穴约有二三尺深，原是埋缸贮水的所在。养娘手短揽他不着，正待跳下穴中去拾取球儿，石璧道：“且住！”问女儿月香道：“你有甚计较，使球儿自走出来么？”月香想了一想，便道：“有计了！”即教养娘去提过一桶水来，倾在穴内。那球便浮在水面。再倾一桶，穴中水满，其球随水而出。石璧本是要试女孩儿的聪明，见其取水出球，智意过人，不胜之喜。

闲话休叙。那官人在任不上二年，谁知命里官星不现，飞祸相侵。忽一夜仓中失火，急去救时，已烧损官粮千馀石。那时米贵，一石值一贯五百。乱离之际，军粮最重。南唐法度，凡官府破耗军粮至三百石者，即行处斩。只为石璧是个清官，又且火灾天数，非关本官私弊。上官都替他分解保奏。唐主怒犹未息，将本官削职，要他赔偿。估价共该一千五百馀两。把家私变卖，未尽其半。石璧被本府软监，追逼不过，郁成一病，数日而死。遗下女儿和养娘二口，少不得着落牙婆官卖，取价偿官。这等苦楚，分明是：

屋漏更遭连夜雨，船迟又遇打头风。

却说本县有个百姓，叫做贾昌，昔年被人诬陷，坐假人命事，问成死罪在狱，亏石知县到任，审出冤情，将他释放。贾昌衔保家活命之恩，无从报效。一向在外为商，近日方回。正值石知县身死，即往抚尸恸哭，备办衣衾棺木，与他殡殓。合家挂孝，买地茔葬。又闻得所欠官粮尚多，欲待替他赔补几分，怕钱粮干系，不敢开端惹祸。见说小姐和养娘都着落牙婆官卖，慌忙带了银子，到李牙婆家，问要多少身价。李牙婆取出朱批的官票来看：养娘十六岁，只判得三十两；月香十岁，到判了五十两。却是为何？月香虽然年小，容貌秀美可爱；养娘不过粗使之婢，故此判价不等。贾昌并无吝色，身边取出银包，兑足了八十两纹银，交付牙婆，又谢他五两银子，即时领取二人回家。李牙婆把两个身价交纳官库。地方呈明石知县家财人口变卖都尽，上官只得在别项挪移赔补，不在话下。

却说月香自从父亲死后，没一刻不啼啼哭哭。今日又不认得贾昌是什么人，买他归去，必然落于下贱，一路痛哭不已。养娘道："小姐，你今番到人家去，不比在老爷身边，只管啼哭，必遭打骂。"月香听说，愈觉悲伤。谁知贾昌一片仁义之心，领到家中，与老婆相见，对老婆说："此乃恩人石相公的小姐，那一个就是伏侍小姐的养娘。我当初若没有恩人，此身死于缧绁。今日见他小姐，如见恩人之面。你可另收拾一间香房，教他两个住下，好茶好饭供待他，不可怠慢。后来倘有亲族来访，那时送还，也尽我一点报效之心。不然之时，待他长成，就本县择个门当户对的人家，一夫一妇，嫁他出去，恩人坟墓也有个亲人看觑。那个养娘依旧得他伏侍小姐，等他两个作伴，做些女工，不要他在外答应。"

月香生成伶俐，见贾昌如此分付老婆，慌忙上前万福道："奴家卖身在此，为奴为婢，理之当然。蒙恩人抬举，此乃再生之恩。乞受奴一拜，收为义女。"说罢，即忙下跪。贾昌那里肯要他拜，别转了头，忙教老婆扶起道："小人是老相公的子民，这蝼蚁之命，都出老相公所赐。就是这位养娘，小人也不敢怠慢，何况小姐！小人怎敢妄自尊大。暂时屈在寒家，只当宾客相待。望小姐勿责怠慢，小人夫妻有幸。"月香再三称谢。贾昌又分付家中男女，都称为石小姐。那小姐称贾昌夫妇，但呼贾公贾婆，不在话下。

原来贾昌的老婆，素性不甚贤慧。只为看上月香生得清秀乖巧，自己无男无女，有心要收他做个螟蛉女儿。初时甚是欢喜，听说宾客相待，先有三分不耐烦了；却灭不得石知县的恩，没奈何依着丈夫言语，勉强奉承。后来贾昌在外为商，每得好细好绢，先尽上好的寄与石小姐做衣服穿。比及回家，先问石小姐安否。老婆心下渐渐不平。又过些时，把马脚露出来了。但是贾昌在家，朝饔夕餐，也还成个规矩，口中假意奉承几句。但背了贾昌时，茶不茶，饭不饭，另是一样光景了。养娘常叫出外边杂差杂使，不容他一刻空闲，又每日间限定石小姐要做若干女工针指还他。倘手迟脚慢，便去捉鸡骂狗，口里好不干净哩。正是：

人无千日好，花无百日红。

养娘受气不过，禀知小姐，欲待等贾公回家，告诉他一番。月香断然不肯，说道："当初他用钱买我，原不指望他抬举。今日贾婆虽有不到之处，却与贾公无干。你若说他，把贾公这段美情都没了。我与你命薄之人，只索忍耐为上。"

忽一日，贾公做客回家，正撞着养娘在外汲水，面庞比前甚是黑瘦了。贾公道："养娘，我只教你伏侍小姐，谁要你汲水？且放着水桶，另叫人来担罢！"养娘放了水桶，动了个感伤之念，不觉滴下几点泪来。贾公要盘问时，他把手拭泪，忙忙的奔进去了。贾公心中甚疑，见了老婆，问道："石小姐和养娘没有甚事么？"老婆回言："没有。"初归之际，事体多头，也就阁过一边。

又过了几日，贾公偶然到近处人家走动，回来不见老婆在房，自往厨下去寻他说话。正撞见养娘从厨下来，也没有托盘，右手拿一大碗饭，左手一只空碗，碗上顶一碟腌菜叶儿。贾公有心闪在隐处看时，养娘走进石小姐房中去了。贾公不省得这饭是谁吃的，一些荤腥也没有。那时不往厨下，竟悄悄的走在石小姐房前，向门缝里张时，只见石小姐将这碟腌菜叶儿过饭。心中大怒，便与老婆闹将起来。老婆道："荤腥尽有，我又不是不舍得与他吃！那丫头自不来担，难道要老娘送进房去不成？"贾公道："我原说过来，石家的养娘，只教他在房中与小姐作伴。我家厨下走使的又不少，谁要他出房担饭！前日那养娘噙着两眼泪在外街汲水，我已疑心，是必家中把他难为了，只为匆忙，不曾细问得。原来你恁地无恩无义，连石小姐都怠慢！见放着许多荤菜，却教他吃白饭，是甚道理？我在家尚然如此，我出外时，可知连饭也没得与他们吃饱。我这番回来，见他们着实黑瘦了。"老婆道："别人家丫头，要你恁般疼他，养得白白壮壮，你可收用他做小老婆么？"贾公道："放屁，说的是甚么话！你这样不通理的人，我不与你讲嘴。自明日为始，我教当直的每日另买一分肉菜供给他两口，不要在家火中算账，省得夺了你的口食，你又不欢喜。"老婆自家觉得有些不是，口里也含含糊糊的哼了几句，便不言语了。从此贾公分付当直的，每日肉菜分做两分。却叫厨下丫头们，各自安排送饭。这几时，好不齐整。正是：

人情若比初相识，到底终无怨恨心。

贾昌因牵挂石小姐，有一年多不出外经营。老婆却也做意修好，相忘于无言。月香在贾公家，一住五年，看看长成。贾昌意思要密访个好主儿，嫁他出去了，方才放心，自家好出门做生理。这也是贾公的心事，背地里自去勾当。晓得老婆不贤，又与他商量怎的。若是凑巧时，赔些妆奁嫁出去了，可不干净？何期姻缘不偶。内中也有缘故：但是出身低微的，贾公又怕辱莫了石知县，不肯俯就；但是略有些名目的，那个肯要百姓人家的养娘为妇？所以好事难成。贾公见姻事不就，老婆又和顺了，家中供给又立了常规，舍不得耽阁生意，只得又出外为商。未行数日之前，预先叮咛老婆有十来次，只教好生看待石小姐和养娘两口。又请石小姐出来，再三抚慰，连养娘都用许多好言安放。又分付老婆道："他骨气也比你重几百分哩，你切莫慢他。若是不依我言语，我回家时，就不与你认夫妻了。"又唤当直的和厨下丫头，都分付遍了，方才出门。

临歧费尽叮咛语，只为当初受德深。

却说贾昌的老婆，一向被老公在家作兴石小姐和养娘，心下好生不乐，没奈何，只得由他，受了一肚子的腌臜昏闷之气。一等老公出门，三日之后，就使起家主母的势来。寻个茶迟饭晏小小不是的题目，先将厨下丫头试法，连打几个巴掌，骂道："贱人，你是我手内用钱讨的，如何恁地托大！你恃了那个小主母的势头，却不用心伏侍我？家长在家日，纵容了你。如今他出去了，少不得要还老娘的规矩。除却老娘外，那个该伏侍的？要饭吃时，等他自担，不要你们献勤，却担误老娘的差使！"骂了一回，就乘着热闹中，唤过当直的，分付将贾公派下另一分肉菜钱，干折进来，不要买了。当直的不敢不依。且喜月香能甘淡薄，全不介意。

又过了些时，忽一日，养娘担洗脸水，迟了些，水已凉了。养娘不合哼了一句。那婆娘听得了，特地叫来发作道："这水不是你担的。别人烧着汤，你便胡乱用些罢。当初在牙婆家，那个烧汤与你洗脸？"养娘耐嘴不住，便回了几句言语道："谁要他们担水烧汤！我又不是不曾担水过的，两只手也会烧火。下次我自担水自烧，不费厨下姐姐们力气便了。"那婆娘提醒了他当初曾担水过这句话，便骂道："小贱人！你当先担得几桶水，便在外面做身做分，哭与家长知道，连累老娘受了百般呕气，今日老娘要讨个账儿。你既说会担水，会烧火，把两件事都交在你身上。每日常用的水，都要你担，不许缺乏。是火，都是你烧。若是难为了柴，老娘却要计较。且等你知心知意的家长回家时，你再啼啼哭哭告诉他便了，也不怕他赶了老娘出去！"月香在房中，听得贾婆发作自家的丫头，慌忙移步上前，万福谢罪，招称许多不是，叫贾婆莫怪。养娘道："果是婢子不是了！只求看小姐面上，不要计较。"那老婆愈加忿怒，便道："什么小姐，小姐！是小姐，不到我家来了。我是个百姓人家，不晓得小姐是什么品级，你动不动把来压老娘。老娘骨气虽轻，不受人压量的，今日要说个明白。就是小姐，也说不得费了大钱讨的。少不得老娘是个主母，贾婆也不是你叫的。"月香听得话不投机，含着眼泪，自进房去了。

那婆娘分付厨中，不许叫"石小姐"，只叫他"月香"名字。又分付养娘只在厨下专管担水烧火，不许进月香房中。月香若要饭吃时，待他自到厨房来取。其夜，又叫丫头搬了养娘的被窝到自己房中去。月香坐个更深，不见养娘进来，只得自己闭门而睡。又过几日，那婆娘唤月香出房，却教丫头把他的房门锁了。月香没了房，只得在外面盘旋。夜间就同养娘一铺睡。睡起时，就叫他拿东拿西，役使他起来。在他矮檐下，怎敢不低头。月香无可奈何，只得伏低伏小。那婆娘见月香随顺，心中暗喜，蓦地开了他房门的锁，把他房中搬得一空。凡丈夫一向寄来的好细好缎，曾做不曾做得，都迁入自己箱笼，被窝也收起了不还他。月香暗暗叫苦，不敢则声。

忽一日，贾公书信回来，又寄许多东西与石小姐。书中嘱付老婆："好生看待，不久我便回来。"那婆娘把东西收起，思想道："我把石家两个丫头作贱勾了，丈夫回来，必然厮闹。难道我惧怕老公，重新奉承他起来不成？那老亡八把这两个瘦马养着，不知作何结束！他临行之时，说道：'若不依他言语，就不与我做夫妻了。'一定他起了什么不良之心。那月香好副嘴脸，年已长成。倘或有意留他，也不见得，那时我争风吃醋便迟了。人无远虑，必有近忧，一不做，二不休，索性把他两个卖去他方，老亡八回来也只一怪，拼得厮闹一场罢了。难道又去赎他回来不成？好计，好计！"正是：

眼孔浅时无大量，心田偏处有奸谋。

当下那婆娘分付当直的："与我唤那张牙婆到来，我有话说。"不一时，当直的将张婆引到。贾婆教月香和养娘都相见了，却发付他开去，对张婆说道："我家六年前，讨下这两个丫头。如今大的忒大了，小的又娇娇的，做不得生活。都要卖他出去，你与我快寻个主儿。"原来当先官卖之事，是李牙婆经手，此时李婆已死，官私做媒，又推张婆出尖了。张婆道："那年纪小的，正有个好主儿在此，只怕大娘不肯。"贾婆道："有甚不肯？"张婆道："就是本县大尹老爷复姓钟离，名义，寿春人氏，亲生一位小姐，许配德安县高大尹的长公子，在任上行聘的，不日就要来娶亲了。本县嫁装都已备得十全，只是缺少一个随嫁的养娘。昨日大尹老爷唤老媳妇当官分付过了，老媳妇正没处寻。宅上这位小娘子，正中其选。只是异乡之人，怕大娘不舍得与他。"贾婆想道："我正要寻个远方的主顾，来得正好！况且知县相公要了人去，丈夫回来，料也不敢则声。"便道："做官府家的陪嫁，胜似在我家十倍，我有什么不舍得。只是不要亏了我的原价便好。"张婆道："原价许多？"贾婆道："十来岁时，就是五十两讨的，如今饭钱又弄一主在身上了。"张婆道："吃的饭是算不得账。这五十两银子在老媳妇身上。"贾婆道："那一个老丫头也替我觅个人家便好。他两个是一伙儿来的。去了一个，那一个也养不住了。且年纪一二十之外，又是要老公的时候，留他甚么！"张婆道："那个要多少身价？”贾婆道：“原是三十两银子讨的。”牙婆道：“粗货儿，直不得这许多。若是减得一半，老媳妇到有个外甥在身边，三十岁了。老媳妇原许下与他娶一房妻小的，因手头不宽展，捱下去。这到是雌雄一对儿。”贾婆道：“既是你的外甥，便让你五两银子。”张婆道：“连这小娘子的媒礼在内，让我十两罢！”贾婆道：“也不为大事，你且说合起来。”张婆道：“老媳妇如今先去回覆知县相公。若讲得成时，一手交钱，一手就要交货的。”贾婆道：“你今晚还来不？”张婆道：“今晚还要与外甥商量，来不及了，明日早来回话。多分两个都要成的。”说罢，别去，不在话下。

却说大尹钟离义到任有一年零三个月了。前任马公，是顶那石大尹的缺。马公升任去后，钟离义又是顶马公的缺。钟离大尹与德安高大尹原是个同乡。高大尹生下二子，长曰高登，年十八岁；次曰高升，年十六岁。这高登便是钟离公的女婿。原来钟离公未曾有子，止生此女，小字瑞枝，年方一十七岁，选定本年十月望日出嫁。此时九月下旬，吉期将近。钟离公分付张婆，急切要寻个陪嫁。张婆得了贾家这头门路，就去回覆大尹。大尹道：“若是人物好时，就是五十两也不多。明日库上来领价，晚上就要进门的。”张婆道：“领相公钧旨。”当晚回家，与外甥赵二商议，有这相应的亲事，要与他完婚。赵二先欢喜了一夜。次早，赵二便去整理衣褶，准备做新郎。张婆到家中，先凑足了二十两身价，随即到县取知县相公钧帖，到库上兑了五十两银子，来到贾家，把这两项银子交付与贾婆，分疏得明明白白。贾婆都收下了。

少顷，县中差两名皂隶，两个轿夫，抬着一顶小轿，到贾家门首停下。贾婆初时都不通月香晓得，临期竟打发他上轿。月香正不知教他那里去，和养娘两个，叫天叫地，放声大哭。贾婆不管三七二十一，和张婆两个，你一推，我一搬，搬他出了大门。张婆方才说明：“小娘子不要啼哭了！你家主母，将你卖与本县知县相公处做小姐的陪嫁。此去好不富贵！官府衙门，不是耍处。事到其间，哭也无益。”月香只得收泪，上轿而去。

轿夫抬进后堂。月香见了钟离义，还只万福。张婆在傍道：“这就是老爷了，须下个大礼！”月香只得磕头。立起身来，不觉泪珠满面。张婆教拭干了泪眼，引入私衙，见夫人和瑞枝小姐。问其小名，对以“月香”。夫人道：“好个‘月香’二字！不必更改，就发他伏侍小姐。”钟离公厚赏张婆，不在话下。

可怜宦室娇香女，权作闺中使令人。

张婆出衙，已是酉牌时分。再到贾家，只见那养娘正思想小姐，在厨下痛哭。贾婆对他说道：“我今把你嫁与张妈妈的外甥，一夫一妇，比月香到胜几分，莫要悲伤了！”张婆也劝慰了一番。赵二在混堂内洗了个净浴，打扮得帽儿光光，衣衫簇簇，自家提了一碗灯笼前来接亲。张婆就教养娘拜别了贾婆。那养娘原是个大脚，张婆扶着步行到家，与外甥成亲。

话休絮烦。再说月香小姐自那日进了钟离相公衙内，次日，夫人分付新来婢子，将中堂打扫。月香领命，携帚而去。钟离义梳洗已毕，打点早衙理事，步出中堂，只见新来婢子呆呆的把着一把扫帚，立于庭中。钟离公暗暗称怪，悄地上前看时，原来庭中有一个土穴，月香对了那穴，汪汪流泪。钟离公不解其故，走入中堂，唤月香上来，问其缘故。月香愈加哀泣，口称不敢。钟离公再三诘问，月香方才收泪而言道："贱妾幼时，父亲曾于此地教妾蹴球为戏，误落球于此穴。父亲问道：'你可有计较，使球自出于穴，不须拾取？'贱妾言云：'有计。'即遣养娘取水灌之。水满球浮，自出穴外。父亲谓妾聪明，不胜之喜。今虽年久，尚然记忆。睹物伤情，不觉哀泣。愿相公俯赐矜怜，勿加罪责！"钟离公大惊道："汝父姓甚名谁？你幼时如何得到此地？须细细说与我知！"月香道："妾父姓石名璧，六年间在此作县尹。只天火烧仓，朝廷将父革职，勒令赔偿。父亲病郁而死，有司将妾和养娘官卖到本县贾公家。贾公向被冤系，蒙我父活命之恩，故将贱妾甚相看待，抚养至今。因贾公出外为商，其妻不能相容，将妾转卖于此。只此实情，并无欺隐。"

今朝诉出衷肠事，铁石人知也泪垂。

钟离公听罢，正是兔死狐悲，物伤其类："我与石璧一般是个县尹。他只为遭时不幸，遇了天灾，亲生女儿就沦于下贱。我若不闻不问，到也罢了；天教他到我衙里。我若不扶持他，同官体面何存！石公在九泉之下，以我为何如人！"当下请夫人上堂，就把月香的来历细细叙明。夫人道："似这等说，他也是个县令之女，岂可贱婢相看。目今女孩儿嫁期又逼，相公何以处之？"钟离公道："今后不要月香服役，可与女孩儿姊妹相称，下官自有处置。"即时修书一封，差人送到亲家高大尹处。高大尹拆书观看，原来是求宽嫁娶之期。书上写道：

> 婚男嫁女，虽父母之心；舍己成人，乃高明之事。近因小女出阁，预置媵婢月香。见其颜色端丽，举止安详，心窃异之。细访来历，乃知即两任前石县令之女。石公廉吏，因仓火失官丧躯，女亦官卖，转辗售于寒家。同官之女，犹吾女也。此女年已及笄，不惟不可屈为媵婢，且不可使吾女先此女而嫁。仆今急为此女择婿，将以小女薄奁嫁之。令郎姻期，少待改卜。特此拜恳，伏惟情谅。钟离义顿首。

高大尹看了道："原来如此！此长者之事，吾奈何使钟离公独擅其美！"即时回书云：

> 鸾凤之配，虽有佳期；狐兔之悲，岂无同志？在亲翁既以同官

之女为女，在不佞宁不以亲翁之心为心？三复示言，令人悲恻。此女廉吏血胤，无惭阀阅。愿亲家即赐为儿妇，以践始期；令爱别选高门，庶几两便。昔蘧伯玉耻独为君子，仆今者愿分亲翁之谊。高原顿首。

使者将回书呈与钟离公看了。钟离公道："高亲家愿娶孤女，虽然义举；但吾女他儿，久已聘定，岂可更改？还是从容待我嫁了石家小姐，然后另备妆奁，以完吾女之事。"当下又写书一封，差人再达高亲家。高公开书读道：

娶无依之女，虽属高情；更已定之婚，终乖正道。小女与令郎，久谐凤卜，准拟鸾鸣。在令郎停妻而娶妻，已违古礼；使小女舍婿而求婿，难免人非。请君三思，必从前议。义惶恐再拜。

高公读毕，叹道："我一时思之不熟。今闻钟离公之言，惭愧无地。我如今有个两尽之道，使钟离公得行其志，而吾亦同享其名。万世而下，以为美谈。"即时复书云：

以女易女，仆之慕谊虽殷；停妻娶妻，君之引礼甚正。仆之次男高升，年方十七，尚未缔姻。令爱归我长儿，石女属我次子。佳儿佳妇，两对良姻；一死一生，千秋高谊。妆奁不须求备，时日且喜和同。伏冀俯从，不须改卜。原惶恐再拜。

钟离公得书，大喜道："如此处分，方为双美。高公义气，真不愧古人。吾当拜其下风矣！"当下即与夫人说知，将一副妆奁，剖为两分，衣服首饰，稍稍增添。二女一般，并无厚薄。到十月望前两日，高公安排两乘花花细轿，笙箫鼓吹，迎接两位新人。钟离公先发了嫁妆去后，随唤出瑞枝、月香两个女儿，教夫人分付他为妇之道。二女拜别而行。月香感念钟离公夫妇恩德，十分难舍，号哭上轿，一路趱行，自不必说。到了县中，恰好凑着吉日良时，两对小夫妻，如花如锦，拜堂合卺。高公夫妇欢喜无限。正是：

百年好事从今定，一对姻缘天上来。

再说钟离公嫁女三日之后，夜间忽得一梦，梦见一位官人，幞头象简，立于面前，说道："吾乃月香之父石壁是也。生前为此县大尹，因仓粮失火，赔偿无措，郁郁而亡。上帝察其清廉，悯其无罪，敕封吾为本县城隍之神。月香吾之爱女，蒙君高谊，拔之泥中，成其美眷，此乃阴德之事，吾已奏闻上帝。君命中本无子嗣，上帝以公行善，赐公一子，昌大其门。君当致身高位，安享遐龄，邻县高公，与君同心，愿娶孤女，上帝嘉悦，亦赐二子高官厚禄，以酬其德。君当传与世人，广行方便，切不可凌弱暴寡，利己损人。天道昭昭，纤毫洞察。"说罢，再拜。钟离公答拜起身，忽然踏了衣服前幅，跌上一交，猛然惊醒，乃是一梦，即时说与夫人知道。夫人亦嗟讶不已。待等天明，钟离公打轿到城隍庙中焚香作礼，捐出俸资百两，命道士重新庙宇，将此事勒碑，广谕众人，又将此梦备细写书报与高公知道。高公把书与两个儿子看了，各各惊讶。钟离夫人年过四十，忽然得孕生子，取名天赐。后来钟离义归宋，任至龙图阁大学士，寿享九旬。子天赐，为大宋状元。高登、高升俱仕宋朝，官至卿宰。此是后话。

且说贾昌在客中，不久回来，不见了月香小姐和那养娘，询知其故，与婆娘大闹几场。后来知得钟离相公将月香为女，一同小姐嫁与高门。贾昌无处用情，把银二十两，要赎养娘送还石小姐。那赵二恩爱夫妻，不忍分拆，情愿做一对投靠。张婆也禁他不住。贾昌领了赵二夫妻，直到德安县，禀知大尹高公。高公问了备细，进衙又问媳妇月香，所言相同。遂将赵二夫妻收留，以金帛厚酬贾昌。贾昌不受而归。从此贾昌恼恨老婆无义，立誓不与他相处；另招一婢，生下两男。——此亦作善之报也。后人有诗叹云：

人家要娶择高门，谁肯周全孤女婚？
试看两公阴德报，皇天不负好心人。

第二卷
三孝廉让产立高名

紫荆枝下还家日，花萼楼中合被时。
同气从来兄与弟，千秋羞咏《豆萁》诗。

这首诗，为劝人兄弟和顺而作，用着三个故事，看官听在下一一分剖。第一句说：“紫荆枝下还家日。”昔时有田氏兄弟三人，从小同居合爨。长的娶妻，叫田大嫂；次的娶妻，叫田二嫂。妯娌和睦，并无间言。惟第三的年小，随着哥嫂过日。后来长大娶妻，叫田三嫂。那田三嫂为人不贤，恃着自己有些妆奁，看见夫家一锅里煮饭，一桌上吃食，不用私钱，不动私秤，便私房要吃些东西，也不方便，日夜在丈夫面前撺掇：“公堂钱库田产，都是伯伯们掌管，一出一入，你全不知道。他是亮里，你是暗里。用一说十，用十说百，那里晓得！目今虽说同居，到底有个散场。若还家道消乏下来，只苦得你年幼的。依我说，不如早早分析，将财产三分拨开，各人自去营运，不好么？”田三一时被妻言所惑，认为有理，央亲戚对哥哥说，要分析而居。田大、田二初时不肯，被田三夫妇内外连连催逼，只得依允。将所有房产钱谷之类，三分拨开，分毫不多，分毫不少。只有庭前一棵大紫荆树，积祖传下，极其茂盛，既要析居，这树归着那一个？可惜正在开花之际，也说不得了。田大至公无私，议将此树砍倒，将粗本分为三截，每人各得一截，其馀零枝碎叶，论秤分开。商议已妥，只待来日动手。

次日天明，田大唤了两个兄弟，同去砍树。到得树边看时，枝枯叶萎，全无生气。田大把手一推，其树应手而倒，根芽俱露。田大住手，向树大哭。两个兄弟道："此树值得甚么！兄长何必如此痛惜！"田大道："吾非哭此树也。思我兄弟三人，产于一姓，同爷合母，比这树枝枝叶叶，连根而生，分开不得。根生本，本生枝，枝生叶，所以荣盛。昨日议将此树分为三截，那树不忍活活分离，一夜自家枯死。我兄弟三人若分离了，亦如此树枯死，岂有荣盛之日？吾所以悲哀耳。"田二、田三闻哥哥所言，至情感动："可以人而不如树乎？"遂相抱做一堆，痛哭不已。大家不忍分析，情愿依旧同居合爨。三房妻子听得堂前哭声，出来看时，方知其故。大嫂二嫂，各各欢喜，惟三嫂不愿，口出怨言。田三要将妻逐出，两个哥哥再三劝住。三嫂羞惭，还房自缢而死。此乃自作孽不可活。这话阁过不题。再说田大可惜那棵紫荆树，再来看时，其树无人整理，自然端正，枝枯再活，花萎重新，比前更加烂熳。田大唤两个兄弟来看了，各人嗟讶不已。自此田氏累世同居。有诗为证：

紫荆花下说三田，人合人离花亦然。
同气连枝原不解，家中莫听妇人言。

第二句说："花萼楼中合被时。"那花萼楼在陕西长安城中，大唐玄宗皇帝所建。玄宗皇帝就是唐明皇。他原是唐家宗室，因为韦氏乱政，武三思专权，明皇起兵诛之，遂即帝位。有五个兄弟，皆封王爵，时号"五王"。明皇友爱甚笃，起一座大楼，取《诗经·棠棣》之义，名曰花萼。时时召五王登楼欢宴。又制成大幔，名为"五王帐"。帐中长枕大被，明皇和五王时常同寝其中。有诗为证：

羯鼓频敲玉笛催，朱楼宴罢夕阳微。
宫人秉烛通宵坐，不信君王夜不归。

第四句说："千秋羞咏《豆萁》诗。"后汉魏王曹操长子曹丕，篡汉称帝。有弟曹植，字子建，聪明绝世。操生时最所宠爱，几遍欲立为嗣而不果。曹丕衔其旧恨，欲寻事而杀之。一日，召子建问曰："先帝每夸汝诗才敏捷，朕未曾面试。今限汝七步之内，成诗一首。如若不成，当坐汝欺诳之罪。"子建未及七步，其诗已成，中寓规讽之意。诗曰：

煮豆燃豆萁，豆在釜中泣。
本是同根生，相煎何太急。

曹丕见诗感泣，遂释前恨。后人有诗为证：

从来宠贵起猜疑，七步诗成亦可危。

堪叹釜萁仇未已，六朝骨肉尽诛夷。

说话的，为何今日讲这两三个故事？只为自家要说那“三孝廉让产立高名”。这段话文不比曹丕忌刻，也没子建风流，胜如紫荆花下三田，花萼楼中诸李，随你不和顺的弟兄，听着在下讲这节故事，都要学好起来。正是：

要知天下事，须读古人书。

这故事出在东汉光武年间。那时天下乂安，万民乐业。朝有梧凤之鸣，野无谷驹之叹。原来汉朝取士之法，不比今时。他不以科目取士，惟凭州郡选举。虽则有博学宏词、贤良方正等科，惟以孝廉为重。孝者，孝弟；廉者，廉洁。孝则忠君，廉则爱民。但是举了孝廉，便得出身做官。若依了今日事势，州县考个童生，还有几十封荐书，若是举孝廉时，不知多少分上钻刺，依旧是富贵子弟钻去了。孤寒的便有曾参之孝，伯夷之廉，休想扬名显姓。只是汉时法度甚妙：但是举过某人孝廉，其人若果然有才有德，不拘资格，骤然升擢，连举主俱纪录受赏；若所举不得其人，后日或贪财坏法，轻则罪黜，重则抄没，连举主一同受罪。那荐人的，与所荐之人，休戚相关，不敢胡乱。所以公道大明，朝班清肃。不在话下。

且说会稽郡阳羡县，有一人姓许名武，字长文，十五岁上，父母双亡。虽然遗下些田产童仆，奈门户单微，无人帮助。更兼有两个兄弟，一名许晏，年方九岁，一名许普，年方七岁，都则幼小无知，终日赶着哥哥啼哭。那许武日则躬率童仆，耕田种圃，夜则挑灯读书。但是耕种时，二弟虽未胜耰锄，必使从旁观看。但是读书时，把两个小兄弟，坐于案旁，将句读亲口传授，细细讲解，教以礼让之节，成人之道。稍不率教，辄跪于家庙之前，痛自督责，说自己德行不足，不能化诲，愿父母有灵，启牖二弟，涕泣不已。直待兄弟号泣请罪，方才起身，并不以疾言倨色相加也。室中只用铺陈一副，兄弟三人同睡。如此数年，二弟俱已长成，家事亦渐丰盛。有人劝许武娶妻，许武答道：“若娶妻，便当与二弟别居。笃夫妇之爱，而忘手足之情，吾不忍也。”繇是昼则同耕，夜则同读，食必同器，宿必同床。乡里传出个大名，都称为“孝弟许武”。又传出几句口号，道是：

阳羡许季长，耕读昼夜忙。教诲二弟俱成行，不是长兄是父娘。

时州牧郡守，俱闻其名，交章荐举，朝廷征为议郎，下诏会稽郡。太守奉旨，檄下县令，刻日劝驾。许武迫于君命，料难推阻，分付两个兄弟：“在家躬耕力学，一如我在家之时，不可懈惰废业，有负先人遗训。”又嘱付奴仆：“俱要小心安分，听两个家主役使，早起夜眠，共扶家业。”嘱付已毕，收拾行装，不用官府车辆，自己雇了脚力登车，只带一个童儿，望长安进发。不一日，到京朝见受职。长安城中，闻得孝弟许武之名，争来拜访识荆，此时望重朝班，名闻四野。朝中大臣探听得许武尚未婚娶，多欲以女妻

之者。许武心下想道："我兄弟三人，年皆强壮，皆未有妻，我若先娶，殊非为兄之道。况我家世耕读，侥幸备员朝署，便与缙绅大家为婚，那女子自恃家门，未免骄贵之气。不惟坏了我儒素门风，异日我两个兄弟娶了贫贱人家女子，妯娌之间，怎生相处！从来兄弟不睦，多因妇人而起。我不可不防其渐也。腹中虽如此踌论，却是说不出的话。只得权辞以对，说家中已定下糟糠之妇，不敢停妻再娶，恐被宋弘所笑。众人闻之，愈加敬重。况许武精于经术，朝廷有大事，公卿不能决，往往来请教他。他引古证今，议论悉中窾要。但是许武所议，众人皆以为确不可易，公卿倚之为重，不数年间，累迁至御史大夫之职。

忽一日，思想二弟在家，力学多年，不见州郡荐举，诚恐怠荒失业，意欲还家省视。遂上疏，其略云：

> 臣以菲才，遭逢圣代，致位通显，未谋报称，敢图暇逸？但古人云："人生百行，孝弟为先。""不孝有三，无后为大。"先父母早背，域兆未修；臣弟二人，学业未立；臣三十未娶。五伦之中，乃缺其三。愿赐臣假，暂归乡里，倘念臣犬马之力，尚可鞭笞，奔驰有日。

天子览奏，准给假暂归，命乘传衣锦还乡，复赐黄金二十斤为婚礼之费。许武谢恩辞朝，百官俱于郊外送行。正是：

> 报道锦衣归故里，争夸白屋出公卿。

许武既归，省视先茔已毕，便乃纳还官诰，只推有病，不愿为官。过了些时，从容召二弟至前，询其学业之进退。许晏、许普应答如流，理明词畅。许武心中大喜。再稽查田宅之数，比前恢廓数倍，皆二弟勤俭之所积也。武于是遍访里中良家女子，先与两个兄弟定亲，自己方才娶妻，续又与二弟婚配。

约莫数月，忽然对二弟说道："吾闻兄弟有析居之义。今吾与汝，皆已娶妇，田产不薄，理宜各立门户。"二弟唯唯惟命。乃择日治酒，遍召里中父老。三爵已过，乃告以析居之事。因悉召僮仆至前，将所有家财，一一分剖。首取广宅自予，说道："吾位为贵臣，门宜棨戟，体面不可不肃。汝辈力田耕作，得竹庐茅舍足矣。"又阅田地之籍，凡良田悉归之己，将硗薄者量给二弟，说道："我宾客众盛，交游日广，非此不足以供吾用，汝辈数口之家，但能力作，只此可无冻馁，吾不欲汝多财以损德也。"又悉取奴仆之壮健伶俐者，说道："吾出入跟随，非此不足以给使令。汝辈合力耕作，正须此愚蠢者作伴，老弱馈食足矣，不须多人费汝衣食也。"

众父老一向知许武是个孝弟之人，这番分财，定然辞多就少。不想他般般件件，自占便宜。两个小兄弟所得，不及他十分之五，全无谦让之心，大有欺凌之意。众人心中甚是不平，有几个刚直老人气忿不过，竟自去了。有个心直口快的，便想要开口说公道话，与两个小兄弟做乔主张。其中又有个老成的，背地里捏手捏脚，教他莫说，以此罢了。那教他莫说的，也有些见识，他道："富贵的人，与贫贱的人，不是一般肚肠。许武已做了显官，比不得当初了。常言道：疏不间亲。你我终是外人，怎管得他家事。就是好言相劝，料未必听从，枉费了唇舌，到挑拨他兄弟不和。倘或做兄弟的肯让哥哥，十分之美，你我又呕这闲气则甚！若做兄弟的心上不甘，必然争论。等他争论时节，我们替他做个主张，却不是好！"正是：

事非干己休多管，话不投机莫强言。

原来许晏、许普，自从蒙哥哥教诲，知书达礼，全以孝弟为重，见哥哥如此分析，以为理之当然，绝无几微不平的意思。许武分拨已定，众人皆散。许武居中住了正房，其左右小房，许晏、许普各住一边。每日率领家奴下田耕种，暇则读书，时时将疑义叩问哥哥，以此为常。妯娌之间，也与他兄弟三人一般和顺。从此里中父老，人人薄许武之所为，都可怜他两个兄弟，私下议论道："许武是个假孝廉，许晏、许普才是个真孝廉。他思念父母面上，一体同气，听其教诲，唯唯诺诺，并不违拗，岂不是孝？他又重义轻财，任分多少，全不争论，岂不是廉？"起初里中传个好名，叫做"孝弟许武"，如今抹落了武字，改做"孝弟许家"，把许晏、许普弄出一个大名来。那汉朝清议极重，又传出几句口号，道是：

假孝廉，做官员；真孝廉，出口钱。假孝廉，据高轩；真孝廉，守茅檐。假孝廉，富田园；真孝廉，执锄镰。真为玉，假为瓦，瓦登厦，玉抛野。不宜真，只宜假。

那时明帝即位，下诏求贤，令有司访问笃行有学之士，登门礼聘，传驿至京。诏书到会稽郡，郡守分谕各县。县令平昔已知许晏、许普让产不争之事，又值父老公举他真孝真廉，行过其兄，把二人申报本郡。郡守和州牧，皆素闻其名，一同举荐。县令亲到其门，下车投谒，手捧玄纁束帛，备陈天子求贤之意。许晏、许普，谦让不已。许武道："幼学壮行，君子本分之事，吾弟不可固辞。"

二人只得应诏，别了哥嫂，乘传到于长安，朝见天子。拜舞已毕，天子金口玉言，问道："卿是许武之弟乎？"晏、普叩头应诏。天子又道："闻卿家有孝弟之名。卿之廉让，有过于兄，朕心嘉悦。"晏、普叩头道："圣运龙兴，辟门访落，此乃帝王盛典。郡县不以臣晏臣普为不肖，有溷圣聪。臣幼失怙恃，承兄武教训，兢兢自守，耕耘诵读之外，别无他长。弟等何能及兄武之万一。"天子闻对，嘉其谦德，即日俱拜为内史。不五年间，皆至九卿之位。居官虽不如乃兄赫赫之名，然满朝称为廉让。忽一日，许武致家书于二弟。二弟拆开看之，书曰：

匹夫而膺辟召，仕宦而至九卿，此亦人生之极荣也。二疏有言："知足不辱，知止不殆。"既无出类拔萃之才，宜急流勇退，以避贤路。

晏、普得书，即日同上疏辞官。天子不许。疏三上，天子问宰相宋均道："许晏、许普壮年入仕，备位九卿。朕待之不薄，而屡屡求退，何也？"宋均奏道："晏、普兄弟三人，天性孝友。今许武久居林下，而晏、普并驾天衢，其心或有未安。"天子道："朕并召许武，使兄弟三人同朝辅政何如？"宋均道："臣察晏、普之意，出于至诚。陛下不若姑从所请，以遂其高。异日更下诏征之。或仿先朝故事，就近与一大郡，以展其未尽之才，因使便道归省，则陛下好贤之诚，与晏、普友爱之义，两得之矣。"天子准奏，即拜许晏为丹阳郡太守，许普为吴郡太守，各赐黄金二十斤，宽假三月，以尽兄弟之情。许晏、许普谢恩辞朝，公卿俱出郭，到十里长亭，相饯而别。晏、普二人，星夜回到阳羡，拜见了哥哥，将朝廷所赐黄金，尽数献出。许武道："这是圣上恩赐，吾何敢当！"教二弟各自收去。次日，许武备下三牲祭礼，率领二弟到父母坟茔，拜奠了毕，随即设宴遍召里中父老。许氏三兄弟，都做了大官，虽然他不以富贵骄人，自然声势赫奕。闻他呼唤，尚不敢不来，况且加个"请"字？那时众父老来得愈加整齐。许武手捧酒卮，亲自劝酒。众人都道："长文公与二哥三哥接风之酒，老汉辈安敢僭先！"比时风俗淳厚，乡党序齿，许武出仕已久，还叫一句"长文公"。那两个兄弟，又下一辈了，虽是九卿之贵，乡尊故旧，依旧称"哥"。许武道："下官此席，专屈诸乡亲下降，有句肺腑之言奉告。必须满饮三杯，方敢奉闻。"众人被劝，只得吃了。许武教两个兄弟次第把盏，各敬一杯。众人饮罢，齐声道："老汉辈承贤昆玉厚爱，借花献佛，也要奉敬。"许武等三人，亦各饮讫。众人道："适才长文公所论金玉之言，老汉辈拱听已久，愿得示下。"许武叠两个指头，说将出来。言无数句，使听者毛骨耸然。正是：

斥鷃不知大鹏，河伯不知海若。
圣贤一段苦心，庸夫岂能测度。

许武当时未曾开谈，先流下泪来。唬得众人惊惶无措。两个兄弟慌忙跪下，问道："哥哥何事悲伤？"许武道："我的心事，藏之数年，今日不得不言。"指着晏、普道："只因为你两个名誉未成，使我作违心之事，冒不韪之名，有玷于祖宗，贻笑于乡里，所以流泪。"遂取出一卷册籍，把与众人观看。——原来是田地屋宅及历年收敛米粟布帛之数。众人还未晓其意。许武又道："我当初教育两个兄弟，原要他立身行道，扬名显亲。不想我虚名早著，遂先显达。二弟在家，躬耕力学，不得州郡征辟。我欲效古人祁大夫内举不避亲，诚恐不知二弟之学行者，说他因兄而得官，误了终身名节。我故倡为析居之议，将大宅良田，强奴巧婢，悉据为己有。度吾弟素敦爱敬，决不争竞。吾暂冒贪饕之迹，吾弟有廉让之名。果蒙乡里公评，荣膺征聘。今位列公卿，官常无玷，吾志已遂矣。这些田房奴婢，都是公共之物，吾岂可一人独享！这几年以来，所收米谷布帛，分毫不敢妄用，尽数开载在那册籍上。今日交付二弟，表为兄的向来心迹，也教众乡尊得知。"

众父老到此，方知许武先年析产一片苦心，自愧见识低微，不能窥测，齐声称叹不已。只有许晏、许普哭倒在地，道："做兄弟的蒙哥哥教训成人，侥幸得有今日，谁知哥哥如此用心，是弟辈不肖，不能自致青云之上，有累兄长。今日若非兄长自说，弟辈都在梦中。兄长盛德，从古未有。只是弟辈不肖之罪，万分难赎。这些小家财，原是兄长苦挣来的，合该兄长管业。弟辈衣食自足，不消兄长挂念。"许武道："做哥的力田有年，颇知生殖。况且宦情已淡，便当老于耰锄，以终天年。二弟年富力强，方司民社，宜资庄产，以终廉节。"晏、普又道："哥哥为弟辈而自污，弟辈既得名，又欲得利，是天下第一等贪夫了，不惟玷辱了祖宗，亦且玷辱了哥哥，万望哥哥收回册籍，聊减弟辈万一之罪。"

众父老见他兄弟三人交相推让，你不收，我不受，一齐向前劝道："贤昆玉所言，都则一般道理。长文公若独得了这田产，不见得向来成全两位这一段苦心；两位若径受了，又负了令兄长文公这一段美意。依老汉辈愚见，宜作三股均分，无厚无薄，这才见兄友弟恭，各尽其道。"他三个兀自你推我让。那父老中有前番那几个刚直的，挺身向前，厉声说道："吾等适才处分，甚得中正之道，若再推逊，便是矫情沽誉了。把这册籍来，待老汉与你分剖。"许武弟兄三人，更不敢多言，只得凭他主张，当时将田产配搭三股分开，各自管业。中间大宅，仍旧许武居住。左右屋宇窄狭，以所在粟帛之数补偿晏、普，他日自行改造。其僮婢，亦皆分派。众父老都称为公平。许武等三人施礼作谢，邀入正席饮酒，尽欢而散。

许武心中终以前番析产之事为歉，欲将所得良田之半，立为义庄，以赡乡里，许晏、许普闻知，亦各出己产相助。里中人人叹服。又传出几句口号来，道是：

> 真孝廉，惟许武；谁继之？晏与普。弟不争，兄不取。作义庄，赡乡里，呜呼孝廉谁可比！

晏、普感兄之义，又将朝廷所赐黄金，大市牛酒，日日邀里中父老与哥哥会饮。如此三月，假期已满，晏、普不忍与哥哥分别，各要纳还官诰。许武再三劝谕，责以大义。二人只得听从，各携妻小赴任。

却说里中父老，将许武一门孝弟之事，备细申闻郡县，郡县为之奏闻。

圣旨命有司旌表其门，称其里为孝弟里。后来三公九卿，交章荐许武德行绝伦，不宜逸之田野，累诏起用。许武只不奉诏，有人问其缘故。许武道："两弟在朝居位之时，吾曾讽以知足知止。我若今日复出应诏，是自食其言了。况方今朝廷之上，是非相激，势利相倾，恐非缙绅之福；不如躬耕乐道之为愈耳。"人皆服其高见。

再说晏、普到任，守其乃兄之教，各以清节自励，大有政声。后闻其兄高致，不肯出山。弟兄相约，各将印绶纳还，奔回田里，日奉其兄为山水之游，尽老百年而终。许氏子孙昌茂，累代衣冠不绝，至今称为"孝弟许家"云。后人作歌叹道：

今人兄弟多分产，古人兄弟亦分产。
古人分产成弟名，今人分产但嚣争。
古人自污为孝义，今人自污争微利。
孝义名高身并荣，微利相争家共倾。
安得尽居孝弟里，却把阋墙人愧死。

第三卷 卖油郎独占花魁

年少争夸风月，场中波浪偏多。有钱无貌意难和，有貌无钱不可。　　就是有钱有貌，还须着意揣摩。知情识趣俏哥哥，此道谁人赛我。

这首词名为《西江月》，是风月机关中撮要之论。常言道："妓爱俏，妈爱钞。"所以子弟行中，有了潘安般貌，邓通般钱，自然上和下睦，做得烟花寨内的大王，鸳鸯会上的主盟。然虽如此，还有个两字经儿，叫做帮衬。帮者，如鞋之有帮；衬者，如衣之有衬。但凡做小娘的，有一分所长，得人衬贴，就当十分。若有短处，曲意替他遮护，更兼低声下气，送暖偷寒，逢其所喜，避其所讳，以情度情，岂有不爱之理。这叫做帮衬。风月场中，只有会帮衬的最讨便宜，无貌而有貌，无钱而有钱。假如郑元和在卑田院做了乞儿，此时囊箧俱空，容颜非旧，李亚仙于雪天遇之，便动了一个恻隐之心，将绣襦包裹，美食供养，与他做了夫妻。这岂是爱他之钱，恋他之貌？只为郑元和识趣知情，善于帮衬，所以亚仙心中舍他不得。你只看亚仙病中想马板肠汤吃，郑元和就把个五花马杀了，取肠煮汤奉之。只这一节上，亚仙如何不念其情。后来郑元和中了状元，李亚仙封为　国夫人。《莲花落》打出万年策，卑田院变做了白玉楼。一床锦被遮盖，风月场中反为美谈。这是：

运退黄金失色，时来铁也生光。

话说大宋自太祖开基，太宗嗣位，历传真、仁、英、神、哲，共是七代帝王，都则偃武修文，民安国泰。到了徽宗道君皇帝，信任蔡京、高俅、杨戬、朱勔之徒，大兴苑囿，专务游乐，不以朝政为事。以致万民嗟怨，金虏乘之而起，把花锦般一个世界，弄得七零八落。直至二帝蒙尘，高宗泥马渡江，偏安一隅，天下分为南北，方得休息。其中数十年，百姓受了多少苦楚。正是：

甲马丛中立命，刀枪队里为家。

杀戮如同戏耍，抢夺便是生涯。

内中单表一人，乃汴梁城外安乐村居住，姓莘，名善，浑家阮氏。夫妻两口，开个六陈铺儿。虽则粜米为生，一应麦豆茶酒油盐杂货，无所不备，家道颇颇得过。年过四旬，止生一女，小名叫做瑶琴。自小生得清秀，更且资性聪明。七岁上，送在村学中读书，日诵千言。十岁时，便能吟诗作赋。曾有《闺情》一绝，为人传诵。诗云：

朱帘寂寂下金钩，香鸭沉沉冷画楼。

移枕怕惊鸳并宿，挑灯偏惜蕊双头。

到十二岁，琴棋书画，无所不通。若题起女工一事，飞针走线，出人意表。此乃天生伶俐，非教习之所能也。莘善因为自家无子，要寻个养女婿，来家靠老。只因女儿灵巧多能，难乎其配。所以求亲者颇多，都不曾许。不幸遇了金虏猖獗，把汴梁城围困，四方勤王之师虽多，宰相主了和议，不许厮杀，以致虏势愈甚。打破了京城，劫迁了二帝。那时城外百姓，一个个亡魂丧胆，携老扶幼，弃家逃命。

却说莘善领着浑家阮氏，和十二岁的女儿，同一般逃难的，背着包裹，结队而走。忙忙如丧家之犬，急急如漏网之鱼。担渴担饥担劳苦，此行谁是家乡；叫天叫地叫祖宗，惟愿不逢鞑虏。正是：

宁为太平犬，莫作乱离人！

正行之间，谁想鞑子到不曾遇见，却逢着一阵败残的官兵。他看见许多逃难的百姓，多背得有包裹，假意呐喊道："鞑子来了！"沿路放起一把火来。此时天色将晚，唬得众百姓落荒乱窜，你我不相顾。他就乘机抢掠。若不肯与他，就杀害了。这是乱中生乱，苦上加苦。

却说莘氏瑶琴，被乱军冲突，跌了一交，爬起来，不见了爹娘。不敢叫唤，躲在道傍古墓之中，过了一夜。到天明，出外看时，但见满目风沙，死尸横路。昨日同时避难之人，都不知所往。瑶琴思念父母，痛哭不已。欲待寻访，又不认得路径。只得望南而行。哭一步，挨一步。约莫走了二里之程。心上又苦，腹中又饥。望见土房一所，想必其中有人，欲待求乞些汤饮。及至向前，却是破败的空屋，人口俱逃难去了。瑶琴坐于土墙之下，哀哀而哭。

自古道：无巧不成话。恰好有一人从墙下而过。那人姓卜，名乔，正是莘善的近邻，平昔是个游手游食，不守本分，惯吃白食，用白钱的主儿。人都称他是卜大郎。也是被官军冲散了同伙，今日独自而行。听得啼哭之声，慌忙来看。瑶琴自小相认，今日患难之际，举目无亲，见了近邻，分明见了亲人一般，即忙收泪，起身相见。问道："卜大叔，可曾见我爹妈么？"卜乔心中暗想："昨日被官军抢去包裹，正没盘缠。天生这碗衣饭，送来与我，正是奇货可居。"便扯个谎，道："你爹和妈，寻你不见，好生痛苦。如今前面去了，分付我道：'倘或见我女儿，千万带了他来，送还了我。'许我厚谢。"瑶琴虽是聪明，正当无可奈何之际，君子可欺以其方，遂全然不疑，随着卜乔便走，正是：

情知不是伴，事急且相随。

卜乔将随身带的干粮，把些与他吃了，分付道："你爹妈连夜走的。若路上不能相遇，直要过江到建康府，方可相会。一路上同行，我权把你当女儿，你权叫我做爹。不然，只道我收留迷失子女，不当稳便。"瑶琴依允。从此陆路同步，水路同舟，爹女相称。到了建康府，路上又闻得金兀术四太子，引兵渡江。眼见得建康不得宁息。又闻得康王即位，已在杭州驻跸，改名临安。遂趁船到润州。过了苏常嘉湖，直到临安地面，暂且饭店中居住。也亏卜乔，自汴京至临安，三千馀里，带那莘瑶琴下来，身边藏下些散碎银两，都用尽了，连身上外盖衣服，脱下准了店钱，止剩得莘瑶琴一件活货，欲行出脱。访得西湖上烟花王九妈家要讨养女，遂引九妈到店中，看货还钱。九妈见瑶琴生得标致，讲了财礼五十两。卜乔兑足了银子，将瑶琴送到王家。原来卜乔有智，在王九妈前，只说："瑶琴是我亲生之女，不幸到你门户人家，须是款款的教训，他自然从顺，不要性急。"在瑶琴面前，又说："九妈是我至亲，权时把你寄顿他家，待我从容访知你爹妈下落，再来领你。"以此，瑶琴欣然而去。

可怜绝世聪明女，堕落烟花罗网中。

王九妈新讨了瑶琴，将他浑身衣服，换个新鲜，藏于曲楼深处，终日好茶好饭，去将息他，好言好语，去温暖他。瑶琴既来之，则安之。住了几日，不见卜乔回信。思量爹妈，噙着两行珠泪，问九妈道："卜大叔怎不来看我？"九妈道："哪个卜大叔？"瑶琴道："便是引我到你家的那个卜大郎。"九妈道："他说是你的亲爹。"瑶琴道："他姓卜，我姓莘。"遂把汴梁逃难，失散了爹妈，中途遇见了卜乔，引到临安，并卜乔哄他的说话，细述一遍。

九妈道："原来恁地，你是个孤身女儿，无脚蟹。我索性与你说明罢：那姓卜的把你卖在我家，得银五十两去了。我们是门户人家，靠着粉头过活。家中虽有三四个养女，并没个出色的。爱你生得齐整，把做个亲女儿相待。待你长成之时，包你穿好吃好，一生受用。"瑶琴听说，方知被卜乔所骗，放声大哭。九妈劝解，良久方止。

自此九妈将瑶琴改做王美，一家都称为美娘，教他吹弹歌舞，无不尽善。长成一十四岁，娇艳非常。临安城中，这些富豪公子，慕其容貌，都备着厚礼求见。也有爱清标的，闻得他写作俱高，求诗求字的，日不离门。弄出天大的名声出来，不叫他美娘，叫他做花魁娘子。西湖上子弟编出一支《挂枝儿》，单道那花魁娘子的好处：

小娘中，谁似得王美儿的标致，又会写，又会画，又会做诗，吹弹歌舞都馀事。常把西湖比西子，就是西子比他也还不如！那个有福的汤着他身儿，也情愿一个死。

只因王美有了个盛名，十四岁上就有人来讲梳弄。一来王美不肯，二来王九妈把女儿做金子看成，见他心中不允，分明奉了一道圣旨，并不敢违拗。又过了一年，王美年方十五。原来门户中梳弄也有个规矩，十三岁太早，谓之试花，皆因鸨儿爱财，不顾痛苦。那子弟也只博个虚名，不得十分畅快取乐。十四岁谓之开花，此时天癸已至，男施女受，也算当时了。到十五谓之摘花，在平常人家还算年小，惟有门户人家以为过时。王美此时未曾梳弄，西湖上子弟又编出一只《挂枝儿》来：

王美儿，似木瓜，空好看，十五岁还不曾与人汤一汤。有名无实成何干，便不是石女，也是二行子的娘，若还有个好好的羞羞也，如何熬得这些时痒。

王九妈听得这些风声，怕坏了门面，来劝女儿接客。王美执意不肯，说道："要我会客时，除非见了亲生爹妈。他肯做主时，方才使得。"王九妈心里又恼他，又不舍得难为他。捱了好些时。

偶然有个金二员外，大富之家，情愿出三百两银子，梳弄美娘。九妈得了这主大财，心生一计，与金二员外商议，若要他成就，除非如此如此。金二员外意会了。其日八月十五日，只说请王美湖上看潮。请至舟中，三四个帮闲，俱是会中之人，猜拳行令，做好做歉，将美娘灌得烂醉如泥。扶到王九妈家楼中，卧于床上，不省人事。此时天气和暖，又没几层衣服。妈儿亲手伏侍。以及美娘醒将转来，已被金二员外耍得勾了。欲待挣扎，争奈手足俱软，由他轻薄了一回，直待绿暗红飞，方始雨收云散。正是：

雨中花蕊方开罢，镜里娥眉不似前。

五鼓时，美娘酒醒，已知鸨儿用计，破了身子。自怜红颜命薄，遭此强横，起来解手，穿了衣服，自在床边一个斑竹榻上，朝着里壁睡了，暗暗垂泪。金二员外来亲近他时，被他劈头劈脸，抓有几个血痕。金二员外好生没趣。捱得天明，对妈儿说声："我去也。"妈儿要留他时，已自出门去了。

从来梳弄的子弟，早起时，妈儿进房贺喜，行户中都来称庆，还要吃几日喜酒。那子弟多则住一二月，最少也住半月二十日。只有金二员外侵早出门，是从来未有之事。王九妈连叫诧异，披衣起身上楼，只见美娘卧于榻上，满眼流泪。九妈要哄他上行，连声招许多不是。美娘只不开口。九妈只得下楼去了。美娘哭了一日，茶饭不沾。从此托病，不肯下楼，连客也不肯会面了。

九妈心下焦燥。欲待把他凌虐，又恐他烈性不从，反冷了他的心肠。欲待繇他，本是要他赚钱。若不接客时，就养到一百岁也没用。踌躇数日，无计可施。忽然想起，有个结义妹子，叫做刘四妈，时常往来。他能言快语，与美娘甚说得着。何不接取他来，下个说词。若得他回心转意，大大的烧个利市。当下叫保儿去请刘四妈到前楼坐下，诉以衷情。刘四妈道："老身是个女随何，雌陆贾，说得罗汉思情，嫦娥想嫁。这件事都在老身身上。"九妈道："若得如此，做姐的情愿与你磕头。你多吃杯茶去，省得说话时口干。"刘四妈道："老身天生这副海口，便说到明日，还不干哩。"

刘四妈吃了几杯茶，转到后楼，只见楼门紧闭。刘四妈轻轻的叩了一下，叫声："侄女！"美娘听得是四妈声音，便来开门。两下相见了。四妈靠桌朝下而坐，美娘傍坐相陪。四妈看他桌上铺着一幅细绢，才画得个美人的脸儿，还未曾着色。四妈称赞道："画得好！真是巧手！九阿姐不知怎生样造化，偏生遇着你这一个伶俐女儿。又好人物，又好技艺，就是堆上几千两黄金，满临安走遍，可寻出个对儿么？"美娘道："休得见笑！今日甚风吹得姨娘到来？"刘四妈道："老身时常要来看你，只为家务在身，不得空闲。闻得你恭喜梳弄了。今日偷空而来，特特与九阿姐叫喜。"美儿听得提起梳弄二字，满脸通红，低着头不来答应。

刘四妈知他害羞，便把椅儿掇上一步，将美娘的手儿牵着，叫声："我儿！做小娘的，不是个软壳鸡蛋，怎的这般嫩得紧？似你恁地怕羞，如何赚得大主银子？"美娘道："我要银子做甚？"四妈道："我儿，你便不要银子，做娘的，看得你长大成人，难道不要出本？自古道，靠山吃山，靠水吃水。九阿姐家有几个粉头，那一个赶得上你的脚跟来？一园瓜，只看得你是个瓜种。九阿姐待你也不比其他。你是聪明伶俐的人，也须识些轻重。闻得你自梳弄之后，一个客也不肯相接。是甚么意儿？都像你的意时，一家人口，似蚕一般，那个把桑叶喂他？做娘的抬举你一分，你也要与他争口气儿，莫要反讨众丫头们批点。"美娘道："繇他批点，怕怎的！"刘四妈道："阿呀！

批点是个小事，你可晓得门户中的行径么？”美娘道：“行径便怎的？”刘四妈道：“我们门户人家，吃着女儿，穿着女儿，用着女儿，侥幸讨得一个像样的，分明是大户人家置了一所良田美产。年纪幼小时，巴不得风吹得大。到得梳弄过后，便是田产成熟，日日指望花利到手受用。前门迎新，后门送旧，张郎送米，李郎送柴，往来热闹，才是个出名的姊妹行家。”

美娘道：“羞答答，我不做这样事！”刘四妈掩着口，格的笑了一声，道：“不做这样事，可是繇得你的？一家之中，有妈妈做主。做小娘的若不依他教训，动不动一顿皮鞭，打得你不生不死。那时不怕你不走他的路儿。九阿姐一向不难为你，只可惜你聪明标致，从小娇养的，要惜你的廉耻，存你的体面。方才告诉我许多话，说你不识好歹，放着鹅毛不知轻，顶着磨子不知重，心下好生不悦。教老身来劝你。你若执意不从，惹他性起，一时翻过脸来，骂一顿，打一顿，你待走上天去！凡事只怕个起头。若打破了头时，朝一顿，暮一顿，那时熬这些痛苦不过，只得接客，却不把千金声价弄得低微了。还要被姊妹中笑话。依我说，吊桶已自落在他井里，挣不起了。不如千欢万喜，倒在娘的怀里，落得自己快活。”

美娘道：“奴是好人家儿女，误落风尘。倘得姨娘主张从良，胜造九级浮图。若要我倚门献笑，送旧迎新，宁甘一死，决不情愿。”刘四妈道：“我儿，从良是个有志气的事，怎么说道不该！只是从良也有几等不同。”美娘道：“从良有甚不同之处？”刘四妈道：“有个真从良，有个假从良。有个苦从良，有个乐从良。有个趁好的从良，有个没奈何的从良。有个了从良，有个不了的从良。我儿耐心听我分说。如何叫做真从良？大凡才子必须佳人，佳人必须才子，方成佳配。然而好事多磨，往往求之不得。幸然两下相逢，你贪我爱，割舍不下。一个愿讨，一个愿嫁。好像捉对的蚕蛾，死也不放。这个谓之真从良。怎么叫做假从良？有等子弟爱着小娘，小娘却不爱那子弟。本心不愿嫁他，只把个嫁字儿哄他心热，撒漫使钱。比及成交，却又推故不就。又有一等痴心子弟，明晓得小娘心肠不对他，偏要娶他回去。拼着一主大钱，动了妈儿的火，不怕小娘不肯。勉强进门，心中不顺，故意不守家规。小则撒泼放肆，大则公然偷汉。人家容留不得，多则一年，少则半载，依旧放他出来，为娼接客。把从良二字，只当个撰钱的题目。这个谓之假从良。如何叫做苦从良？一般样子弟爱小娘，小娘不爱那子弟，却被他以势凌之。妈儿惧祸，已自许了。做小娘的，身不繇主，含泪而行。一入侯门，如海之深，家法又严，抬头不得。半妾半婢，忍死度日。这个谓之苦从良。如何叫做乐从良？做小娘的，正当择人之际，偶然相交个子弟。见他情性温和，家道富足，又且大娘子乐善，无男无女，指望他日过门，与他生育，就有主母之分。以此嫁他，图个日前安逸，日后出身。这个谓之乐从良。如何叫做趁好的从良？做小娘的，风花雪月，受用已勾，趁这盛名之下，求之者众，任我拣择个十分满意的嫁他，急流勇退，及早回头，不致受人怠慢。这个谓之趁好的从良。如何叫做没奈何的从良？做小娘的，原无从良之意，或因官司逼迫，或因强横欺瞒，又或因债负太多，将来赔偿不起，别口气，不论好歹，得嫁便嫁，买静求安，藏身之法，这谓之没奈何的从良。如何叫做了从良？小娘半老之际，风波历尽，刚好遇个老成的孤老，两下志同道合，收绳卷索，白头到老，这个谓之了从良。如何叫做不了的从良？一般你贪我爱，火热的跟他，却是一时之兴，没有个长算。或者尊长不容，或者大娘妒忌，闹了几场，发回妈家，追取原价。又有个家道凋零，养他不活，苦守不过，依旧出来赶趁，这谓之不了的从良。”

美娘道：“如今奴家要从良，还是怎地好？”刘四妈道：“我儿，老身教你个万全之策。”美娘道：“若蒙教导，死不忘恩。”刘四妈道：“从良一事，入门为净。况且你身子已被人捉弄过了，就是今夜嫁人，叫不得个黄花女儿。千错万错，不该落于此地。这就是你命中所招了。做娘的费了一片心机，若不帮他几年，趁过千把银子，怎肯放你出门？还有一件，你便要从良，也须拣个好主儿。这些臭嘴臭脸的，难道就跟他不成？你如今一个客也不接，晓得那个该从，那个不该从？假如你执意不肯接客，做娘的没奈何，寻个肯出钱的主儿，卖你去做妾，这也叫做从良。那主儿或是年老的，或是貌丑的，或是一字不识的村牛，你却不肮脏了一世！比着把你料在水里，还有扑通的一声响，讨得傍人叫一声可惜。依着老身愚见，还是俯从人愿，凭着做娘的接客。似你恁般才貌，等闲的料也不敢相扳，无非是王孙公子，贵客豪门，也不辱莫了你。一来风花雪月，趁着年少受用，二来作成妈儿起个家事，三来使自己也积趱些私房，免得日后求人。过了十年五载，遇个知心着意的，说得来，话得着，那时老身与你做媒，好模好样的嫁去，做娘的也放得你下了。可不两得其便？”美娘听说，微笑而不言。刘四妈已知美娘心中活动了，便道：“老身句句是好话。你依着老身的话时，后来还当感激我哩。”说罢，起身。

王九妈伏于楼门之外，一句句都听得的。美娘送刘四妈出房，劈面撞着了九妈，满面羞惭，缩身进去。王九妈随着刘四妈，再到前楼坐下。刘四妈道：“侄女十分执意，被老身右说左说，一块硬铁看看熔做热汁。你如今快快寻个覆帐的主儿，他必然肯就。那时做妹子的再来贺喜。”王九妈连连称谢。是日备饭相待，尽醉而别。后来西湖上子弟们又有只《挂枝儿》，单说那刘四妈说词一节：

刘四妈，你的嘴舌儿好不利害！便是女随何，雌陆贾，不信有这大才！说着长，道着短，全没些破败。就是醉梦中，被你说得醒；

就是聪明的，被你说得呆。好个烈性的姑姑，也被你说得他心地改。

再说王美娘自听了刘四妈一席话儿，思之有理。以后有客求见，欣然相接。覆帐之后，宾客如市。捱三顶五，不得空闲，声价愈重。每一晚白银十两，兀自你争我夺。王九妈趁了若干钱钞，欢喜无限。美娘也留心要拣个心满意足的，急切难得。正是：

易求无价宝，难得有情郎。

话分两头。却说临安城清波门外，有个开油店的朱十老，三年前继一个小厮，也是汴京逃难来的，姓秦名重，母亲早丧，父亲秦良，十三岁上将他卖了，自己在上天竺去做香火。朱十老因年老无嗣，又新死了妈妈，把秦重做亲子看成，改名朱重，在店中学做卖油生理。初时父子坐店甚好。后因十老得了腰痛的病，十眠九坐，劳碌不得，另招个伙计，叫做邢权，在店相帮。

光阴似箭，不觉四年有馀。朱重长成一十七岁，生得一表人才，虽然已冠，尚未娶妻。那朱十老家有个使女，叫做兰花，年已二十之外，有心看上了朱小官人，几遍的到下钩子去勾搭他。谁知朱重是个老实人，又且兰花龌龊丑陋，朱重也看不上眼。以此落花有意，流水无情。那兰花见勾搭朱小官人不上，别寻主顾，就去勾搭那伙计邢权。邢权是望四之人，没有老婆，一拍就上。两个暗地偷情，不止一次。反怪朱小官人碍眼，思量寻事赶他出门。邢权与兰花两个，里应外合，使心设计。兰花便在朱十老面前，假意撇清说："小官人几番调戏，好不老实！"朱十老平时与兰花也有一手，未免有拈酸之意。邢权又将店中卖下的银子藏过，在朱十老面前说道："朱小官在外赌博，不长进，柜里银子，几次短少，都是他偷去了。"初次朱十老还不信，接连几次，朱十老年老糊涂，没有主意，就唤朱重过来，责骂了一场。

朱重是个聪明的孩子，已知邢权与兰花的计较，欲待分辨，惹起是非不小，万一老者不听，枉做恶人。心生一计，对朱十老说道："店中生意淡薄，不消得二人。如今让邢主管坐店，孩儿情愿挑担子出去卖油。卖得多少，每日纳还，可不是两重生意？"朱十老心下也有许可之意。又被邢权说道："他不是要挑担出去，几年上偷银子做私房，身边积趱有馀了，又怪你不与他定亲，心下怨怅，不愿在此相帮，要讨个出场，自去娶老婆，做人家哩。"朱十老叹口气道："我把他做亲儿看成，他却如此歹意！皇天不祐！罢，罢，不是自身骨血，到底粘连不上，繇他去罢！"遂将三两银子，把与朱重，打发出门。寒夏衣服和被窝都教他拿去。这也是朱十老好处。朱重料他不肯收留，拜了四拜，大哭而别。正是：

孝己杀身因谤语，申生丧命为谗言。

亲生儿子犹如此，何怪螟蛉受枉冤。

原来秦良上天竺做香火，不曾对儿子说知。朱重出了朱十老之门，在众安桥下赁了一间小小房儿，放下被窝等件，买巨锁儿锁了门，便往长街短巷，访求父亲。连走几日，全没消息。没奈何，只得放下。在朱十老家四年，赤心忠良，并无一毫私蓄。只有临行时打发这三两银子，不勾本钱，做什么生意好？左思右量，只有油行买卖是熟间。这些油坊多曾与他识熟，还去挑个卖油担子，是个稳足的道路。当下置办了油担家伙，剩下的银两，都交付与油坊取油。那油坊里认得朱小官是个老实好人。况且小小年纪，当初坐店，今朝挑担上街，都因邢伙计挑拨他出来，心中甚是不平，有心扶持他，只拣窨清的上好净油与他，签子上又明让他些。朱重得了这些便宜，自己转卖与人，也放些宽。所以他的油比别人分外容易出脱。每日尽有些的利息，又且俭吃俭用，积下东西来，置办些日用家业，及身上衣服之类，并无妄废。心中只有一件事未了，牵挂着父亲，思想："向来叫做朱重，谁知我是姓秦！倘或父亲来寻访之时，也没有个因由。"遂复姓为秦。说话的，假如上一等人，有前程的，要复本姓，或具札子奏过朝廷，或关白礼部、太学、国学等衙门，将册籍改正，众所共知。一个卖油的，复姓之时，谁人晓得？他有个道理，把盛油的桶儿，一面大大写个秦字，一面写汴梁二字，将油桶做个标识，使人一览而知。以此临安市上，晓得他本姓，都呼他为秦卖油。

时值二月天气，不暖不寒，秦重闻知昭庆寺僧人，要起个九昼夜功德，用油必多，遂挑了油担来寺中卖油。那些和尚们也闻知秦卖油之名，他的油比别人又好又贱，单单作成他。所以一连这九日，秦重只在昭庆寺走动。正是：

刻薄不赚钱，忠厚不折本。

这一日是第九日了。秦重在寺出脱了油，挑了空担出寺。其日天气晴明，游人如蚁。秦重绕河而行。遥望十景塘桃红柳绿，湖内画船箫鼓，往来游玩，观之不足，玩之有馀。走了一回，身子困倦，转到昭庆寺右边，望个宽处，将担子放下，坐在一块石上歇脚。近侧有个人家，面湖而住，金漆篱门，里面朱栏内，一丛细竹。未知堂室何如，先见门庭清整。只见里面三四个戴巾的从内而出，一个女娘后面相送。到了门首，两下把手一拱，说声请了，那女娘竟进去了。秦重定睛观之，此女容颜娇丽，体态轻盈，目所未睹，准准的呆了半晌，身子都酥麻了。

他原是个老实小官，不知有烟花行径，心中疑惑，正不知是什么人家。方正疑思之际，只见门内又走出个中年的妈妈，同着一个垂髫的丫鬟，倚门闲看。那妈妈一眼瞧着油担，便道："阿呀！方才要去买油，正好有油担子在这里，何不与他买些？"那丫鬟取了油瓶出来，走到油担子边，叫声："卖油的！"秦重方才知觉，回言道："没有油了！妈妈要用油时，明日送来。"那丫鬟也认得几个字，看见油桶上写个秦字，就对妈妈道："那卖油的姓秦。”妈妈也听得人闲讲，有个秦卖油，做生意甚是忠厚。遂分付秦重道：“我家每日要油用，你肯挑来时，与你做个主顾。”秦重道：“承妈妈作成，不敢有误。”那妈妈与丫鬟进去了。秦重心中想道：“这妈妈不知是那女娘的什么人？我每日到他家卖油，莫说赚他利息，图个饱看那女娘一回，也是前生福分。”正欲挑担起身，只见两个轿夫，抬着一顶青绢幔的轿子，后边跟着两个小厮，飞也似跑来。到了其家门首，歇下轿子。那小厮走进里面去了。秦重道：“却又作怪！看他接什么人？”少顷之间，只见两个丫鬟，一个捧着猩红的毡包，一个拿着湘妃竹攒花的拜匣，都交付与轿夫，放在轿座之下。那两个小厮手中，一个抱着琴囊，一个捧着几个手卷，腕上挂碧玉箫一枝，跟着起初的女娘出来。女娘上了轿，轿夫抬起望旧路而去。丫鬟小厮，俱随轿步行。秦重又得亲炙一番，心中愈加疑惑。挑了油担子，怏怏的去。

不过几步，只见临河有一个酒馆。秦重每常不吃酒，今日见了这女娘，心下又欢喜，又气闷，将担子放下，走进酒馆，拣个小座头坐下。酒保问道：“客人还是请客，还是独酌？”秦重道：“有上好的酒，拿来独饮三杯。时新果子一两碟，不用荤菜。”酒保斟酒时，秦重问道：“那边金漆篱门内是什么人家？”酒保道：“这是齐衙内的花园。如今王九妈住下。”秦重道：“方才看见有个小娘子上轿，是什么人？”酒保道：“这是有名的粉头，叫做王美娘，人都称为花魁娘子。他原是汴京人，流落在此。吹弹歌舞，琴棋书画，件件皆精。来往的都是大头儿，要十两放光，才宿一夜哩，可知小可的也近他不得。当初住在涌金门外，因楼房狭窄，齐舍人与他相厚，半载之前，把这花园借与他住。”秦重听得说是汴京人，触了个乡里之念，心中更有一倍光景。

吃了数杯，还了酒钱，挑了担子，一路走，一路的肚中打稿道：“世间有这样美貌的女子，落于娼家，岂不可惜！”又自家暗笑道：“若不落于娼家，我卖油的怎生得见！”又想一回，越发痴起来了，道：“人生一世，草生一秋。若得这等美人搂抱了睡一夜，死也甘心。”又想一回道：“呸！我终日挑这油担子，不过日进分文，怎么想这等非分之事！正是癞蛤蟆在阴沟里想着天鹅肉吃，如何到口！”又想一回道：“他相交的，都是公子王孙。我卖油的，纵有了银子，料他也不肯接我。”又想一回道：“我闻得做老鸨的，专要钱钞。就是个乞儿，有了银子，他也就肯接了，何况我做生意的，青青白白之人。若有了银子，怕他不接！只是那里来这几两银子？”一路上胡思乱想，自言自语。你道天地间有这等痴人，一个小经纪的，本钱只有三两，却要把十两银子去嫖那名妓，可不是个春梦！自古道：有志者事竟成。被他千思万想，想出一个计策来。他道：“从明日为始，逐日将本钱扣出，馀下的积趱上去。一日积得一分，一年也有三两六钱之数。只消三年，这事便成了。若一日积得二分，只消得年半。若再多得些，一年也差不多了。”想来想去，不觉走到家里，开锁进门。只因一路上想着许多闲事，回来看了自家的床铺，惨然无欢，连夜饭也不要吃，便上了床。这一夜翻来覆去，牵挂着美人，那里睡得着。

只因月貌花容，引起心猿意马。

捱到天明，爬起来，就装了油担，煮早饭吃了，锁了门，挑着担子，一径走到王九妈家去。进了门却不敢直入，舒着头，往里面张望。王九妈恰才起床，还蓬着头，正分付保儿买饭菜。秦重认得声音，叫声：“王妈妈。”九妈往外一张，见是秦卖油，笑道：“好忠厚人！果然不失信。”便叫他挑担进来，称了一瓶，约有五斤多重，公道还钱。秦重并不争论。王九妈甚是欢喜，道：“这瓶油，只勾我家两日用。但隔一日，你便送来，我不往别处去买了。”秦重应诺，挑担而出。只恨不曾遇见花魁娘子。“且喜扳下主顾，少不得一次不见，二次见，二次不见，三次见。只是一件，特为王九妈一家挑这许多路来，不是做生意的勾当。这昭庆寺是顺路。今日寺中虽然不做功德，难道寻常不用油的？我且挑担去问他。若扳得各房头做个主顾，只消走钱塘门这一路，那一担油尽勾出脱了。”秦重挑担到寺内问时，原来各房和尚也正想着秦卖油。来得正好，多少不等，各各买他的油。秦重与各房约定，也是间一日便送油来用。这一日是个双日。自此日为始，但是单日，秦重别街道上做买卖；但是双日，就走钱塘门这一路。一出钱塘门，先到王九妈家里，以卖油为名，去看花魁娘子。有一日会见，也有一日不会见。不见时费了一场思想，便见时也只添了一层思想。正是：

天长地久有时尽，此恨此情无尽期。

再说秦重到了王九妈家多次，家中大大小小，没一个不认得是秦卖油。时光迅速，不觉一年有馀。日大日小，只拣足色细丝，或积三分，或积二分，再少也积下一分。凑得几钱，又打换大块头。日积月累，有了一大包银子，零星凑集，连自已也不知多少。

其日是单日，又值大雨，秦重不出去做买卖。积了这一大包银子，心中也自喜欢。“趁今日空闲，我把他上一上天平，见个数目。”打个油伞，走到对门倾银铺里，借天平兑银。那银匠好不轻薄，想着：“卖油的多少银子，要架天平？只把个五两头等子与他，还怕用不着头纽哩。”秦重把银子包解开，都是散碎银两。大凡成锭的见少，散碎的就见多。银匠是小辈，眼孔极浅，见了许多银子，别是一番面目，想道：“人不可貌相，海水不可斗量。”慌忙架起天平，搬出若大若小许多法马。秦重尽包而兑，一厘不多，一厘不少，刚刚一十六两之数，上秤便是一斤。秦重心下想道：“除去了三两本钱，馀下的做一夜花柳之费，还是有馀。”又想道：“这样散碎银子，怎好出手！

拿出来也被人看低了！见成倾银店中方便，何不倾成锭儿，还觉冠冕。”当下兑足十两，倾成一个足色大锭，再把一两八钱，倾成水丝一小锭。剩下四两二钱之数，拈一小块，还了火钱，又将几钱银子，置下镶鞋净袜，新褶了一顶万字头巾。回到家中，把衣服浆洗得干干净净，买几根安息香，薰了又薰。拣个晴明好日，侵早打扮起来。

虽非富贵豪华客，也是风流好后生。

秦重打扮得齐齐整整，取银两藏于袖中，把房门锁了，一径望王九妈家而来。那一时好不高兴。及至到了门首，愧心复萌，想道：“时常挑了担子在他家卖油，今日忽地去做嫖客，如何开口？”正在踌躇之际，只听得呀的一声门响，王九妈走将出来。见了秦重，便道：“秦小官今日怎的不做生意，打扮得恁般济楚，往那里去贵干？”事到其间，秦重只得老着脸，上前作揖。妈妈也不免还礼。秦重道：“小可并无别事，专来拜望妈妈。”那鸨儿是老积年，见貌辨色，见秦重恁般装束，又说拜望，“一定是看上了我家那个丫头，要嫖一夜，或是会一个房。虽然不是个大势主菩萨，搭在篮里便是菜，捉在篮里便是蟹，赚他钱把银子买葱菜，也是好的。”便满脸堆下笑来，道：“秦小官拜望老身，必有好处。”秦重道：“小可有句不识进退的言语，只是不好启齿。”王九妈道：“但说何妨。且请到里面客坐里细讲。”秦重为卖油虽曾到王家整百次，这客坐里交椅，还不曾与他屁股做个相识。今日是个会面之始。

王九妈到了客坐，不免分宾而坐，对着内里唤茶。少顷，丫鬟托出茶来，看时却是秦卖油，正不知什么缘故，妈妈恁般相待，格格低了头只管笑。王九妈看见，喝道：“有甚好笑！对客全没些规矩！”丫鬟止住笑，放了茶杯自去。王九妈方才开言问道：“秦小官有甚话，要对老身说？”秦重道：“没有别话，要在妈妈宅上请一位姐姐吃杯酒儿。”九妈道：“难道吃寡酒，一定要嫖了。你是个老实人，几时动这风流之兴？”秦重道：“小可的积诚，也非止一日。”九妈道：“我家这几个姐姐，都是你认得的。不知你中意那一位？”秦重道：“别个都不要，单单要与花魁娘子相处一宵。”九妈只道取笑他，就变了脸道：“你出言无度！莫非奚落老娘么？”秦重道：“小可是个老实人，岂有虚情。”九妈道：“粪桶也有两个耳朵，你岂不晓得我家美儿的身价！倒了你卖油的灶，还不勾半夜歇钱哩。不如将就拣一个适兴罢。”秦重把颈一缩，舌头一伸，道：“恁的好卖弄！不敢动问，你家花魁娘子一夜歇钱要几千两？”九妈见他说耍话，却又回嗔作喜，带笑而言道：“那要许多！只要得十两敲丝。其他东道杂费，不在其内。”秦重道：“原来如此，不为大事。”袖中摸出这秃秃里一大锭放光细丝银子，递与鸨儿道：“这一锭十两重，足色足数，请妈妈收着。”又摸出一小锭来，也递与鸨儿，又道：“这一小锭，重有二两，相烦备个小东。望妈妈成就小可这件好事，生死不忘，日后再有孝顺。”九妈见了这锭大银，已自不忍释手，又恐怕他一时高兴，日后没了本钱，心中懊悔，也要尽他一句才好。便道：“这十两银子，你做经纪的人，积趱不易，还要三思而行。”秦重道：“小可主意已定，不要你老人家费心。”

九妈把这两锭银子收于袖中，道：“是便是了。还有许多烦难哩。”秦重道：“妈妈是一家之主，有甚烦难？”九妈道：“我家美儿，往来的都是王孙公子，富室豪家，真个是‘谈笑有鸿儒，往来无白丁’。他岂不认得你是做经纪的秦小官，如何肯接你？”秦重道：“但凭妈妈怎的委曲宛转，成全其事，大恩不敢有忘！”九妈见他十分坚心，眉头一皱，计上心来，扯开笑口道：“老身已替你排下计策，只看你缘法如何。做得成，不要喜；做不成，不要怪。美儿昨日在李学士家陪酒，还未曾回。今日是黄衙内约下游湖。明日是张山人一班清客，邀他做诗社。后日是韩尚书的公子，数日前送下东道在这里。你且到大后日来看。还有句话，这几日你且不要来我家卖油，预先留下个体面。又有句话，你穿着一身的布衣布裳，不像个上等嫖客。再来时，换件细缎衣服，教这些丫头们认不出你是秦小官。老娘也好与你装谎。”秦重道：“小可一一理会得。”说罢，作别出门，且歇这三日生理，不去卖油，到典铺里买了一件见成半新半旧的细衣，穿在身上，到街坊闲走，演习斯文模样。正是：

未识花院行藏，先习孔门规矩。

丢过那三日不题。到第四日，起个清早，便到王九妈家去。去得太早，门还未开。意欲转一转再来。这番装扮希奇，不敢到昭庆寺去，恐怕和尚们批点。且到十景塘散步。良久又踅转来。王九妈家门已开了。那门前却安顿得有轿马，门内有许多仆从，在那里闲坐。秦重虽然老实，心下到也乖巧，且不进门，悄悄的招那马夫问道：“这轿马是谁家的？”马夫道：“韩府里来接公子的。”秦重已知韩公子夜来留宿，此时还未曾别。重复转身，到一个饭店之中，吃了些见成茶饭，又坐了一回，方才到王家探信。

只见门前轿马已自去了。进得门时，王九妈迎着，便道：“老身得罪，今日又不得工夫了。恰才韩公子拉去东庄赏早梅。他是个长嫖，老身不好违拗。闻得说，来日还要到灵隐寺，访个棋师赌棋哩。齐衙内又来约过两三次了。这是我家房主，又是辞不得的。他来时，或三日五日的住了去，连老身也定不得个日子。秦小官，你真个要嫖，只索耐心再等几日。不然，前日的尊赐，分毫不动，要便奉还。”秦重道：“只怕妈妈不作成。若还迟，终无失，就是一万年，小可也情愿等着。”九妈道：“恁地时，老身便好张主！”秦重作别，方欲起身，九妈又道：“秦小官人，老身还有句话。你下次若来讨信，不要早了。约莫申牌时分，有客没客，老身把个实信与你。倒是越晏些越好。这是老身的妙用，你休错怪。”秦重连声道：“不敢，不敢！”这一日秦重不曾做买卖。次日，整理油担，挑往别处去生理，不走钱塘门一路。每日生意做完，傍晚时分就打扮齐整，到王九妈家探信，只是不得工夫。又空走了一月有馀。

那一日是十二月十五，大雪方霁，西风过后，积雪成冰，好不寒冷。却喜地下干燥。秦重做了大半日买卖，如前妆扮，又去探信。王九妈笑容可掬，迎着道："今日你造化，已是九分九厘了。"秦重道："这一厘是欠着什么？"九妈道："这一厘么？正主儿还不在家。"秦重道："可回来么？"九妈道："今日是俞太尉家赏雪，筵席就备在湖船之内。俞太尉是七十岁的老人家，风月之事，已是没分。原说过黄昏送来。你且到新人房里，吃杯烫风酒，慢慢的等他。"秦重道："烦妈妈引路。"王九妈引着秦重，弯弯曲曲，走过许多房头，到一个所在，不是楼房，却是个平屋三间，甚是高爽。左一间是丫鬟的空房，一般有床榻桌椅之类，却是备官铺的；右一间是花魁娘子卧室，锁着在那里。两旁又有耳房。中间客坐上面，挂一幅名人山水，香儿上博山古铜炉，烧着龙涎香饼，两旁书桌，摆设些古玩，壁上贴许多诗稿。秦重愧非文人，不敢细看。心下想道："外房如此整齐，内室铺陈，必然华丽。今夜尽我受用。十两一夜，也不为多。"九妈让秦小官坐于客位，自己主位相陪。少顷之间，丫鬟掌灯过来，抬下一张八仙桌儿，六碗时新果子，一架攒盒佳肴美酝，未曾到口，香气扑人。九妈执盏相劝道："今日众小女都有客，老身只得自陪，请开怀畅饮几杯。"秦重酒量本不高，况兼正事在心，只吃半杯。吃了一会，便推不饮。九妈道："秦小宫想饿了，且用些饭再吃酒。"丫鬟捧着雪花白米饭，一吃一添，放于秦重面前，就是一盏杂和汤。鸨儿量高，不用饭，以酒相陪。秦重吃了一碗，就放箸。九妈道："夜长哩，再请些。"秦重又添了半碗。丫鬟提个行灯来，说："浴汤热了，请客官洗浴。"秦重原是洗过澡来的，不敢推托，只得又到浴堂，肥皂香汤，洗了一遍。重复穿衣入坐。九妈命撤去肴盒，用暖锅下酒。此时黄昏已绝，昭庆寺里的钟都撞过了，美娘尚未回来。

玉人何处贪欢耍？等得情郎望眼穿！

常言道：等人心急。秦重不见表子回家，好生气闷。却被鸨儿夹七夹八，说些风话劝酒。不觉又过了一更天气。只听外面热闹闹的，却是花魁娘子回家。丫鬟先来报了。九妈连忙起身出迎。秦重也离坐而立。只见美娘吃得大醉，侍女扶将进来，到于门首，醉眼矇眬，看见房中灯烛辉煌，杯盘狼籍，立住脚问道："谁在这里吃酒？"九娘道："我儿，便是我向日与你说的那秦小官人。他心中慕你，多时的送过礼来。因你不得工夫，担阁他一月有馀了。你今日幸而得空，做娘的留他在此伴你。"美娘道："临安郡中，并不闻说起有什么秦小官人！我不去接他。"转身便走。九妈双手托开，即忙拦住道：

“他是个至诚好人，娘不误你。”美娘只得转身，才跨进房门，抬头一看那人，有些面善，一时醉了，急切叫不出来，便道：“娘，这个人我认得他的，不是有名称的子弟。接了他，被人笑话。”九妈道：“我儿，这是涌金门内开段铺的秦小官人。当初我们住在涌金门时，想你也曾会过，故此面善。你莫识认错了。做娘的见他来意志诚，一时许了他，不好失信。你看做娘的面上，胡乱留他一晚。做娘的晓得不是了，明日却与你陪礼。”一头说，一头推着美娘的肩头向前。美娘拗妈妈不过，只得进房相见。正是：

千般难出虔婆口，万般难脱虔婆手。

饶君纵有万千般，不如跟着虔婆走。

这些言语，秦重一句句都听得，佯为不闻。美娘万福过了，坐于侧首，仔细看着秦重，好生疑惑，心里甚是不悦，嘿嘿无言。唤丫鬟将热酒来，斟着大钟。鸨儿只道他敬客，却自家一饮而尽。九妈道：“我儿醉了，少吃些么！”美儿那里依他，答应道：“我不醉！”一连吃上十来杯。这是酒后之酒，醉中之醉，自觉立脚不住。唤丫鬟开了卧房，点上银釭，也不卸头，也不解带，踰了绣鞋，和衣上床，倒身而卧。鸨儿见女儿如此做作，甚不过意。对秦重道：“小女平日惯了，他专会使性。今日他心中不知为什么有些不自在，却不干你事。休得见怪！”秦重道：“小可岂敢！”鸨儿又劝了秦重几杯酒。秦重再三告止。鸨儿送入卧房，向耳傍分付道：“那人醉了，放温存些。”又叫道：“我儿起来，脱了衣服，好好的睡。”美娘已在梦中，全不答应。鸨儿只得去了。

丫鬟收拾了杯盘之类，抹了桌子，叫声：“秦小官人，安置罢。”秦重道：“有热茶要一壶。”丫鬟泡了一壶浓茶，送进房里。带转房门，自去耳房中安歇。秦重看美娘时，面对里床，睡得正熟，把锦被压于身下。秦重想酒醉之人，必然怕冷，又不敢惊醒他。忽见阑干上又放着一床大红纻丝的锦被。轻轻的取下，盖在美娘身上，把银灯挑得亮亮的，取了这壶热茶，脱鞋上床，捱在美娘身边，左手抱着茶壶在怀，右手搭在美娘身上，眼也不敢闭一闭。正是：

未曾握雨携云，也算偎香倚玉。

却说美娘睡到半夜，醒将转来，自觉酒力不胜，胸中似有满溢之状。爬起来，坐在被窝中，垂着头，只管打干哕。秦重慌忙也坐起来。知他要吐，放下茶壶，用手抚摩其背。良久，美娘喉间忍不住了，说时迟，那时快，美娘放开喉咙便吐。秦重怕污了被窝，把自己的道袍袖子张开，罩在他嘴上。美娘不知所以，尽情一呕，呕毕，还闭着眼，讨茶漱口。秦重下床，将道袍轻轻脱下，放在地平之上，摸茶壶还是暖的。斟上一瓯香喷喷的浓茶，递与美娘。美娘连吃了二碗，胸中虽然略觉豪燥，身子兀自倦怠。仍旧倒下，向里睡去了。秦重脱下道袍，将吐下一袖的腌臜，重重裹着，放于床侧，依然上床，拥抱似初。

美娘那一觉直睡到天明方醒。覆身转来，见傍边睡着一人，问道："你是那个?"秦重答道："小可姓秦。"美娘想起夜来之事，恍恍惚惚，不甚记得真了，便道："我夜来好醉!"秦重道："也不甚醉。"又问："可曾吐么?"秦重道："不曾。"美娘道："这样还好。"又想一想道："我记得曾吐过的，又记得曾吃过茶来，难道做梦不成?"秦重方才说道："是曾吐来。小可见小娘子多了杯酒，也防着要吐，把茶壶暖在怀里。小娘子果然吐后讨茶，小可斟上，蒙小娘子不弃，饮了两瓯。"美娘大惊道："脏巴巴的，吐在那里?"秦重道："恐怕小娘子污了被褥，是小可把袖子盛了。"美娘道："如今在那里?"秦重道："连衣服裹着，藏过在那里。"美娘道："可惜坏了你一件衣服。"秦重道："这是小可的衣服，有幸得沾小娘子的馀沥。"美娘听说，心下想道："有这般识趣的人!"心里已有四五分欢喜了。

此时天色大明，美娘起身，下床小解。看着秦重，猛然想起是秦卖油，遂问道："你实对我说，是什么样人?为何昨夜在此?"秦重道："承花魁娘子下问，小子怎敢妄言。小可实是常来宅上卖油的秦重。"遂将初次看见送客，又看见上轿，心下想慕之极，及积趱嫖钱之事，备细述了一遍，"夜来得亲近小娘子一夜，三生有幸，心满意足。"美娘听说，愈加可怜，道："我昨夜酒醉，不曾招接得你。你干折了多少银子，莫不懊悔?"秦重道："小娘子天上神仙，小可惟恐伏侍不周，但不见责，已为万幸。况敢有非意之望!"美娘道："你做经纪的人，积下些银两，何不留下养家?此地不是你来往的。"秦重道："小可单只一身，并无妻小。"美娘顿了一顿，便道："你今日去了，他日还来么?"秦重道："只这昨宵相亲一夜，已慰生平，岂敢又作痴想!"美娘想道："难得这好人，又忠厚，又老实，又且知情识趣，隐恶扬善，千百中难遇此一人。可惜是市井之辈。若是衣冠子弟，情愿委身事之。"

正在沉吟之际，丫鬟捧洗脸水进来，又是两碗姜汤。秦重洗了脸，因夜来未曾脱帻，不用梳头，呷了几口姜汤，便要告别。美娘道："少住不妨，还有话说。"秦重道："小可仰慕花魁娘子，在傍多站一刻，也是好的。但为人岂不自揣!夜来在此，实是大胆。惟恐他人知道，有玷芳名，还是早些去了安稳。"美娘点了一点头，打发丫鬟出房，忙忙的开了减妆，取出二十两银子，送与秦重道："昨夜难为了你，这银两权奉为资本，莫对人说。"秦重那里肯受。美娘道："我的银子，来路容易。这些须酬你一宵之情，休得固逊。若本钱缺少，异日还有助你之处。那件污秽的衣服，我叫丫鬟湔洗干净了还你罢。"秦重道："粗衣不烦小娘子费心，小可自会湔洗。只是领赐不当。"美娘道："说那里话!"将银子揌在秦重袖内，推他转身。秦重料难推却，只得受了，深深作揖，卷了脱下这件龌龊道袍，走出房门。打从鸨儿房前经过，鸨儿看见，叫声："妈妈！秦小官去了。"王九妈正在净桶上解手，口中叫道："秦小官，如何去得恁早?"秦重道："有些贱事，改日特来称谢。"

不说秦重去了，且说美娘与秦重虽然没点相干，见他一片诚心，去后好不过意。这一日因害酒，辞了客在家将息。千个万个孤老都不想，倒把秦重整整的想了一日。有《挂枝儿》为证：

> 俏冤家，须不是串花家的子弟，你是个做经纪本分人儿，那匡你会温存，能软款，知心知意。料你不是个使性的，料你不是个薄情的。几番待放下思量也，又不觉思量起。

话分两头，再说邢权在朱十老家，与兰花情热，见朱十老病废在床，全无顾忌。十老发作了几场，两个商量出一条计策来，俟夜静更深，将店中资本席卷，双双的桃之夭夭，不知去向。次日天明，十老方知。央及邻里，出了个失单，寻访数日，并无动静。深悔当日不合为邢权所惑，逐了朱重。如今日久见人心，闻知朱重，赁居众安桥下，挑担卖油，不如仍旧收拾他回来，老死有靠。只怕他记恨在心。教邻舍好生劝他回家，但记好，莫记恶。秦重一闻此言，即日收拾了家伙，搬回十老家里。相见之间，痛哭了一场。十老将所存囊橐，尽数交付秦重。秦重自家又有二十馀两本钱，重整店面，坐柜卖油。因在朱家，仍称朱重，不用秦字。不上一月，十老病重，医治不痊，呜呼哀哉。朱重捶胸大恸，如亲父一般，殡殓成服，七七做了些好事。朱家祖坟在清波门外，朱重举丧安葬，事事成礼。邻里皆称其厚德。

事定之后，仍先开铺。原来这油铺是个老店，从来生意原好；却被邢权刻剥存私，将主顾弄断了多少。今见朱小官在店，谁家不来作成。所以生理比前越盛。朱重单身独自，急切要寻个老成帮手。有个惯做中人的，叫做金中，忽一日引着一个五十馀岁的人来。原来那人正是莘善，在汴梁城外安乐村居住。因那年避乱南奔，被官兵冲散了女儿瑶琴，夫妻两口，凄凄惶惶，东逃西窜，胡乱的过了几年。今日闻临安兴旺，南渡人民，大半安插在彼。诚恐女儿流落此地，特来寻访，又没消息。身边盘缠用尽，欠了饭钱，被饭店中终日赶逐，无可奈何。偶然听见金中说起朱家油铺，要寻个卖油帮手。自己曾开过六陈铺子，卖油之事，都则在行。况朱小官原是汴京人，又是乡里，故此央金中引荐到来。朱重问了备细，乡人见乡人，不觉感伤。"既然没处投奔，你老夫妻两口，只住在我身边，只当个乡亲相处，慢慢的访着令爱消息，再作区处。"当下取两贯钱把与莘善，去还了饭钱，连浑家阮氏也领将来，与朱重相见了，收拾一间空房，安顿他老夫妇在内。两口儿也尽心竭力，内外相帮。朱重甚是欢喜。

光阴似箭，不觉一年有馀。多有人见朱小官年长未娶，家道又好，做人又志诚，情愿白白把女儿送他为妻。朱重因见了花魁娘子，十分容貌，等闲的不看在眼，立心要访求个出色的女子，方才肯成亲。以此日复一日，担阁下去。正是：

曾观沧海难为水，除却巫山不是云。

再说王美娘在九妈家，盛名之下，朝欢暮乐，真个口厌肥甘，身嫌锦绣。然虽如此，每遇不如意之处，或是子弟们任情使性，吃醋挑槽，或自己病中醉后，半夜三更，没人疼热，就想起秦小官人的好处来。只恨无缘再会。也是桃花运尽，合当变更。一年之后，生出一段事端来。

却说临安城中，有个吴八公子，父亲吴岳，见为福州太守。这吴八公子，打从父亲任上回来，广有金银。平昔间也喜赌钱吃酒，三瓦两舍走动。闻得花魁娘子之名，未曾识面，屡屡遣人来约，欲要嫖他。王美娘闻他气质不好，不愿相接，托故推辞，非止一次。那吴八公子也曾和着闲汉们亲到王九妈家几番，都不曾会。

其时清明节届，家家扫墓，处处踏青。美娘因连日游春困倦，且是积下许多诗画之债，未曾完得，分付家中："一应客来，都与我辞去。"闭了房门，焚起一炉好香，摆设文房四宝，方欲举笔，只听得外面沸腾，却是吴八公子，领着十馀个狼仆，来接美娘游湖。因见鸨儿每次回他，在中堂行凶，打家打伙，直闹到美娘房前。只见房门锁闭。原来妓家有个回客法儿，小娘躲在房内，却把房门反锁，支吾客人，只推不在。那老实的就被他哄过了。吴公子是惯家，这些套子，怎地瞒得。分付家人扭断了锁，把房门一脚踢开。美娘躲身不迭，被公子看见，不由分说，教两个家人，左右牵手，从房内直拖出房外来，口中兀自乱嚷乱骂。王九妈欲待上前陪礼解劝，看见势头不好，只得闪过。家中大小，躲得没半个影儿。

吴家狼仆牵着美娘，出了王家大门，不管他弓鞋窄小，望街上飞跑。八公子在后，扬扬得意。直到西湖口，将美娘扠下了湖船，方才放手。美娘十二岁到王家，锦绣中养成，珍宝般供养，何曾受恁般凌贱。下了船，对着船头，掩面大哭。吴八公子见了放下面皮，气忿忿的像关云长单刀赴会，一把交椅，朝外而坐，狼仆侍立于傍。一面分付开船，一面数一数二的发作一个不住："小贱人，小娼根，不受人抬举！再哭时，就讨打了！"美娘那里怕他，哭之不已。船至湖心亭，吴八公子分付摆盒在亭子内，自己先上去了，却分付家人："叫那小贱人来陪酒。"美娘抱住了栏杆，那里肯去，只是嚎哭。吴八公子也觉没兴，自己吃了几杯淡酒，收拾下船，自来扯美娘。美娘双脚乱跳，哭声愈高。八公子大怒，教狼仆拔去簪珥。美娘蓬着头，跑到船头上，就要投水，被家童们扶住。公子道："你撒赖便怕你不成！就是死了，也只费得我几两银子，不为大事。只是送你一条性命，也是罪过。你住了啼哭时，我就放你回去，不难为你。”美娘听说放他回去，真个住了哭。八公子分付移船到清波门外僻静之处，将美娘绣鞋脱下，去其裹脚，露出一对金莲，如两条玉笋相似。教狼仆扶他上岸，骂道：“小贱人！你有本事，自走回家，我却没人相送。”说罢，一篙子撑开，再向湖中而去。正是：

焚琴煮鹤从来有，惜玉怜香几个知！

美娘赤了脚，寸步难行。思想：“自己才貌两全，只为落于风尘，受些轻贱。平昔枉自结识许多王孙贵客，急切用他不着，受了这般凌辱。就是回去，如何做人？到不如一死为高。只是死得没些名目，枉自享个盛名，到此地位，看着村庄妇人，也胜我十二分。这都是刘四妈这个花嘴，哄我落坑堕堑，致有今日！自古红颜薄命，亦未必如我之甚！”越思越苦，放声大哭。

事有偶然，却好朱重那日到清波门外朱十老的坟上，祭扫过了，打发祭物下船，自己步回，从此经过。闻得哭声，上前看时，虽然蓬头垢面，那玉貌花容，从来无两，如何不认得！吃了一惊，道：“花魁娘子，如何这般模样？”美娘哀哭之际，听得声音厮熟，止啼而看，原来正是知情识趣的秦小官。美娘当此之际，如见亲人，不觉倾心吐胆，告诉他一番。朱重心中十分疼痛，亦为之流泪。袖中带得有白绫汗巾一条，约有五尺多长，取出劈半扯开，奉与美娘裹脚，亲手与他拭泪。又与他挽起青丝，再三把好言宽解。等待美娘哭定，忙去唤个暖轿，请美娘坐了，自己步送，直到王九妈家。

九妈不得女儿消息，在四处打探，慌迫之际，见秦小官送女儿回来，分明送一颗夜明珠还他，如何不喜！况且鸨儿一向不见秦重挑油上门，多曾听得人说，他承受了朱家的店业，手头活动，体面又比前不同，自然刮目相待。又见女儿这等模样，问其缘故，已知女儿吃了大苦，全亏了秦小官。深深拜谢，设酒相待。日已向晚，秦重略饮数杯，起身作别。美娘如何肯放，道：“我一向有心于你，恨不得你见面。今日定然不放你空去。”鸨儿也来扳留。秦重喜出望外。

是夜，美娘吹弹歌舞，曲尽生平之技，奉承秦重。秦重如做了一个游仙好梦，喜得魄荡魂消，手舞足蹈。夜深酒阑，二人相挽就寝。云雨之事，其美满更不必言：

一个是足力后生，一个是惯情女子。这边说，三年怀想，费几多役梦劳魂；那边说，一年相思，喜侥幸粘皮贴肉。一个谢前番帮衬，合今番恩上加恩；一个谢今夜总成，比前夜爱中添爱。红粉妓倾翻粉盒，罗帕留痕；卖油郎打泼油瓶，被窝沾湿。可笑村儿干折本，作成小子弄风流。

云雨已罢，美娘道：“我有句心腹之言与你说，你休得推托。”秦重道：“小娘子若用得着小可时，就赴汤蹈火，亦所不辞，岂有推托之理。”美娘道：

"我要嫁你。"秦重笑道："小娘子就嫁一万个，也还数不到小可头上，休得取笑，枉自折了小可的食料。"美娘道："这话实是真心，怎说取笑二字！我自十四岁被妈妈灌醉，梳弄过了。此时便要从良。只为未曾相处得人，不辨好歹，恐误了终身大事。以后相处的虽多，都是豪华之辈，酒色之徒，但知买笑追欢的乐意，那有怜香惜玉的真心。看来看去，只有你是个志诚君子，况闻你尚未娶亲。若不嫌我烟花贱质，情愿举案齐眉，白头奉侍。你若不允之时，我就将三尺白罗，死于君前，表白我一片诚心，也强如昨日死于村郎之手，没名没目，惹人笑话。"说罢，呜呜的哭将起来。秦重道："小娘子休得悲伤。小可承小娘子错爱，将天就地，求之不得，岂敢推托。只是小娘子千金声价，小可家贫力薄，如何摆布。也是力不从心了。"美娘道："这却不妨。不瞒你说，我只为从良一事，预先积趱些东西，寄顿在外。赎身之费，一毫不费你心力。"秦重道："就是小娘子自己赎身，平昔住惯了高堂大厦，享用了锦衣玉食，在小可家，如何过活？"美娘道："布衣蔬食，死而无怨。"秦重道："小娘子虽然——只怕妈妈不从。"美娘道："我自有道理。"如此如此，这般这般。"两个直说到天明。

原来黄翰林的衙内，韩尚书的公子，齐太尉的舍人，这几个相知的人家，美娘都寄顿得有箱笼。美娘只推要用，陆续取到了密地，约下秦重，教他收置在家。然后一乘轿子，抬到刘四妈家，诉以从良之事。刘四妈道："此事老身前日原说过的。只是年纪还早，又不知你要从那一个？"美娘道："姨娘，你莫管是甚人，少不得依着姨娘的言语，是个真从良，乐从良，了从良；不是那不真，不假，不了，不绝的勾当。只要姨娘肯开口时，不愁妈妈不允。做侄女的没别孝顺，只有十两金子，奉与姨娘，胡乱打些钗子；是必在妈妈前做个方便。事成之时，媒礼在外。"刘四妈看见这金子，笑得眼儿没缝，便道："自家儿女，又是美事，如何要你的东西！这金子权时领下，只当与你收藏。此事都在老身身上。只是你的娘，把你当个摇钱之树，等闲也不轻放你出去。怕不要千把银子。那主儿可是肯出手的么？也得老身见他一见，与他讲通方好。"美娘道："姨娘莫管闲事，只当你侄女自家赎身便了。"刘四妈道："妈妈可晓得你到我家来？"美娘道："不晓得。"四妈道："你且在我家便饭。待老身先到你家，与妈妈讲。讲得通时，然后来报你。"

刘四妈顾乘轿子，抬到王九妈家。九妈相迎入内。刘四妈问起吴八公子之事，九妈告诉了一遍。四妈道："我们行户人家，到是养成个半低不高的丫头，尽可赚钱，又且安稳，不论什么客就接了，倒是日日不空的。侄女只为声名大了，好似一块鲞鱼落地，马蚁儿都要钻他。虽然热闹，却也不得自在。说便许多一夜，也只是个虚名。那些王孙公子来一遍，动不动有几个帮闲，连宵达旦，好不费事。跟随的人又不少，个个要奉承得他到。一些不到之处，口里就出粗哩嗹罗嗹的骂人，还要弄损你家伙，又不好告诉他家主，受了若干闷气。况且山人墨客，诗社棋社，少不得一月之内，又有几时官身。这些富贵子弟，你争我夺，依了张家，违了李家，一边喜，少不得一边怪了。就是吴八公子这一个风波，唬杀人的，万一失蹉，却不连本送了。官宦人家，和他打官司不成！只索忍气吞声。今日还亏着你家时运高，太平没事，一个霹雳空中过去了。倘然山高水低，悔之无及。妹子闻得吴八公子不怀好意，还要到你家索闹。侄女的性气又不好，不肯奉承人。第一这一件，乃是个惹祸之本。”九妈道：“便是这件，老身好不担忧。就是这八公子，也是有名有称的人，又不是下贱之人。这丫头抵死不肯接他，惹出这场寡气。当初他年纪小时，还听人教训。如今有了个虚名，被这些富贵子弟夸他奖他，惯了他性情，骄了他气质，动不动自作自主。逢着客来，他要接便接。他若不情愿时，便是九牛也休想牵得他转。”刘四妈道：“做小娘的略有些身分，都则如此。”

王九妈道：“我如今与你商议。倘若有个肯出钱的，不如卖了他去，到得干净，省得终身担着鬼胎过日。”刘四妈道：“此言甚妙。卖了他一个，就讨得五六个。若凑巧撞得着相应的，十来个也讨得的。这等便宜事，如何不做！”王九妈道：“老身也曾算计过来。那些有势有力的不肯出钱，专要讨人便宜。及至肯出几两银子的，女儿又嫌好道歉，做张做智的不肯。若有好主儿，妹子做媒，作成则个。倘若这丫头不肯时节，还求你撺掇。这丫头做娘的话也不听，只你说得他信，话得他转。”刘四妈呵呵大笑道：“做妹子的此来，正为与侄女做媒。你要许多银子便肯放他出门？”九妈道：“妹子，你是明理的人。我们这行户中，只有贱买，那有贱卖？况且美儿数年盛名满临安，谁不知他是花魁娘子。难道三百四百，就容他走动？少不得要他千金。”刘四妈道：“待妹子去讲。若肯出这个数目，做妹子的便来多口。若合不着时，就不来了。”临行时，又故意问道：“侄女今日在那里？”王九妈道：“不要说起，自从那日吃了吴八公子的亏，怕他还来淘气，终日里抬个轿子，各宅去分诉。前日在齐太尉家，昨日在黄翰林家，今日又不知在那家去了。”刘四妈道：“有了你老人家做主，按定了坐盘星，也不容侄女不肯。万一不肯时，做妹子自会劝他。只是寻得主顾来，你却莫要捉班做势。”九妈道：“一言既出，并无他说。”九妈送至门首。刘四妈叫声咶噪，上轿去了。这才是：

数黑论黄雌陆贾，说长话短女随何。
若还都像虔婆口，尺水能兴万丈波。

刘四妈回到家中，与美娘说道：“我对你妈妈如此说，这般讲，你妈妈已自肯了。只要银子见面，这事立地便成。”美娘道：“银子已曾办下，明日姨娘千万到我家来，玉成其事。不要冷了场，改日又费讲。”四妈道：“既然约定，老身自然到宅。”美娘别了刘四妈，回家一字不题。

次日，午牌时分，刘四妈果然来了。王九妈问道：“所事如何？”四妈道：“十有八九，只不曾与侄女说过。”四妈来到美娘房中，两下相叫了，讲了一回说话。四妈道：“你的主儿到了不曾？那话儿在那里？”美娘指着床头道：“在这几只皮箱里。”美娘把五六只皮箱一时都开了，五十两一封，搬出十三四封来，又把些金珠宝玉算价，足勾千金之数。把个刘四妈惊得眼中出火，口内流涎，想道：“小小年纪，这等有肚肠！不知如何设法，积下许多东西？我家这几个粉头，一般接客，赶得着他那里！不要说不会生发，就是有几文钱在荷包里，闲时买瓜子磕，买糖儿吃，两条脚带破了，还要做妈的与他买布哩。偏生九阿姐造化，讨得着，年时赚了若干钱钞，临出门还有这一主大财，又是取诸宫中，不劳馀力。”这是心中暗想之语，却不曾说出来。美娘见刘四妈沉吟，只道作难索谢，慌忙又取出四匹潞䌷，两股宝钗，一对凤头玉簪，放在桌上，道：“这几件东西，奉与姨娘为伐柯之敬。”刘四妈欢天喜地对王九妈说道：“侄女情愿自家赎身，一般身价，并不短少分毫。比着孤老卖身更好。省得闲汉们从中说合，费酒费浆，还要加一加二的谢他。”

王九妈听得说女儿皮箱内有许多东西，到有个咈然之色。你道却是为何？世间只有鸨儿最狠，做小娘的设法些东西，都送到他手里，才是快活。也有做些私房在箱笼内，鸨儿晓得些风声，专等女儿出门，捵开锁钥，翻箱倒笼取个罄空。只为美娘盛名之下，相交都是大头儿，替做娘的挣得钱钞，又且性格有些古怪，等闲不敢触犯他。故此卧房里面，鸨儿的脚也不搠进去。谁知他如此有钱。

刘四妈见九妈颜色不善，便猜着了，连忙道：“九阿姐，你休得三心两意。这些东西，就是侄女自家积下的，也不是你本分之钱。他若肯花费时，也花费了。或是他不长进，把来津贴了得意的孤老，你也那里知道！这还是他做家的好处。况且小娘自己手中没有钱钞，临到从良之际，难道赤身赶他出门？少不得头上脚下都要收拾得光鲜，等他好去别人家做人。如今他自家拿得出这些东西，料然一丝一线不费你的心。这一主银子，是你完完全全鳖在腰跨里的。他就赎身出去，怕不是你女儿。倘然他挣得好时，时朝月节，怕他不来孝顺你。就是嫁了人时，他又没有亲爹亲娘，你也还去做得着他的外婆，受用处正有哩。”只这一套话，说得王九妈心中爽然。当下应允。刘四妈就去搬出银子，一封封兑过，交付与九妈，又把这些金珠宝玉，逐件指物作价。对九妈说道：“这都是做妹子的故意估下他些价钱。若换与人，还便宜得几十两银子。”王九妈虽同是个鸨儿，到是个老实头儿，凭刘四妈说话，无有不纳。

刘四妈见王九妈收了这主东西，便叫亡八写了婚书，交付与美娘。美娘道："趁姨娘在此，奴家就拜别了爹妈出门，借姨娘家住一两日，择吉从良，未知姨娘允否?"刘四妈得了美娘许多谢礼，生怕九妈翻悔，巴不得美娘出了他门，完成一事，说道："正该如此。"当下美娘收拾了房中自己的梳台拜匣，皮箱铺盖之类。但是鸨儿家中之物，一毫不动。收拾已完，随着四妈出房，拜别了假爹假妈，和那姨娘行中，都相叫了。王九妈一般哭了几声。美娘唤人挑了行李，欣然上轿，同刘四妈到刘家去。四妈出一间幽静的好房，顿下美娘行李。众小娘都来与美娘叫喜。

是晚，朱重差莘善到刘四妈家讨信，已知美娘赎身出来。择了吉日，笙箫鼓乐娶亲。刘四妈就做大媒送亲，朱重与花魁娘子花烛洞房，欢喜无限。

虽然旧事风流，不减新婚佳趣。

次日，莘善老夫妇请新人相见，各各相认，吃了一惊。问起根由，至亲三口，抱头而哭。朱重方才认得是丈人丈母。请他上坐，夫妻二人，重新拜见。亲邻闻知，无不骇然。是日，整备筵席，庆贺两重之喜，饮酒尽欢而散。三朝之后，美娘教丈夫备下几副厚礼，分送旧相知各宅，以酬其寄顿箱笼之恩，并报他从良信息。此是美娘有始有终处。王九妈、刘四妈家，各有礼物相送，无不感激。满月之后，美娘将箱笼打开，内中都有黄白之资，吴绫蜀锦，何止百计，共有三千馀金，都将匙钥交付丈夫，慢慢的买房置产，整顿家当。油铺生理，都是丈人莘善管理。不上一年，把家业挣得花锦般相似，驱奴使婢，甚有气象。

朱重感谢天地神明保佑之德，发心于各寺庙喜舍合殿油烛一套，供琉璃灯油三个月；斋戒沐浴，亲往拈香礼拜。先从昭庆寺起，其他灵隐、法相、净慈、天竺等寺，以次而行。

就中单说天竺寺，是观音大士的香火，有上天竺、中天竺、下天竺，三处香火俱盛，却是山路，不通舟楫。朱重叫从人挑了一担香烛，三担清油，自己乘轿而往。先到上天竺来。寺僧迎接上殿。老香火秦公点烛添香。此时朱重居移气，养移体，仪容魁岸，非复幼时面目，秦公那里认得他是儿子。只因油桶上有个大大的秦字，又有汴梁二字，心中甚以为奇。也是天然凑巧。刚刚到上天竺，偏用着这两只油桶。朱重拈香已毕，秦公托出茶盘，主僧奉茶。秦公问道："不敢动问施主，这油桶上为何有此三字?"朱重听得问声，带着汴梁人的土音，忙问道："老香火，你问他怎么？莫非也是汴梁人么?"秦公道："正是。"朱重道："你姓甚名谁？为何在此出家？共有几年了?"秦公把自己姓名乡里，细细告诉："某年上避兵来此，因无活计，将十三岁的儿秦重，过继与朱家。如今有八年之远。一向为年老多病，不曾下山问得信息。"朱重一把抱住，放声大哭道："孩儿便是秦重。向在朱家挑油买卖。正为要访求父亲下落，故此于油桶上，写汴梁秦三字，做个标识。谁知此地相逢，真乃天与其便！”众僧见他父子别了八年，今朝重会，各各称奇。朱重这一日，就歇在上天竺，与父亲同宿，各叙情节。

次日，取出中天竺、下天竺两个疏头换过，内中朱重，仍改做秦重，复了本姓，两处烧香礼拜已毕，转到上天竺，要请父亲回家，安乐供养。秦公出家已久，吃素持斋，不愿随儿子回家。秦重道：“父亲别了八年，孩儿有缺侍奉。况孩儿新娶媳妇，也得他拜见公公方是。”秦公只得依允。秦重将轿子让与父亲乘坐，自己步行，直到家中。秦重取出一套新衣，与父亲换了，中堂设坐，同妻莘氏双双参拜。亲家莘公、亲母阮氏，齐来见礼。

此日大排筵席。秦公不肯开荤，素酒素食。次日，邻里敛财称贺。一则新婚，二则新娘子家眷团圆，三则父子重逢，四则秦小官归宗复姓：共是四重大喜。一连又吃了几日喜酒。秦公不愿家居，思想上天竺故处清净出家。秦重不敢违亲之志，将银二百两，于上天竺另造净室一所，送父亲到彼居住。其日用供给，按月送去。每十日亲往候问一次。每一季同莘氏往候一次。那秦公活到八十馀，端坐而化。遗命葬于本山。此是后话。

却说秦重和莘氏，夫妻偕老，生下两孩儿，俱读书成名。至今风月中市语，凡夸人善于帮衬，都叫做“秦小官”，又叫“卖油郎”。有诗为证：

春来处处百花新，蜂蝶纷纷竞采春。
堪爱豪家多子弟，风流不及卖油人。

第四卷
灌园叟晚逢仙女

连宵风雨闭柴门，落尽深红只柳存。
欲扫苍苔且停帚，阶前点点是花痕。

这首诗为惜花而作。昔唐时有一处士姓崔，名玄微，平昔好道，不娶妻室，隐于洛东。所居庭院宽敞，遍植花卉竹木。构一室在万花之中，独处于内。童仆都居苑外，无故不得辄入。如此三十馀年，足迹不出园门。时值春日，院中花木盛开，玄微日夕倘佯其间。一夜，风清月朗，不忍舍花而睡。乘着月色，独步花丛中。忽见月影下，一青衣冉冉而来。玄微惊讶道：“这时节那得有女子到此行动？”心下虽然怪异，又想道：“且看他到何处去？”那青衣不往东，不往西，径至玄微面前，深深道个万福。玄微还了礼，问道：“女郎是谁家宅眷？因何深夜至此？”那青衣启一点朱唇，露两行碎玉道：

"儿家与处士相近。今与女伴过上东门，访表姨，欲借处士院中暂憩，不知可否？"玄微见来得奇异，欣然许之。青衣称谢，原从旧路转去。不一时，引一队女子，分花约柳而来，与玄微一一相见。玄微就月下仔细看时，一个个姿容媚丽，体态轻盈，或浓或淡，妆束不一。随从女郎，尽皆妖艳。正不知从那里来的。

相见毕，玄微邀进室中，分宾主坐下。开言道："请问诸位女娘姓氏。今访何姻戚，乃得光降敝园？"一衣绿裳者答道："妾乃杨氏。"指一穿白的道："此位李氏。"又指一衣绛服的道："此位陶氏。"遂逐一指示。最后到一绯衣小女，乃道："此位姓石，名阿措。我等虽则异姓，俱是同行姊妹。因封家十八姨，数日云欲来相看，不见其至。今夕月色甚佳，故与姊妹们同往候之。二来素蒙处士爱重，妾等顺便相谢。"

玄微方待酬答，青衣报道："封家姨至。"众皆惊喜出迎。玄微闪过半边观看。众女子相见毕，说道："正要来看十八姨；为主人留坐，不意姨至；足见同心。"各向前致礼。十八姨道："屡欲来看卿等，俱为使命所阻。今乘间至此。"众女道："如此良夜，请姨宽坐，当以一尊为寿。"遂授旨青衣去取。十八姨问道："此地可坐否？"杨氏道："主人甚贤，地极清雅。"十八姨道："主人安在？"玄微趋出相见。举目看十八姨，体态飘逸，言词泠泠有林下风气。近其傍，不觉寒气侵肌，毛骨竦然。逊入堂中，侍女将桌椅已是安排停当。请十八姨居于上席。众女挨次而坐。玄微末位相陪。

不一时，众青衣取到酒肴，摆设上来。佳肴异果，罗列满案。酒味醇浓，其甘如饴，俱非人世所有。此时月色倍明，室中照耀，如同白日。满坐芳香，馥馥袭人。宾主酬酢，杯觥交杂。酒至半酣，一红裳女子满斟大觥，送与十八姨道："儿有一歌，请为歌之。"歌云：

绛衣披拂露盈盈，淡染胭脂一朵轻。
自恨红颜留不住，莫怨春风道薄情。

歌声清婉，闻者皆凄然。又一白衣女子送酒道："儿亦有一歌。"歌云：

皎洁玉颜胜白雪，况乃当年对芳月。
沉吟不敢怨春风，自叹容华暗消歇。

其音更觉惨切。那十八姨性颇轻佻，却又好酒。多了几杯，渐渐狂放。听了二歌，乃道："值此芳辰美景，宾主正欢，何遽作伤心语！歌旨又深刺予，殊为慢客。须各罚以大觥，当另歌之。"遂手斟一杯递来，酒醉手软，持不甚牢，杯才举起，不想袖在箸上一兜，扑碌的连杯打翻。

这酒若翻在别个身上，却也罢了，恰恰里尽泼在阿措身上。阿措年娇貌美，性爱整齐，穿的却是一件大红簇花绯衣。那红衣最忌的是酒，才沾滴点，其色便败，怎经得这一大杯酒！况且阿措也有七八分酒意，见污了衣服，作

色道："诸姊妹有所求，吾不畏尔！"即起身往外就走。十八姨也怒道："小女弄酒，敢与吾为抗耶？"亦拂衣而起。众女子留之不住，齐劝道："阿措年幼，醉后无状，望勿记怀。明日当率来请罪！"相送下阶。十八姨忿忿向东而去。众女子与玄微作别，向花丛中四散而走。

玄微欲观其踪迹，随后送之。步急苔滑，一交跌倒。挣起身来看时，众女子俱不见了。心中想道："是梦却又未曾睡卧。若是鬼，又衣裳楚楚，言语历历。是人，如何又倏然无影？"胡猜乱想，惊疑不定。回入堂中，桌椅依然，摆设杯盘，一毫已无；惟觉馀馨满室。虽异其事，料非祸祟，却也无惧。

到次晚，又往花中步玩。见诸女子已在，正劝阿措往十八姨处请罪。阿措怒道："何必更恳此老妪？有事只求处士足矣。"众皆喜道："妹言甚善。"齐向玄微道："吾姊妹皆住处士苑中，每岁多被恶风所挠，居止不安。常求十八姨相庇。昨阿措误触之，此后应难取力。处士倘肯庇护，当有微报耳。"玄微道："某有何力，得庇诸女？"阿措道："只求处士每岁元旦，作一朱幡，上图日月五星之文，立于苑东，吾辈则安然无恙矣。今岁已过，请于此月二十一日平旦，微有东风，即立之，可免本日之难。"玄微道："此乃易事，敢不如命。"齐声谢道："得蒙处士慨允，必不忘德。"言讫而别，其行甚疾。玄微随之不及。忽一阵香风过处，各失所在。

玄微欲验其事，次日即制办朱幡。候至廿一日，清早起来，果然东风微拂。急将幡竖立苑东。少顷，狂风振地，飞沙走石，自洛南一路，摧林折树；惟苑中繁花不动。玄微方晓诸女者，众花之精也。绯衣名阿措，即安石榴也。封十八姨，乃风神也。到次晚，众女各裹桃李花数斗来谢道："承处士脱某等大难，无以为报。饵此花英，可延年却老。愿长如此卫护，某等亦可致长生。"玄微依其言服之，果然容颜转少，如三十许人。后得道仙去。有诗为证：

> 洛中处士爱栽花，岁岁朱幡绘采茶。
> 学得餐英堪不老，何须更觅枣如瓜。

列位莫道小子说风神与花精往来，乃是荒唐之语。那九州四海之中，目所未见，耳所未闻，不载史册，不见经传，奇奇怪怪，跷跷蹊蹊的事，不知有多多少少。就是张华的《博物志》，也不过志其一二；虞世南的行书厨，也包藏不得许多。此等事甚是平常，不足为异。然虽如此，又道是子不语怪，且阁过一边。只那惜花致福，损花折寿，乃见在功德，须不是乱道。列位若不信时，还有一段《灌园叟晚逢仙女》的故事，待小子说与列位看官们听。若平日爱花的，听了自然将花分外珍重。内中或有不惜花的，小子就将这话劝他，惜花起来。虽不能得道成仙，亦可以消闲遣闷。

你道这段话文出在哪个朝代？何处地方？就在大宋仁宗年间，江南平江府东门外长乐村中。这村离城只有二里之远，村上有个老者，姓秋名先，原是庄家出身，有数亩田地，一所草房。妈妈水氏已故，别无儿女。那秋先从幼酷好栽花种果，把田业都撇弃了，专于其事。若偶觅得种异花，就是拾着珍宝，也没有这般欢喜。随你极紧要的事出外，路上逢着人家有树花儿，不管他家容不容，便陪着笑脸，捱进去求玩。若平常花木，或家里也在正开，还转身得快。倘然是一种名花，家中没有的，虽或有，已开过了，便将正事撇在半边，依依不舍，永日忘归。人都叫他是花痴。

或遇见卖花的有株好花，不论身边有钱无钱，一定要买。无钱时便脱身上衣服去解当。也有卖花的知他僻性，故高其价，也只得忍贵买回。又有那破落户晓得他是爱花的，各处寻觅好花折来，把泥假捏个根儿哄他，少不得也买。有恁般奇事！将来种下，依然肯活。日积月累，遂成了一个大园。那园周围编竹为篱，篱上交缠蔷薇、荼蘼、木香、刺梅、木槿、棣棠、金雀，篱边遍下蜀葵、凤仙、鸡冠、秋葵、莺粟等种。更有那金萱、百合、剪春罗、剪秋罗、满池娇、十样锦、美人蓼、山踯躅、高良姜、白蛱蝶、夜落金钱、缠枝牡丹等类，不可枚举。遇开放之时，烂如锦屏。远篱数步，尽植名花异卉。一花未谢，一花又开。向阳设两扇柴门，门内一条竹径，两边都结柏屏遮护。转过柏屏，便是三间草堂。房虽草创，却高爽宽敞，窗槅明亮。堂中挂一幅无名小画，设一张白木卧榻。桌凳之类，色色洁净。打扫得地下无纤毫尘垢。堂后精舍数间，卧室在内。那花卉无所不有，十分繁茂。真个四时不谢，八节长春。但见：

> 梅标清骨，兰挺幽芳。茶呈雅韵，李谢浓妆。杏娇疏雨，菊傲严霜。水仙冰肌玉骨，牡丹国色天香。玉树亭亭阶砌，金莲冉冉池塘。芍药芳姿少比，石榴丽质无双。丹桂飘香月窟，芙蓉冷艳寒江。梨花溶溶夜月，桃花灼灼朝阳。山茶花宝珠称贵，蜡梅花磬口方香。海棠花西府为上，瑞香花金边最良。玫瑰杜鹃，烂如云锦，绣球郁李，点缀风光。说不尽千般花卉，数不了万种芬芳。

篱门外，正对着一个大湖，名为朝天湖，俗名荷花荡。这湖东连吴淞江，西通震泽，南接庞山湖。湖中景致，四时晴雨皆宜。秋先于岸傍堆土作堤，广植桃柳。每至春时，红绿间发，宛似西湖胜景。沿湖遍插芙蓉，湖中种五色莲花。盛开之日，满湖锦云烂熳，香气袭人，小舟荡桨采菱，歌声泠泠。遇斜风微起，偎船竞渡，纵横如飞。柳下渔人，舣船晒网。也有戏儿的，结网的，醉卧船头的，没水赌胜的，欢笑之音不绝。那赏莲游人，画船箫管鳞集，至黄昏回棹，灯火万点，间以星影萤光，错落难辨。深秋时，霜风初起，枫林渐染黄碧，野岸衰柳芙蓉，杂间白蘋红蓼，掩映水际；芦苇中鸿雁群集，嘹呖干云，哀声动人。隆冬天气，彤云密布，六花飞舞，上下一色。那四时景致，言之不尽。有诗为证：

朝天湖畔水连天，不唱渔歌即采莲。
小小茅堂花万种，主人日日对花眠。

按下散言，且说秋先每日清晨起来，扫净花底落叶，汲水逐一灌溉。到晚上又浇一番。若有一花将开，不胜欢跃。或暖壶酒儿，或烹瓯茶儿，向花深深作揖，先行浇奠，口称花万岁三声，然后坐于其下，浅斟细嚼。酒酣兴到，随意歌啸。身子倦时，就以石为枕，卧在根傍。自半含至盛开，未尝暂离。如见日色烘烈，乃把棕拂蘸水沃之。遇着月夜，便连宵不寐。倘值了狂风暴雨，即披蓑顶笠，周行花间检视。遇有欹枝，以竹扶之。虽夜间，还起来巡看几次。若花到谢时，则累日叹息，常至堕泪。又不舍得那些落花，以棕拂轻轻拂来，置于盘中，时尝观玩。直至干枯，装入净瓮。满瓮之日，再用茶酒浇奠，惨然若不忍释。然后亲捧其瓮，深埋长堤之下，谓之“葬花”。倘有花片，被雨打泥污的，必以清水再四涤净，然后送入湖中，谓之“浴花”。

平昔最恨的是攀枝折朵。他也有一段议论，道：“凡花一年只开得一度，四时中只占得一时，一时中又只占得数日。他熬过了三时的冷淡，才讨得这数日的风光。看他随风而舞，迎人而笑，如人正当得意之境，忽被摧残，巴此数日甚难，一朝折损甚易。花若能言，岂不嗟叹。况就此数日间，先犹含蕊，后复零残。盛开之时，更无多了。又有蝶攒，蜂采，鸟啄虫钻，日炙风吹，雾迷雨打，全仗人去护惜他，却反恣意拗折，于心何忍！且说此花自芽生根，自根生本，强者为干，弱者为枝，一干一枝，不知养成了多少年月。及候至花开，供人清玩，有何不美，定要折他！花一离枝，再不能上枝，枝一去干，再不能附干，如人死不可复生，刑不可复赎，花若能言，岂不悲泣！又想他折花的，不过择其巧干，爱其繁枝，插之瓶中，置之席上，或供宾客片时侑酒之欢，或助婢妾一日梳妆之饰，不思客觞可饱玩于花下，闺妆可借巧于人工。手中折了一枝，鲜花就少了一枝。今年伐了此干，明年便少了此干。何如延其性命，年年岁岁，玩之无穷乎？还有未开之蕊，随花而去，此蕊竟槁灭枝头，与人之童夭何异？又有原非爱玩，趁兴攀折。既折之后，拣择好歹，逢人取讨，即便与之。或随路弃掷，略不顾惜。如人横祸枉死，无处申冤。花若能言，岂不痛恨！”

他有了这段议论，所以生平不折一枝，不伤一蕊。就是别人家园上，他心爱着那一种花儿，宁可终日看玩。假饶那花主人要取一枝一朵来赠他，他连称罪过，决然不要。若有傍人要来折花者，只除他不看见罢了；他若见时，就把言语再三劝止。人若不从其言，他情愿低头下拜，代花乞命。人虽叫他是花痴，多有可怜他一片诚心，因而住手者。他又深深作揖称谢。又有小厮们要折花卖钱的，他便将钱与之，不教折损。或他不在时，被人折损，他来见有损处，必凄然伤感，取泥封之，谓之“医花”。为这件上，所以自己园中不轻易放人游玩。偶有亲戚邻友要看，难好回时，先将此话讲过，才放进去。又恐秽气触花，只许远观，不容亲近。倘有不达时务的，捏空摘了一花一蕊，那老儿便要面红颈赤，大发喉急。下次就打骂他，也不容进去看了。后来人都晓得了他的性子，就一叶儿也不敢摘动。

大凡茂林深树，便是禽鸟的巢穴。有花果处，越发千百为群。如单食果实，到还是小事。偏偏只拣花蕊啄伤。惟有秋先却将米谷置于空处饲之，又向禽鸟祈祝。那禽鸟却也有知觉，每日食饱，在花间低飞轻舞，宛啭娇啼，并不损一朵花蕊，也不食一个果实。故此产的果品最多，却又大而甘美。每熟时就先望空祭了花神，然后敢尝。又遍送左近邻家试新，馀下的方鬻。一年到有若干利息。那老者因得了花中之趣，自少至老，五十馀年，略无倦怠。筋骨愈觉强健。粗衣淡饭，悠悠自得。有得赢馀，就把来周济村中贫乏。自此合村无不敬仰，又呼为秋公。他自称为灌园叟。有诗为证：

朝灌园兮暮灌园，灌成园上百花鲜。

花开每恨看不足，为爱看园不肯眠。

话分两头。却说城中有一人姓张，名委，原是个宦家子弟；为人奸狡诡谲、残忍刻薄。恃了势力，专一欺邻吓舍，扎害良善。触着他的，风波立至，必要弄得那人破家荡产，方才罢手。手下用一班如狼似虎的奴仆，又有几个助恶的无赖子弟，日夜合做一块，到处闯祸生灾，受其害者无数。不想却遇了一个又狠似他的，轻轻捉去，打得个臭死。及至告到官司，又被那人弄了些手脚，反问输了。因妆了幌子，自觉无颜，带了四五个家人，同那一班恶少，暂在庄上遣闷。那庄正在长乐村中，离秋公家不远。一日早饭后，吃得半酣光景，向村中闲走，不觉来到秋公门首。只见篱上花枝鲜媚，四围树木繁翳，齐道：“这所在到也幽雅！是那家的？”家人道：“此是种花秋公园上，有名叫做花痴。”张委道：“我常闻得说庄边有什么秋老儿，种得异样好花，原来就住在此。我们何不进去看看？”家人道：“这老儿有些古怪，不许人看的。”张委道：“别人或者不肯，难道我也是这般？快去敲门！”

那时园中牡丹盛开，秋公刚刚浇灌完了，正将着一壶酒儿，两碟果品，在花下独酌，自取其乐。饮不上三杯，只听得呀呀的敲门响，放下酒杯，走出来开门一看，见站着五六个人，酒气直冲。秋公料道必是要看花的，便拦住门口，问道：“列位有甚事到此？”张委道：“你这老儿不认得我么？我乃城里有名的张衙内。那边张家庄便是我家的。闻得你园中好花甚多，特来游玩。”秋公道：“告衙内，老汉也没种甚好花，不过是桃杏之类，都已谢了，如今并没别样花卉。”张委睁起双眼道：“这老儿恁般可恶！看看花儿打甚紧，却便回我没有。难道吃了你的？”秋公道：“不是老汉说谎，果然没有。”张委那里肯听，向前叉开手，当胸一拟，秋公站立不牢，踉踉跄跄，直撞过半边。众人一齐拥进。秋公见势头凶恶，只得让他进去，把篱门掩上，随着进来，向花下取过酒果，站在旁边。

众人看那四边花草甚多，惟有牡丹最盛。那花不是寻常玉楼春之类，乃五种有名异品。那五种？黄楼子，绿蝴蝶，西瓜穰，舞青猊，大红狮头。这牡丹乃花中之王，惟洛阳为天下第一。有“姚黄”“魏紫”名色，一本价值五千。

你道因何独盛于洛阳？只为昔日唐朝有个武则天皇后，淫乱无道，宠幸两个官儿，名唤张易之、张昌宗，于冬月之间，要游后苑，写出四句诏来，道：

来朝游上苑，火速报春知。
百花连夜发，莫待晓风吹。

不想武则天原是应运之主，百花不敢违旨，一夜发蕊开花。次日驾幸后苑，只见千红万紫，芳菲满目，单有牡丹花有些志气，不肯奉承女主幸臣，要一根叶儿也没有。则天大怒，遂贬于洛阳。故此洛阳牡丹冠于天下。有一只《玉楼春》词，单赞牡丹花的好处。词云：

名花绰约东风里，占断韶华都在此。芳心一片可人怜，春色三分愁雨洗。　玉人尽日恹恹地，猛被笙歌惊破睡。起临妆镜似娇羞，近日伤春输与你。

那花正种在草堂对面，周围以湖石栏之，四边竖个木架子，上覆布幔，遮蔽日色。花本高有丈许，最低亦有六七尺，其花大如丹盘，五色灿烂，光华夺目。

众人齐赞：“好花！”张委便踏上湖石去嗅那香气。秋先极怪的是这节。乃道：“衙内站远些看，莫要上去。”张委恼他不容进来，心下正要寻事，又听了这话，喝道：“你那老儿住在我庄边，难道不晓得张衙内名头么？有恁样好花，故意回说没有。不计较就勾了，还要多言，那见得闻一闻就坏了花？你便这般说，我偏要闻。”遂把花逐朵攀下来，一个鼻子凑在花上去嗅。那秋老在傍，气得敢怒而不敢言。也还道略看一回就去；谁知这厮故意卖弄道：“有恁样好花，如何空过？须把酒来赏玩。”分付家人快去取。秋公见要取酒来赏，更加烦恼，向前道：“所在蜗窄，没有坐处。衙内止看看花儿，酒还到贵庄上去吃。”张委指着地上道：“这地下尽好坐。”秋公道：“地上龌龊，衙内如何坐得？”张委道：“不打紧，少不得有毡条遮衬。”不一时，酒肴取到，铺下毡条，众人团团围坐，猜拳行令，大呼小叫，十分得意。只有秋公骨笃了嘴，坐在一边。

那张委看见花木茂盛，就起个不良之念，思想要吞占他的。斜着醉眼，向秋公道："看你这蠢老儿不出，到会种花，却也可取。赏你一杯。"秋公那里有好气答他，气忿忿的道："老汉天性不会饮酒。衙内自请。"张委又道："你这园可卖么？"秋公见口声来得不好，老大惊讶，答道："这园是老汉的性命，如何舍得卖？"张委道："什么性命不性命！卖与我罢了。你若没去处，一发连身归在我家。又不要做别事，单单替我种些花木，可不好么？"众人齐道："你这老儿好造化，难得衙内恁般看顾。还不快些谢恩？"秋公看见逐步欺负上来，一发气得手足麻软，也不去睬他。张委道："这老儿可恶！肯不肯，如何不答应我？"秋公道："说过不卖了，怎的只管问？"张委道："放屁！你若再说句不卖，就写帖儿，送到县里去。"秋公气不过，欲要抢白几句，又想一想，他是有势力的人，却又醉了，怎与他一般样见识？且哄了去再处。忍着气答道："衙内总要买，必须从容一日，岂是一时急骤的事。"众人道："这话也说得是。就在明日罢。"

此时都已烂醉，齐立起身。家人收拾家伙先去。秋公恐怕折花，预先在花边防护。那张委真个走向前，便要踹上湖石去采。秋先扯住道："衙内，这花虽是微物，但一年间不知废多少工夫，才开得这几朵。不争折损了，深为可惜。况折去不过二三日就谢的，何苦作这样罪过！"张委喝道："胡说！有甚罪过！你明日卖了，便是我家之物。就都折尽，与你何干！"把手去推开。秋公揪住死也不放，道："衙内便杀了老汉，这花决不与你摘的。"众人道："这老儿其实可恶！衙内采朵花儿，值什么大事，妆出许多模样！难道怕你就不摘了？"遂齐走上前乱摘。把那老儿急得叫屈连天，舍了张委，拼命去拦阻。扯了东边，顾不得西首。顷刻间摘下许多。秋老心疼肉痛，骂道："你这班贼男女，无事登门，将我欺负，要这性命何用！"赶向张委身边，撞个满怀。去得势猛，张委又多了几杯酒，把脚不住，翻觔斗跌倒。众人都道："不好了，衙内打坏也！"齐将花撇下，便赶过来，要打秋公。内中有一个老成些的，见秋公年纪已老，恐打出事来，劝住众人，扶起张委。张委因跌了这交，心中转恼，赶上前打得个只蕊不留，撒作遍地，意尤未足，又向花中践踏一回。可惜好花，正是：

　　老拳毒手交加下，翠叶娇花一旦休。

　　好似一番风雨恶，乱红零落没人收。

当下只气得个秋公怆地呼天，满地乱滚。

邻家听得秋公园中喧嚷，齐跑进来。看见花枝满地狼籍，众人正在行凶，邻里尽吃一惊，上前劝住。问知其故，内中到有两三个是张委的租户，齐替秋公陪个不是，虚心冷气，送出篱门。张委道："你们对那老贼说，好好把园送我，便饶了他。若说半个不字，须教他仔细着。"恨恨而去。邻里们见张委醉了，只道酒话，不在心上。覆身转来，将秋公扶起，坐在阶沿上。那老儿放声号恸。众邻里劝慰了一番，作别出去，与他带上篱门，一路行走。内中也有怪秋公平日不容看花的，便道："这老官儿真个忒煞古怪，所以有这样事，也得他经一遭儿，警戒下次。"内中又有直道的道："莫说这没天理的话！自古道：种花一年，看花十日。那看的但觉好看，赞声好花罢了，怎得知种花的烦难。只这几朵花，正不知费了许多辛苦，才培植得恁般茂盛。如何怪得他爱惜！"

不题众人，且说秋公不舍得这些残花，走向前将手去捡起来看，见践踏得凋残零落，尘垢沾污，心中凄惨，又哭道："花阿！我一生爱护，从不曾损坏一瓣一叶，那知今日遭此大难！"正哭之间，只听得背后有人叫道："秋公为何恁般痛哭？"秋公回头看时，乃是一个女子，年约二八，姿容美丽，雅淡梳妆，却不认得是谁家之女。乃收泪问道："小娘子是那家？至此何干？"那女子道："我家住在左近，因闻你园中牡丹花茂盛，特来游玩，不想都已谢了。"秋公题起牡丹二字，不觉又哭起来。女子道："你且说有甚苦情，如此啼哭？"秋公将张委打花之事说出。那女子笑道："原来为此缘故。你可要这花原上枝头么？"秋公道："小娘子休得取笑！那有落花返枝的理？"女子道："我祖上传得个落花返枝的法术，屡试屡验。"秋公听说，化悲为喜道："小娘子真个有这法术么？"女子道："怎的不真？"秋公倒身下拜道："若得小娘子施此妙术，老汉无以为报，但每一种花开，便来相请赏玩。"女子道："你且莫拜，去取一碗水来。"秋公慌忙跳起去取水，心下又转道："如何有这样妙法？莫不是见我哭泣，故意取笑？"又想道："这小娘子从不相认，岂有耍我之理？还是真的。"急舀了碗清水出来。抬头不见了女子，只见那花都已在枝头，地下并无一瓣遗存。起初每本一色，如今却变做红中间紫，淡内添浓，一本五色俱全，比先更觉鲜妍。有诗为证：

曾闻湘子将花染，又见仙姬会返枝。
信是至诚能动物，愚夫犹自笑花痴。

当下秋公又惊又喜道："不想这小娘子果然有此妙法。"只道还在花丛中，放下水，前来作谢。园中团团寻遍，并不见影。乃道："这小娘子如何就去了？"又想道："必定还在门口，须上去求他，传了这个法儿。"一径赶至门边，那门却又掩着。拽开看时，门首坐着两个老者，就是左右邻家，一个唤做虞公，一个叫做单老，在那里看渔人晒网。见秋公出来，齐立起身拱手道："闻得张衙内在此无理，我们恰往田头，没有来问得。"秋公道："不要说起，受了这班泼男女的殴气。亏着一位小娘子走来，用个妙法，救起许多花朵，不曾谢得他一声，径出来了。二位可看见往那一边去的？"二老闻言，惊讶道："花坏了，有甚法儿救得？这女子去几时了？"秋公道："刚方出来。"二老道："我们坐在此好一回，并没个人走动，那见甚么女子？"秋公听说，心下恍悟道："恁般说，莫不这位小娘子是神仙下降？"二老问道："你且说怎的救起花儿？"秋公将女子之事叙了一遍。二老道："有如此奇事！待我们去看看。"

秋公将门拴上，一齐走至花下，看了连声称异道："这定然是个神仙。凡人那有此法力！"秋公即焚起一炉好香，对天叩谢。二老道："这也是你平日爱花心诚，所以感动神仙下降。明日索性到教张衙内这几个泼男女看看，羞杀了他。"秋公道："莫要！莫要！此等人即如恶犬，远远见了就该避之，岂可还引他来。"二老道："这话也有理。"秋公此时非常欢喜，将先前那瓶酒热将起来，留二老在花下玩赏，至晚而别。

二老回去一传，合村人都晓得，明日俱要来看，还恐秋公不许。谁知秋公原是有意思的人，因见神仙下降，遂有出世之念，一夜不寐，坐在花下存想。想至张委这事，忽地开悟道："此皆是我平日心胸褊窄，故外侮得至。若神仙汪洋度量，无所不容，安得有此！"至次早，将园门大开，任人来看。先有几个进来打探，见秋公对花而坐，但分付道："任凭列位观看，切莫要采便了。"众人得了这话，互相传开。那村中男子妇女，无有不至。

按下此处，且说张委至次早，对众人说："昨日反被那老贼撞了一交，难道轻恕了不成？如今再去要花园。不肯时，多教些人从，将花木尽打个希烂，方出这气。"众人道："这园在衙内庄边，不怕他不肯。只是昨日不该把花都打坏，还留几朵，后日看看，便是。"张委道："这也罢了。少不得来年又发。我们快去，莫要使他停留长智。"众人一齐起身，出得庄门，就有人说："秋公园上神仙下降，落下的花，原都上了枝头，却又变做五色。"张委不信道："这老贼有何好处，能感神仙下降？况且不前不后，刚刚我们打坏，神仙就来？难道这神仙是养家的不成？一定是怕我们又去，故此诌这话来央人传说。见得他有神仙护卫，使我们不摆布他。"众人道："衙内之言极是。"

顷刻，到了园门口，见两扇门大开，往来男女络绎不绝，都是一般说话。众人道："原来真有这等事！"张委道："莫管他，就是神仙见坐着，这园少不得要的。"弯弯曲曲，转到草堂前，看时，果然话不虚传。这花却也奇怪，见人来看，姿态愈艳，光采倍生，如对人笑一般。张委心中虽十分惊讶，那吞占念头，全然不改。看了一回，忽地又起一个恶念，对众人道："我们且去。"齐出了园门。

众人问道："衙内如何不与他要园？"张委道："我想得个好策在此，不消与他说得，这园明日就归于我。"众人道："衙内有何妙算？"张委道："见今贝州王则谋反，专行妖术。枢密府行下文书来，普天下军州严禁左道，捕缉妖人。本府见出三千贯赏钱，募人出首。我明日就将落花上枝为由，教张霸到府，首他以妖术惑人。这个老儿熬刑不过，自然招承下狱。这园必定官卖。那时谁个敢买他的？少不得让与我。还有三千贯赏钱哩。”众人道：“衙内好计！事不宜迟，就去打点起来。”当时即进城，写下首状。次早，教张霸到平江府出首。这张霸是张委手下第一出尖的人，衙门情熟，故此用他。大尹正在缉访妖人，听说此事，合村男女都见的，不繇不信。即差缉捕使臣带领几个做公的，押张霸作眼，前去捕获。张委将银布置停当，让张霸与缉捕使臣先行，自己与众子弟随后也来。

缉捕使臣一径到秋公园上。那老儿还道是看花的，不以为意。众人发一声喊，赶上前一索捆翻。秋公吃这一唬不小。问道：“老汉有何罪犯？望列位说个明白。”众人口口声声，骂做妖人反贼，不繇分诉，拥出门来。邻里看见，无不失惊，齐上前询问。缉捕使臣道：“你们还要问么？他所犯的事也不小，只怕连村上人都有分哩。”那些愚民，被这大话一寒，心中害怕，尽皆洋洋走开，惟恐累及。只有虞公、单老，同几个平日与秋公相厚的，远远跟来观看。

且说张委俟秋公去后，便与众子弟来锁园门。恐还有人在内，又检点一过，将门锁上。随后赶上府前。缉捕使臣已将秋公解进，跪在月台上，见傍边又跪着一人，却不认得是谁。那些狱卒都得了张委银子，已备下诸般刑具伺候。大尹喝道：“你是何处妖人，敢在此地方上将妖术煽惑百姓？有几多党羽？从实招来！”秋公闻言，恰如黑暗中闻个火炮，正不知从何处起的，禀道：“小人家世住于长乐村中，并非别处妖人，也不晓得什么妖术。”大尹道：“前日你用妖术使落花上枝，还敢抵赖！”秋公见说到花上，情知是张委的缘故。即将张委要占园打花，并仙女下降之事，细诉一遍。不想那大尹性是偏执的，那里肯信，乃笑道；“多少慕仙的，修行至老，尚不能得遇神仙；岂有因你哭，花仙就肯来？既来了，必定也留个名儿，使人晓得，如何又不别而去？这样话哄那个！不消说得，定然是个妖人。快夹起来！”

狱卒们齐声答应，如狼虎一般，蜂拥上来，揪翻秋公，扯腿拽脚。刚要上刑，不想大尹忽然一个头晕，险些儿跌下公座。自觉头目森森，坐身不住。分付上了枷扭，发下狱中监禁，明日再审。狱卒押着，秋公一路哭泣出来。看见张委，道：“张衙内，我与你前日无怨，往日无仇，如何下此毒手，害我性命！”张委也不答应，同了张霸，和那一班恶少，转身就走。虞公、单老接着秋公，问知其细，乃道：“有这等冤枉的事！不打紧，明日同合村人，具张连名保结，管你无事。”秋公哭道：“但愿得如此，便好。”狱卒喝道：“这死囚还不走！只管哭什么！”秋公含着眼泪进狱。邻里又寻些酒食，送至门上。那狱卒谁个拿与他吃，竟接来自去受用。

到夜间，将他上了囚床，就如活死人一般，手足不能少展。心中苦楚，想道：“不知那位神仙救了这花，却又被那厮借此陷害。神仙呵！你若怜我秋先，亦来救拔性命，情愿弃家入道。”一头正想，只见前日那仙女，冉冉而至。秋公急叫道：“大仙救拔弟子秋先则个！”仙女笑道：“汝欲脱离苦厄么？”上前把手一指，那枷扭纷纷自落。秋先爬起来，向前叩头道：“请问大仙姓氏。”仙女道：“吾乃瑶池王母座下司花女，怜汝惜花志诚，故令诸花返本。不意反资奸人谗口。然亦汝命中合有此灾，明日当脱。张委损花害人，花神奏闻上帝，已夺其算。助恶党羽，俱降大灾。汝宜笃志修行，数年之后，吾当度汝。”秋先又叩首道：“请问上仙修行之道。”仙女道：“修仙径路甚多，须认本源。汝原以惜花有功，今亦当以花成道。汝但饵百花，自能身轻飞举。”遂教其服食之法。秋先稽首叩谢起来，便不见了仙子。抬头观看，却在狱墙之上，以手招道：“汝亦上来，随我出去。”秋先便向前攀援了一大回，还只到得半墙，甚觉吃力。渐渐至顶，忽听得下边一棒锣声，喊道：“妖人走了，快拿下！”秋公心下惊慌，手酥脚软，倒撞下来，撒然惊觉，元在囚床之上。想起梦中言语，历历分明，料必无事，心中稍宽。正是：

但存方寸无私曲，料得神明有主张。

且说张委见大尹已认做妖人，不胜欢喜。乃道：“这老儿许多清奇古怪，今夜且请在囚床上受用一夜，让这园儿与我们乐罢。”众人都道：“前日还是那老儿之物，未曾尽兴。今日是大爷的了，须要尽情欢赏。”张委道：“言之有理！”遂一齐出城，教家人整备酒肴，径至秋公园上，开门进去。那邻里看见是张委，心下虽然不平，却又惧怕，谁敢多口。

且说张委同众子弟走至草堂前，只见牡丹枝头一朵不存，原如前日打下时一般，纵横满地。众人都称奇怪。张委道：“看起来，这老贼果系有妖法的。不然，如何半日上倏尔又变了？难道也是神仙打的？”有一个子弟道：“他晓得衙内要赏花，故意弄这法儿来羞我们。”张委道：“他便弄这法儿，我们就赏落花。”当下依原铺设毡条，席地而坐，放开怀抱恣饮，也把两瓶酒赏张霸到一边去吃。

看看饮至月色挫西，俱有半酣之意，忽地起一阵大风。那风好利害！

善聚庭前草，能开水上萍。

腥闻群虎啸，响合万松声。

那阵风却把地下这些花朵吹得都直竖起来，眨眼间俱变做一尺来长的女子。众人大惊，齐叫道：“怪哉！”言还未毕，那些女子迎风一幌，尽已长大，一个个姿容美丽，衣服华艳，团团立做一大堆。众人因见恁般标致，通看呆了。内中一个红衣女子却又说起话来，道：“吾姊妹居此数十馀年，深蒙秋公珍重护惜。何意蓦遭狂奴，俗气熏炽，毒手摧残，复又诬陷秋公，谋吞此地。今仇在目前，吾姊妹曷不戮力击之！上报知己之恩，下雪摧残之耻，不亦可乎？”众女郎齐声道：“阿妹之言有理！须速下手，毋使潜遁！”说罢，一齐举袖扑来。那袖似有数尺之长，如风翻乱飘，冷气入骨。众人齐叫有鬼，撇了家伙，望外乱跑，彼此各不相顾。也有被石块打脚的，也有被树枝抓面的，也有跌而复起，起而复跌的，乱了多时，方才收脚。点检人数都在，单不见了张委、张霸二人。此时风已定了，天色已昏，这班子弟各自回家，恰像检得性命一般，抱头鼠窜而去。

家人喘息定了，方唤几个生力庄客，打起火把，复身去找寻。直到园上，只听得大梅树下有呻吟之声。举火看时，却是张霸被梅根绊倒，跌破了头，挣扎不起。庄客着两个先扶张霸归去。众人周围走了一遍，但见静悄悄的万籁无声。牡丹棚下，繁花如故，并无零落。草堂中杯盘狼籍，残酒淋漓。众人莫不吐舌称奇。一面收拾家伙，一面重复照看。这园子又不多大，三回五转，毫无踪影。——难道是大风吹去了？女鬼吃去了？正不知躲在那里。延捱了一会，无可奈何，只索回去过夜，再作计较。

方欲出门，只见门外又有一伙人，提着行灯进来。不是别人，却是虞公、单老，闻知众人见鬼之事，又闻说不见了张委，在园上找寻，不知是真是假，合着三邻四舍，进园观看。问明了众庄客，方知此事果真。二老惊诧不已。教众庄客且莫回去，“老汉们同列位还去抓寻一遍。”众人又细细照看了一下，正是兴尽而归，叹了口气，齐出园门。二老道：“列位今晚不来了么？老汉们告过，要把园门落锁。没人看守得，也是我们邻里的干系。”此时庄客们，蛇无头而不行，已不似先前声势了，答应道：“但凭，但凭。”

两边人犹未散，只见一个庄客在东边墙角下叫道：“大爷有了！”众人蜂拥而前。庄客指道：“那槐枝上挂的，不是大爷的软翅纱巾么？”众人道：“既有了巾儿，人也只在左近。”沿墙照去，不多几步，只叫得声：“苦也！”原来东角转弯处，有个粪窖，窖中一人，两脚朝天，不歪不斜，刚刚倒种在内。庄客认得鞋袜衣服，正是张委。顾不得臭秽，只得上前打捞起来。虞单二老暗暗念佛，和邻舍们自回。众庄客抬了张委，在湖边洗净。先有人报去庄上。合家大小，哭哭啼啼，准备棺衣入殓，不在话下。其夜，张霸破头伤重，五更时亦死。此乃作恶的见报。正是：

两个凶人离世界，一双恶鬼赴阴司。

次日，大尹病愈升堂，正欲吊审秋公之事，只见公差禀道：“原告张霸同家长张委，昨晚都死了。”如此如此，这般这般。大尹大惊，不信有此异事。须臾间，又见里老乡民，共有百十人，连名具呈前事：诉说秋公平日惜花行善，并非妖人。张委设谋陷害，神道报应，前后事情，细细分剖。大尹因昨日头晕一事，亦疑其枉。到此心下豁然，还喜得不曾用刑。即于狱中吊出秋公，立时释放。又给印信告示，与他园门张挂，不许闲人损坏他花木。众人叩谢出府。

秋公向邻里作谢，一路同回。虞单二老开了园门，同秋公进去。秋公见牡丹茂盛如初，伤感不已。众人治酒，与秋公压惊。秋公又答席。一连吃了数日酒席。闲话休题。

自此之后，秋公日饵百花，渐渐习惯，遂谢绝了烟火之物，所鬻果实钱钞，悉皆布施。不数年间，发白更黑，颜色转如童子。一日正值八月十五，丽日当天，万里无瑕。秋公正在房中趺坐，忽然祥风微拂，彩云如蒸，空中音乐嘹亮，异香扑鼻，青鸾白鹤，盘旋翔舞，渐至庭前。云中正立着司花女，两边幢幡宝盖，仙女数人，各奏乐器。秋公看见，扑翻身便拜。司花女道：“秋先，汝功行圆满，吾已奏闻上帝，有旨封汝为护花使者，专管人间百花，令汝拔宅上升。但有爱花惜花的，加之以福；残花毁花的，降之认灾。”秋公向空叩首谢恩讫，随着众仙登云，草堂花木，一齐冉冉升起，向南而去。虞公、单老和那合村之人都看见的，一齐下拜。还见秋公在云中举手谢众人，良久方没。此地遂改名升仙里，又谓之百花村。

园公一片惜花心，道感仙姬下界临。
草木同升随拔宅，淮南不用炼黄金。

第五卷
大树坡义虎送亲

举世芒芒无了休，寄身谁识等浮沤！
谋生尽作千年计，公道还当万古留。
西下夕阳谁把手？东流逝水绝回头。
世人不解苍天意，恐使身心半夜愁。

这八句诗，奉劝世人，公道存心，天理用事，莫要贪图利己，谋害他人。常言道：使心用心，反害其身。你不存天理，皇天自然不佑。昔有一人，姓韦，名德，乃福建泉州人氏，自幼随着父亲，在绍兴府开个倾银铺儿。那老儿做人公道，利心颇轻；为此主顾甚多，生意尽好。不几年，攒了好些家私。韦德年长，娶了邻近单裁缝的女儿为媳。那单氏到有八九分颜色，本地大户，情愿出百十贯钱讨他做偏房，单裁缝不肯。因见韦家父子本分，手头活动，况又邻居，一夫一妇，遂就了这头亲事。何期婚配之后，单裁缝得病身亡。不上二年，韦老亦病故。韦德与浑家单氏商议，如今举目无亲，不若扶柩还乡。单氏初时不肯，拗丈夫不过，只得顺从。韦德先将店中粗重家伙变卖，打叠行李，雇了一只长路船，择个出行吉日，把父亲灵柩装载，夫妻两口儿下船而行。

原来这艄公，名叫做张稍，不是个善良之辈，惯在河路内做些淘摸生意的。因要做这私房买卖，生怕伙计泄漏，却寻着一个会撑船的哑子做个帮手。今日晓得韦德倾银多年，囊中必然充实。又见单氏生得美丽，自己却没老婆。两件都动了火。下船时就起个不良之心，奈何未得其便。

一日，因风大难行，泊舟于江郎山下。张稍心生一计，只推没柴，要上山砍些乱柴来烧。这山中有大虫，时时出来伤人，定要韦德作伴同去。韦德不知是计，随着张稍而走。张稍故意弯弯曲曲，引到山深之处。四顾无人，正好下手。张稍砍下些丛木在地，却教韦德打捆。韦德低着头，只顾检柴，不防张稍从后用斧劈来，正中左肩，扑地便倒。重复一斧，向脑袋劈下，血如涌泉，结果了性命。张稍连声道："干净，干净！来年今日，叫老婆与你做周年。"说罢，把斧头插在腰里，柴也不要了，忙忙的空身飞奔下船。

单氏见张稍独自回来，就问丈夫何在。张稍道："没造化！遇了大虫，可怜你丈夫被他衔去了。亏我跑得快，脱了虎口。连砍下的柴，也不敢收拾。"单氏闻言，捶胸大哭。张稍解劝道："这是生辰八字，内注定虎伤，哭也没用。"单氏一头哭，一头想道："闻得虎遇夜出山，不信白日里就出来伤人。况且两人双双同去，如何偏拣我丈夫吃了？他又全没些损伤，好不奇怪！"便对张稍道："我丈夫虽然衔去，只怕还挣得脱不死。"张稍道："猫儿口中，尚且挖不出食，何况于虎！"单氏道："然虽如此，奴家不曾亲见。就是真个被虎吃了，少不得存几块骨头。烦你引奴家去，检得回来，也表我夫妻之情。"张稍道："我怕虎不敢去。"单氏又哀哀的哭将起来。张稍想道："不引他去走一遍，他心不死。"便道："娘子，我引你去看，不要哭。"单氏随即上岸，同张稍进山路来。

先前砍柴，是走东路，张稍恐怕妇人看见死尸，却引他从西路走。单氏走一步，哭一步。走了多时，不见虎迹。张稍指东话西，只望单氏倦而思返。谁知他定要见丈夫的骨血，方才指实。张稍见单氏不肯回步，扯个谎，望前一指道："小娘子，你只管要行，兀的不是大虫来了？"单氏抬头而看，才问一声："大虫在那里？"声犹未绝，只听得林中呫喇的一阵怪风，忽地跳出一只吊睛白额虎，不歪不斜，正望着张稍当头扑来。张稍躲闪不及，只叫得一声"阿呀"，被虎一口衔着背皮，跑入深林受用去了。

单氏惊倒在地，半日方醒。眼前不见张稍，已知被大虫衔去，始信山中真个有虎，丈夫被虎吃了，此言不谬。心中害怕，不敢前行，认着旧路，一步步哭将转来。未及出山，只见一个似人非人的东西，从东路直冲出来。单氏只道又是虎，叫道："我死也！"望后便倒。耳根边忽听说："娘子，你如何却在这里?”双手来扶。单氏睁眼看时，却是丈夫韦德，血污满面，所以不像人形。原来韦德命不该死，然虽被斧劈伤，一时闷绝。张稍去后，却又醒将转来，挣扎起身，扯下脚带，将头裹缚停当，挪步出山，来寻张稍讲话，却好遇着单氏。单氏还认着丈夫被虎咬伤，以致如此。听韦德诉出其情，方悟张稍欺心使计，谋害他丈夫，假说有虎。后来被虎咬去，此乃神明遣来，剿除凶恶。夫妻二人，感谢天地不尽。

回到船中，那哑子做手势，问船主如何不来。韦德夫妻与他说明本末。哑子合着掌，忽然念出一声“南无阿弥陀佛”，便能说话，将张稍从前过恶，一一说出。再问他时，依旧是个哑子。——此亦至异之事也。韦德一路相帮哑子行船，直到家中，将船变卖了，造一个佛堂与哑子住下，日夜烧香。韦德夫妇终身信佛。后人论此事，咏诗四句:

伪言有虎原无虎，虎自张稍心上生。
假使张稍心地正，山中有虎亦藏形。

方才说虎是神明遣来，剿除凶恶，此亦理之所有。看来虎乃百兽之王，至灵之物，感仁吏而渡河，伏高僧而护法，见于史传，种种可据。如今再说一个义虎知恩报恩，成就了人间义夫节妇，为千古佳话。正是:

说时节妇生颜色，道破奸雄丧胆魂。

话说大唐天宝年间，福州漳浦县下乡，有一人姓勤，名自励，父母俱存，家道粗足。勤自励幼年时，就聘定同县林不将的女儿潮音为妻。茶枣俱已送过，只等长大成亲。勤自励十二岁上，就不肯读书。出了学堂，专好使枪轮棒。父母单生的这个儿子，甚是姑息，不去拘管着他。年登十六，生得身长力大，猿臂善射，武艺过人。常言“同声相应，同气相求”，自有一班无赖子弟，三朋四友，和他檠鹰放鹞，驾犬驰马，射猎打生为乐。曾一日射死三虎。忽见个黄衣老者，策杖而前，称赞道：“郎君之勇，虽昔日卞庄、李存孝不是过也！但好生恶杀，万物同情。自古道：人无害虎心，虎无伤人意。郎君何故必欲杀之？此兽乃百兽之王，不可轻杀。当初黄公有道术，能以赤刀制虎，尚且终为虎害。郎君若自恃其勇，好杀不已，将来必犯天道之忌，难免不测之忧矣。”勤自励闻言省悟，即时折箭为誓，誓不杀虎。

忽一日，独往山中打生，得了几项野味而回。行至中途，地名大树坡，见一黄斑老虎，误陷于槛阱之中，猎户偶然未到。其虎见勤自励到来，把前足跪地，俯首弭耳，口中作声，似有乞怜之意。自励道：“业畜，我已誓不害你了。但你今日自投槛阱，非干我事。”其虎眼观自励，口中呜呜不已。自励道：“我今做主放你，你今后切莫害人。”虎闻言点头。自励破阱放虎。虎得命，狂跳而去。自励道：“人以获虎为利，我却以放虎为仁。我欲仁而使人失其利，非忠恕之道也。”遂将所得野味，置于阱中，空手而回。正是:

得放手时须放手，可施恩处便施恩。

只因勤自励不务本业，家道渐渐消乏。又且素性慷慨好客，时常引着这伙三朋四友，到家蒿恼，索酒索食。勤公、勤婆，爱子之心无所不至，初时犹勉强支持；以后支持不来，只得对儿子说道："你今年已长大，不思务本作家，日逐游荡，有何了日！别人家儿子似你年纪，或农或商，胡乱得些进益，以养父母。似你有出气，无进气，家事日渐凋零，兀自三兄四弟，酒食征逐，不知做爹娘的将没作有，千难万难，就是衣饰典卖，也有尽时。将来手足无措，连爹娘也有饿死之日哩。我如今与你说过，再别人上门时，茶也没有一杯与他吃了，你莫着急！"勤自励被爹娘教训了一遍，嘿嘿无言，走出去了。真个好几日没有人上门蒿恼。

约莫一月有馀，勤自励又引十来个猎户到家，借锅煮饭。勤公也道："容他煮罢。"勤婆不肯道："费柴费火，还是小事，只是才说得儿子回心，清净了这几日，老娘心里好不喜欢。今日又来缠帐，开了端，辞得那一个？他日又赔茶赔酒。老娘支持得怕了，索性做个冷面，莫惯他罢。"勤公见勤婆不允，闪过一边。勤婆将中门闭了，从门内说道："我家不是公馆，柴火不便，别处去利市。"众人闻言，只索去了。

勤自励满面羞惭，叹口气，想道："我自小靠爹娘过活，没处赚得一文半文，家中来路又少，也怪爹娘不得。闻得安南作乱，朝廷各处募军，本府奉节度使文牒，大张榜文。众兄弟中已有几个应募去了。凭着我一身本事，一刀一枪，或者博得个衣锦还乡，也未见得。守着这六尺地上，带累爹娘受气，非丈夫之所为也。只是一件，爹娘若知我应募从军，必然不允。功名之际，只可从权。我自有个道理。"当下瞒过勤公、勤婆，竟往府中投军。太守试他武艺出众，将他充为队长，军政司上了名字。不一日招募数足，领兵官点名编号，给了口粮，制办衣甲器械，择个出征吉日，放炮起身。勤自励也不对爹娘说知，直到上路三日后，遇了个县中差役，方才写寄一封书信回来。勤公拆书开看时，写道：

男自励无才无能，累及爹妈。今已应募，充为队长，前往安南。幸然有功，必然衣锦还乡。爹娘不必挂念！

勤公看毕，呆了半晌，开口不得。勤婆道："儿子那里去了？写什么言语在书上？你不对我说？"勤公道："对你说时，只怕急坏了你！儿子应募充军，从征安南去了。"勤婆笑道："我说多大难事，等儿子去十日半月后，唤他回来就是了。"勤公道："妇道家不知利害！安南离此有万里之遥，音信尚且难通，况他已是官身，此去刀剑无情，凶多吉少。万一做了沙场之鬼，我两口儿老景谁人侍奉？"勤婆就哭天哭地起来。勤公也流泪不止。过了数日，林亲家亦闻此信，特地自来问个端的。勤公、勤婆遮瞒不得，只得实说了，伤感了一场。林公回去说知，举家都不欢喜。正是：

乐莫乐兮新相知，悲莫悲兮生别离。

他人分离犹自可，骨肉分离苦杀我。

光阴似箭，不觉三年，勤自励一去，杳无音信。林公频频遣人来打探消息，都则似金针堕海，银瓶落井，全没些影响。同县也有几个应募去的，都则如此。林公的妈妈梁氏对丈夫说道："勤郎一去，三年不回，不知死活存亡。女儿年纪长成了，把他耽误，不是个常法，你也该与勤亲家那边讨个决裂。虽然亲则是亲，各儿各女，两个肚皮里出来的。我女儿还不认得女婿的面长面短，却教他活活做孤孀不成？"林公道："阿妈说的是。"即忙来到勤家，对勤公道："小女年长，令郎杳无归信。倘只是不归，作何区处？老荆日夜愁烦，特来与亲家商议。"勤公已知其意，便道："不肖子无赖，有误令爱芳年。但事已如此，求亲家多多上覆亲母，耐心再等三年。若六年不回，任凭亲家将令爱别许高门，老汉再无言语。"林公见他说得达理，只得唯唯而退。回来与妈妈说知。梁氏向来知道女婿不学本分，心中不喜。今三年不回，正中其意。听说还要等三年，好不焦燥，恨不得十日缩做一日，把三年一霎儿过了，等女儿再许个好人。

光阴似箭，不觉又过了三年。林公道："勤亲家之约已满了，我再去走一番，看他更有何说？"梁氏道："自古道，一言既出，驷马难追。他既有言在前，如今怪不得我了。有路自行，又去对他说甚么！且待女儿有了对头，才通他知道，也不迟。"林公又道："阿妈说得是。然虽如此，也要与孩儿说知。"梁氏道："潮音这丫头，有些古怪劣别，只如此对他说，勤郎六年不回，教他改配他人，他料然不肯，反被勤老儿笑话。须得如此如此。"林公又道："阿妈说得是。"

次日，梁氏正同女儿潮音一处坐，只见林公从外而来，故意大惊小怪的说道："阿妈，你知道么？怪道勤郎无信回来，原来三年前便死于战阵了。昨日有军士在安南回，是他亲见的。"潮音听说，面如土色，阁泪而不敢下，慌忙走进自己房里去了。妈妈亦假做叹息，连称可怜。

过了数日，林婆对女儿说道："死者不能复生。他自没命，可惜你青春年少。我已教你父亲去寻媒说合，将你改配他人，乘这少年时，夫妻恩爱，莫教挫过。"潮音道："母亲差矣！爹把孩儿从小许配勤家，一女不吃两家茶。勤郎在，奴是他家妻；勤郎死，奴也是他家妇。岂可以生死二心？奴断然不为！"妈妈道："孩儿休如此执见，爹妈单生你一人，并无兄弟。你嫁得着人时，爹妈也有半子之靠。况且未过门的媳妇，守节也是虚名。现放着活活的爹妈，你不念他日后老景凄凉，却去恋个死人，可不是个痴愚不孝之辈！"潮音被骂，不敢回言。就有男媒女妁，来说亲事。

潮音拗爹妈不过，心生一计，对爹妈说道："爹妈主张，孩儿焉敢有违？只是孩儿一闻勤郎之死，就将身别许他人，于心何忍。容孩儿守制三年，以毕夫妻之情，那时但凭爹妈。不然，孩儿宁甘一死，决不从命。"林公与梁氏见女儿立志甚决，怕他做出短见之事，只得繇他。正是：

一人立志，万夫莫夺。

却说勤公夫妇见儿子六年不归，眼见得林家女儿是别人家的媳妇了。后来闻得媳妇立志要守三年，心下不胜之喜："若巴得这三年内儿子回家，还是我的媳妇。"

光阴似箭，不觉又过了三年。潮音只认丈夫真死，这三年之内，素衣蔬食，如真正守孝一般。及至年满，竟绝了荤腥之味，身上又不肯脱素穿色，说起议婚，便要寻死。林公与妈妈商议："女孩儿执性如此，改嫁之事，多应不成。如之奈何？"梁氏道："密地择了人家，在我哥哥家受聘，不要通女孩儿得知。到临嫁之期，只说内侄做亲，来接女孩儿。哄得他易服上轿，鼓乐人从，都在半路迎接。事到其间，不怕他不从。"林公又道："妈妈说得是。"林公果然与舅子梁大伯计议定了，许了李承务家三舍人。自说亲以至纳聘，都在梁大伯家里。夫妻两口去受聘时，对女儿只说梁大伯大儿子定亲。潮音那里疑心。

吉期将到，梁大伯假说某日与儿子完婚，特迎取姐夫一家到家中去接亲。梁氏先自许过他一定都来。至期，大伯差人将两顶轿子，来接姐姐和外甥女。梁氏自己先妆扮了，教女儿换了色服同去。潮音不知是计，只得易服随行。女孩儿家不出闺门，不知路径，行了一会，忽然山凹里灯笼火把，鼓乐喧天，都是娶亲的人众，中途等候，摆列轿前，吹打而来。潮音觉道事体有变，没奈何在轿内啼啼哭哭。众人也那里管他，只顾催趱轿夫飞走。

到一个去处，忽然阴云四合，下一阵大雨。众人在树林中暂歇，等雨过又行。走不上几步，抖然起一阵狂风，灯火俱灭，只见一只黄斑吊睛白额虎，从半空中跳将下来。众人发声喊，都四散逃走。

未知性命如何？已见亡魂丧胆。

风定虎去，众人叫声谢天，吹起火来，整顿重行。只见轿夫叫道："不好了。"起初两乘轿子，都是实的，如今一乘是空的。举火照时，正不见了新人，轿门都撞坏了。不是被大虫衔去是甚么！梁氏听说，呜呜的啼哭起来。这些娶亲的没了新人，好没兴头，乐人也不吹打了，灯火也息了一半。众人商量道："如何是好？"欲待追寻，黑夜不便，也没恁般胆气。欲待各散去讫，怕又遇别个虎。不若聚做一块，同到林家，再作区处。所谓乘兴而去，败兴而回。

且说林公正闭着门，在家里收拾，听得敲门甚急，忙来开看，只见两乘轿子，依旧抬转，许多人从，一个个垂头丧气，都如丧家之狗。吃了一惊，正不知是甚么缘故：——“莫非女孩儿不从，在轿里又弄出甚么把戏？”心头犹如几百个榔捶打着，急问其故。梁氏在轿中哭将出来，哽哽咽咽，一字也说不出。众人将中途遇虎之事，叙了一遍。林公也捶胸大恸，懊悔无及：“早知我儿如此薄命，依他不嫁也罢！如今断送得他好苦！”一面令人去报李承务和梁大伯两家知道；一面聚集庄客，准备猎具，专等天明，打点搜山捕获大虫，并寻女儿骨殖。正是：

悲悲切切思闺女，口口声声恨大虫。

话分两头。却说勤自励自从应募投军，从征安南，力战有功，都督哥舒翰用为帐下虞候，解所佩宝剑赐之，甚加信用。三年之后，吐蕃入寇，勤自励又随哥舒翰调兵征讨。平定之后，朝廷拜哥舒翰为大元帅，率领本部将校，雄军十万，镇守潼关。勤自励以两次军功，那时已做到都指挥之职。何期安禄山反乱，杀到潼关。哥舒翰正值患病，抵敌不住，开关纳降。勤自励孤掌难鸣，弃其部下，只身仗剑而逃。一路辛苦不题。

事有凑巧，恰好林公嫁女这一晚，勤自励回到家中，见了父母，拜伏于地，口称：“恕孩儿不孝之罪。”勤公、勤婆仔细看时，方才认得是儿子。去时虽然长大，还没这般雄伟，又添上一嘴胡须，边塞风霜，容颜都改变了。勤公、勤婆痛定思痛，不觉流泪。勤公道：“我儿如何一去十年，音信全无？多有人说，你已没于战阵。哭得做爹妈的眼泪俱枯了。”勤婆道：“莫说十年之前，就是早回一日也还好，不见得媳妇随了别人。”勤自励道：“我媳妇怎么说？”勤婆道：“你去了三年之后，丈人就要将媳妇别许人家，是你爹爹不肯，勉强留了三年。以后媳妇闻你身死，自家立志守孝三年。如今第十个年头，也难怪他，刚刚是今晚出门嫁人。”勤自励听说，眉根倒竖，牙齿咬得格格的响，叫道：“那个鸟百姓敢讨勤自励的老婆！我只教他认一认我手中的宝剑！”说罢，狠狠的仗剑出门。爹妈从小管他不下的，今日那里留得他住，只得繇他，捏着两把汗，在草堂中等候消息。正是：

青龙共白虎同行，吉凶事全无未保。

却说勤自励自小认得丈人林公家里，打这条路迎将上去。走了多时，将近黄昏，遇了一阵大雨，衣服都沾湿了。记得这地方唤做大树坡，有一株古树，约莫十来围大，中间都是空的，可以避雨。勤自励走到树边，挨身入内，甚是宽转。那雨虽然大，落不多时就止了。勤自励却待跳出，半空中又刮起一阵大风。勤自励想道：“索性等着过了这阵风走罢。”又道：“这风有些腥气，好古怪！”舒着头往外张望，见两盏红灯，若隐若现。忽地刮喇的一声响亮，如天崩地裂，一件东西向前而坠。惊得勤自励倒身入内。

少顷风定，耳边但闻呻吟之声。此时云开雨散，天边露出些微月。勤自励就月光下上前看时，那呻吟的却是个女子。勤自励扶起，细叩来历。那女子半晌方言，说道："奴家林氏之女潮音也。"勤自励记得妻子的小名，未知是否，问道："你可有丈夫么？"潮音道："丈夫勤自励虽曾聘定，尚未过门。只为他十年前应募从军，久无音信。爹妈要将奴改适他姓，奴家誓死不从。爹妈背地将奴家许聘与谁家，只说舅舅家来接，骗奴上轿，中路方知。正待寻死，忽然一阵狂风，火光之下，看见个黄斑吊睛白额虎，冲人而来，径向轿中，将奴衔出，撇在此地。虎已去了，幸不损伤。官人不知尊姓何名？若得送奴还归父母之家，家中必有厚报。"勤自励道："则小子便是勤自励，先征安南，又征吐蕃，后来又随哥舒元帅镇守潼关，适才回家。听说你家中将你嫁人，就在今晚，以此仗剑而来，欲剿那些败坏纲常之辈。何期于此相遇！这是天遣大虫送还与我，省得我勤自励舞刀轮剑，乃是万千之幸！"潮音道："官人虽如此说，奴家未曾过门，不识丈夫之面。今日一言之下，岂敢轻信？官人还是引奴回家，使我爹爹识认女婿，也不负奴家数年苦守之志。"勤自励道："你家老禽兽把一女许配两家，这等不仁不义之辈，还去见他则甚！我如今背你到我家中，先参见了舅姑，然后遣人通知你家，也把那老禽兽羞他一羞。"说罢，不管潮音肯不肯，把他负于背上，左手向后拦住他的金莲，右手仗剑，跳着烂地而回。

行不多步，忽闻虎啸之声。遥见前山之上，双灯冉冉。细视，乃一只黄斑吊睛白额虎。那两个红灯，虎之睛光也。勤自励猛然想起十年之前，曾在此处破开槛阱，放了一只黄斑吊睛白额虎。"今日如何就晓得我勤自励回家，去人丛中衔那媳妇还我，岂非灵物！"遂高声叫道："大虫，谢送媳妇了！"那虎大啸一声，跳而藏影。后人论起那虎报恩事，以为奇谈，多有题咏，惟胡曾先生一首最好。诗曰：

从来只道虎伤人，今日方知虎报恩。
多少负心无义汉，不如禽兽有情亲。

再说勤公、勤婆在家悬悬而望。听得脚步响，忙点灯出来看时，只见儿子勤自励背上负了一个人，来到草堂，放于地下，叫道："爹妈，则教你今夜认得媳妇！"勤公、勤婆见是个美貌女子，细叩来历，方知大虫报恩送亲一段奇事。双双举手加额，连称惭愧。勤婆遂将媳妇扶到房中，粥汤将息。次早差人去林亲家处报信。

却说林公那日黑早，便率领庄客，绕山寻绰了一遍，不见动静，叹口气，只得回家。忽见勤公遣人报喜，说夜来儿子已回，大虫衔来送还他家。那里肯信！"我晓得了，这是勤亲家晓得女孩儿被虎衔去，故造此话来奚落我！"妈妈梁氏道："天下何事不有。前日我家走失了一只花毛鸡。被邻舍家收着。过了一日，野猫衔个鸡到我家来。赶脱了猫儿，看那鸡，正是我家走失的这一只花毛鸡。有这般巧事！况且虎是个大畜生，最有灵性。我又闻得一个故事。昔时有个书生，住在孤村，夜间听得门外声响，看时，窗棂里伸一只虎掌进来，掌有竹刺甚大。书生悟其来意，拔出其刺。明晚，虎衔一羊来谢，可见虎通人性。或者天可怜女孩儿守志，遣那大虫来送归勤家，亦未可知。你且到勤家看女婿曾回不曾回，便有分晓。”林公又道：“阿妈说得是。”

当日林公来到勤家。勤公出迎，分宾而坐，细述夜来之情。林公满面羞惭，谢罪不已：“求见贤婿和小女之面。”勤自励初时不肯认丈人，被爹娘先劝了多时，又碍浑家的面皮，故此只得出来相见，气忿忿的作了个揖，就走开去了。勤公教勤婆将媳妇装扮起来，却请林公进房。父女会面，出于意外，犹如梦中相逢，欢喜无限。要接女儿回家，勤公、勤婆不肯。择了吉日，就于家中拜堂成亲。李承务家已知勤自励回来，自没话说。

后来郭李二元帅恢复长安，肃宗皇帝登极，清查文武官员。肃宗自为太子时，曾闻勤自励征讨之功。今番贼党簿籍中，没有他名字，嘉其未曾从贼，再起为亲军都指挥使。累征安庆绪、史思明有功。年老致仕，夫妻偕老。有诗为证：

但行刻薄人皆怨，能布恩施虎亦亲。
奉劝人行方便事，得饶人处且饶人。

第六卷
小水湾天狐诒书

蠢动含灵俱一性，化胎湿卵命相关。
得人济利休忘却，雀也知恩报玉环。

这四句诗，单说汉时有一秀才，姓杨名宝，华阴人氏，年方弱冠，天资颖异，学问过人。一日，正值重阳佳节，往郊外游玩，因行倦，坐于林中歇息。但见树木蓊郁，百鸟嘤鸣，甚是可爱。忽闻扑碌的一声，堕下一只鸟来，不歪不斜，正落在杨宝面前。口内吱吱的叫，却飞不起，在地上乱扑。杨宝道：“却不作怪！这鸟为何如此？”向前拾起看时，乃是一只黄雀，不知被何人打伤，叫得好生哀楚。杨宝心中不忍，乃道：“将回去喂养好了放罢。”正看间，见一少年，手执弹弓，从背后走过来道：“秀才，这黄雀是我打下的，望乞见还。”杨宝道：“还亦易事。但禽鸟与人体质虽异，生命则一，安忍戕害。况杀百命，不足供君一膳，鬻万鸟不能致君之富，奚不别为生业？我今愿赎此雀之命。”便去身边取出钱钞来。少年道：“某非为口腹利物，不过游戏试技耳。既秀才要此雀，即便相送。”杨宝道：“君欲取乐，禽鸟何辜！”少年谢道：“某知过矣！”遂投弓而去。

杨宝将雀回家，贮于巾箱中，日采黄花蕊饲之，渐渐羽翼长换。育至百日，便能飞翔。时去时来，杨宝十分珍重，忽一日，去而不回。杨宝心中正在气闷，只见一个童子单眉细眼，身穿黄衣，走入其家，望杨宝便拜。杨宝急忙扶起。童子将出玉环一双，递与杨宝道：“蒙君救命之恩，无以为报，聊以微物相奉。掌此当累世为三公。”杨宝道：“与卿素昧平生，何得有救命之说？”童子笑道：“君忘之耶？某即林中被弹，君巾箱中饲黄花蕊之人也。”言讫，化为黄雀而去。后来杨宝生子震，明帝朝为太尉；震子秉，和帝朝为太尉；秉子赐，安帝朝为司徒；赐子彪，灵帝朝为司徒。果然世世三公，德业相继，有诗为证。

黄花饲雀非图报，一片慈悲利物心。
累世簪缨看盛美，始知仁义值千金。

说话的，那黄雀衔环的故事，人人晓得，何必费讲！看官们不知，只为在下今日要说个少年，也因弹了个异类上起，不能如弹雀的恁般悔悟，干把个老大家事，弄得七颠八倒，做了一场话柄，故把衔环之事，做个得胜头回。劝列位须学杨宝这等好善行仁，莫效那少年招灾惹祸。正是：

得闭口时须闭口，得放手时须放手。
若能放手和闭口，百岁安宁有八九。

话说唐玄宗时，有一少年，姓王名臣，长安人氏，略知书史，粗通文墨，好饮酒，善击剑，走马挟弹，尤其所长。从幼丧父，惟母在堂，娶妻于氏。同胞兄弟王宰，膂力过人，武艺出众，充羽林亲卫，未有妻室。家颇富饶，童仆多人。一家正安居乐业；不想安禄山兵乱，潼关失守，天子西幸。王宰随驾扈从。王臣料道立身不住，弃下房产，收拾细软，引母妻婢仆，避难江南。遂家于杭州，地名小水湾，置买田产，经营过日。后来闻得京城克复，道路宁静，王臣思想要往都下寻访亲知，整理旧业，为归乡之计。告知母亲，即日收拾行囊，止带一个家人，唤做王福，别了母妻，繇水路直至扬州码头上。

那扬州隋时谓之江都，是江淮要冲，南北襟喉之地。往来樯橹如麻，岸上居民稠密。做买做卖的，挨挤不开，真好个繁华去处。当下王臣舍舟登陆，雇倩脚力，打扮做军官模样，一路游山玩水，夜宿晓行，不则一日，来至一所在，地名樊川，乃汉时樊哙所封食邑之处。这地方离都城已不多远。因经兵火之后，村野百姓，俱潜避远方，一路绝无人烟，行人亦甚稀少。但见：

冈峦围绕，树木阴翳，危峰秀拔插青霄，峻巅崔嵬横碧汉。斜

飞瀑布，喷万丈银涛；倒挂藤萝，飏千条锦带。云山漠漠，鸟道逶迤行客少；烟林霭霭，荒村寥落土人稀。山花多艳如含笑，野鸟无名只乱啼。

王臣贪看山林景致，缓辔而行，不觉天色渐晚。听见茂林中，似有人声。近前看时，原来不是人，却是两个野狐，靠在一株古树上，手执一册文书，指点商确，若有所得，相对谈笑。王臣道："这孽畜作怪！不知看的是什么书？且教他吃我一弹。"按住丝韁，绰起那水磨角靶弹弓，探手向袋中摸出弹子放上，觑得较亲，弓开如满月，弹去似飞星，叫声"着！"那二狐正在得意之时，不防林外有人窥看，听得弓弦响，方才抬头观看，那弹早已飞到，不偏不斜，正中执书这狐左目。弃下书，失声嗥叫，负痛而逃。那一个狐，却待就地去拾，被王臣也是一弹，打中左腮，放下四足，嗥叫逃命。王臣纵马向前，教王福拾起那书来看，都是蝌蚪之文，一字不识。心中想道："不知是甚言语在上，把去慢慢访博古者问之。"遂藏在袖里，拨马出林，循大道望都城而来。

那时安禄山虽死，其子安庆绪犹强，贼将史思明降而复叛，藩镇又各拥重兵，俱蓄不臣之念。恐有奸细至京探听，故此门禁十分严紧，出入盘诘。刚到晚，城门就闭。王臣抵城下时，已是黄昏时候。见城门已扃，即投旅店安歇。到店门口，下马入来。主人家见他悬弓佩剑，军官打扮，不敢怠慢，上前相迎道："长官请坐。"便令小二点杯茶儿递上。王福将行李卸下，驮进店中。王臣道："主人家，有稳便房儿，开一间与我。"答道："舍下客房尽多，长官只拣中意的住便了。"即点个灯火，引王臣往各房看过，择了一间洁净所在。将行李放下，把牲口牵入后边喂料。

收拾停当，小二进来问道："告长官，可吃酒么？"王臣道："有好酒打两角，牛肉切一盘，伴当们照依如此。"小二答应出去。王臣把房门带转，也走到外边。小二捧着酒肉问道："长官，酒还送到房里去饮，或就在此间？"王臣道："就在此罢。"小二将酒摆在一副座头上，王臣坐下，王福在旁斟酒。吃过两三杯，主人家上前问道："长官从那镇到此？"王臣道："在下从江南来。"主人家道："长官语音，不像江南人物。"王臣道："实不相瞒。在下原是京师人氏，因安禄山作乱，车驾幸蜀，在下挈家避难江南。今知贼党平复，天子还都，先来整理旧业，然后迎接家小归乡。因恐路上不好行走，故此军官打扮。"主人家道："原来是自家人！老汉一向也避在乡村，到此不上一年哩，彼此因是乡人，分外亲热，各诉流离之苦。正是：

江山风景依然是，城郭人民半已非。

两下正说得热闹，忽听得背后有人叫道："主人家，有空房宿歇么？"主人家答应道："房头还有，不知客官有几位安歇？"答道："只有我一人。"

主人家见是个单身，又没包裹，乃道："若止你一人，不敢相留。"那人怒道："难道赖了你房钱，不肯留我？"主人家道："客官，不是这般说。只因郭令公留守京师，颁榜远近旅店，不许容留面生歹人。如隐匿藏留者，查出重治。况今史思明又乱，愈加紧急。今客官又无包裹，又不相认，故不好留得。"那人答道："原来你不认得我，我就是郭令公家丁胡二，因有事往樊川去了转回，赶进城不及，借你店里歇一宵，故此没有包裹。你若疑惑，明早同到城门上去，问那管门的，谁个不认得我！"这主人家被他把大帽儿一磕，便信以为真，乃道："老汉一时不晓得是郭爷长官，莫怪，请里边房里去坐。"那人道："且慢着。我肚里饿了，有酒饭讨些来吃了，进房不迟。"又道："我是吃斋，止用素酒。"走过来，向王臣桌上对面坐下。小二将酒菜放下。

王臣举目看时，只见他把一只袖子遮着左眼，似觉疼痛难忍之状。那人开言道："主人家，我今日造化低，遇着两个毛团，跌坏了眼。"主人家道："遇着什么？"答道："从樊川回来，见树林中两个野狐打滚嗥叫，我赶上前要去拿他，不想绊上一交，狐又走了，反在地上磕损眼睛。"主人家道："怪道长官把袖遮着眼儿。"王臣接口道："我今日在樊川过，也遇着两个野狐。"那人忙问道："可曾拿到么？"王臣道："他在林中把册书儿观看，被我一弹，打了执书这狐左眼，遂弃书而逃。那一个方待去拾，又被我一弹打在腮上，也亡命而走，故此只取得这册书，没有拿到。"那人和主人家都道："野狐会看书，这也是奇事！"那人又道："那书上都是甚么事体？借求一观。"王臣道："都是异样篆书，一字也看他不出。"放下酒杯，便向袖中去摸那册书出来。

说时迟，那时快，手还未到袖里时，不想主人家一个孙儿，年才五六岁，正走出来。小厮家眼净，望见那人是个野狐，却叫不出名色，奔向前指住道："老爹！怎么这个大野猫坐在此？还不赶他！"王臣听了，便省悟是打坏眼的这狐，急忙拔剑，照顶门就砍。那狐望后一躲，就地下打个滚，露出本相，往外乱跑。王臣仗剑追赶了十数家门面，向个墙里跳进。王臣因黑夜之间，无门寻觅，只得回转。主人家点个灯火，同着王福一齐来迎着道："饶他性命罢！"王臣道："若不是令孙看破，几乎被这孽畜赚了书去。主人家道："这毛团也奸巧哩！只怕还要生计来取。"王臣道："今后有人把野狐事来诱我的，定然是这孽畜，便挥他一剑。"一头说，已到店里。店左店右住宿的客商闻得，当做一件异事，都走出来讯问，到拌得口苦舌干。

王臣吃了夜饭，到房中安息。自想野狐忍痛来掇赚这册书，必定有些妙处，愈加珍秘。至三更时分，外边一片声打门叫道："快把书还了我，寻些好事酬你！若不还时，后来有些事故，莫要懊悔。"王臣听得，气忿不过，披衣起身，拔剑在手，又恐惊动众人，悄悄的步出房来。去摸那大门时，主人家已自下了锁。心中想道：“便叫起主人开门出去，那毛团已自走了，砍他不着，空惹众人憎厌，不如别着鸟气，来朝却又理会。”王臣依先进房睡了。那狐喊了多时方去。合店的人，尽皆听得。到次早，齐劝王臣道：“这书既看不出字，留之何益，不如还他去罢。倘真个生出事来，懊悔何及！”王臣若是个见机的，听了众人言语，把那册书掷还狐精，却也罢了。只因他是个倔强汉子，不依众人说话，后来被那狐把他个家业弄得七零八落。正是：

不听好人言，必有恓惶泪。

当下王臣吃了早饭，算还房钱，收拾行李，上马进城。一路观看，只见屋宇残毁，人民稀少，街市冷落，大非昔日光景。来到旧居地面看时，惟存一片瓦砾之场。王臣见了，不胜凄惨。无处居住，只得寻个寓所安顿了行李，然后去访亲族。却也存不多几家。相见之间，各诉向来踪迹。说到那伤心之处，不觉扑簌簌泪珠抛洒。王臣又言：“今欲归乡，不想屋宇俱已荡尽，没个住身之处。”亲戚道：“自兵乱已来，不知多少人家，父南子北，被掳被杀，受无限惨祸。就是我们一个个都从刀尖上脱过来的，非容易得有今日。像你家太平无事，止去了住宅，已是无量之福了。况兼你的田产，亏我们照管，依然俱在。若有念归乡，整理起来，还可成个富家。”王臣谢了众人，遂买了一所房屋，制备日用家伙物件，将田园逐一经理停妥。

约过两月，王臣正走出门，只见一人从东而来，满身穿着麻衣，肩上背个包裹，行履如飞，渐渐至近。王臣举目观看，吃了一惊。这人不是别个，乃是家人王留儿。王臣急呼道：“王留儿，你从那里来，却这般打扮？”王留儿见叫，乃道：“原来官人住在这里，教我寻得个发昏！”王臣道：“你且说为何恁般妆束？”王留儿道：“有书在此，官人看就知道。”至里边放下包裹，打开取出书信，递与家主。王臣接来拆开看时，却是母亲手笔。上写道：

从汝别后，即闻史思明复乱，日夕忧虑，遂沾重疾，医祷无效，旦夕必登鬼籍矣。年踰六秩，已不为夭，第恨衰年值此乱离，客死远乡，又不得汝兄弟送我之终，深为痛心耳。但吾本家秦，不愿葬于外地，而又虑贼势方炽，恐京城复如前番不守，又不可居。终夜思之，莫若尽弃都下破残之业，以资丧事。迎吾骨入土之后，原返江东。此地田土丰阜，风俗醇厚，况惜开创甚难，决不可轻废。俟干戈宁静，徐图归乡可也。倘违吾言，自罹罗网，颠覆宗祀，虽及泉下，誓不相见。汝其志之！

王臣看毕，哭倒在地道：“指望至此重整家业，同归故乡，不想母亲反为我而忧死。早知如此，便不来得也罢！悔之何及！”哭了一回，又问王留儿道：“母亲临终，可还有别话？”王留儿道：“并无别话，止叮嘱说：此处产业向已荒废，总然恢复，今史思明作反，京城必定有变，断不可守。教官人作速一切处置，备办丧葬之事，迎柩葬后，原往杭州避乱。若不遵依，死不瞑目。”王臣道：“母亲遗命，岂敢违逆！况江东真似可居，长安战争未息，弃之甚为有理。”急忙制办缞裳，摆设灵座，一面差人往坟上收拾，一面央人将田宅变卖。

王留儿住了两日，对王臣道：“官人修筑坟墓起来，尚有整月延迟，家中必然悬望。等小人先回，以安其心。”王臣道：“此言正合我意。”即便写下家书，取出盘缠，打发他先回。王留儿临出门，又道：“小人虽去，官人也须作速处置快回。”王臣道：“我恨不得这时就飞到家，何消叮嘱！”王留儿出门，洋洋而去。

且说王臣这些亲戚晓得，都来吊唁，劝他不该把田产轻废。王臣因是母命，执意不听众人言语，心忙意急，上好田产，都只卖得个半价。盘桓二十馀日，坟上开土筑穴，诸事色色俱已停妥，然后打叠行装，带领仆从离了长安，星夜望江东赶来，迎灵车安葬。可怜：

仗剑长安悔浪游，归心一片水东流。
北堂空作斑衣梦，泪洒白云天尽头。

话分两头。且说王臣母妻在家，真个闻得史思明又反，日夜忧王臣，懊悔放他出门。过了两三月，一日，忽见家人来报，王福从京师赍信回了。姑媳闻言，即教唤进。王福上前叩头，将书递上，却见王福左眼损坏。无暇详问，将书拆开观看。上写道：

> 自离膝下，一路托庇粗安。至都查核旧业，幸得一毫不废，已经理如昔矣。更喜得遇故知胡八判官，引至元丞相门下，颇蒙青盼扶持，一官幽蓟，诰身已领，限期甚迫，特遣王福迎母同之任所。书至，即将江东田产尽货，火速入京，勿计微值，有误任期。相见在迩，书不多赘。男臣百拜。

姑媳看罢书中之意，不胜欢喜，方问道：“王福，为甚损了一目？”王福道：“不要说起！在牲口上打瞌睡，不想跌下来，磕损了这眼。”又问：“京师近来光景，比旧日何如？亲戚们可都在么？”王福道：“满城残毁过半，与前大不相同了，亲戚们杀的杀，掳的掳，逃的逃，总来存不多几家。尚还有抢去家私的，烧坏屋宇的，占去田产的。惟有我家田园屋宅，一毫不动。”姑媳闻说，愈加欢悦，乃道：“家业又不曾废，却又得了官职，此皆天地祖宗保佑之力，感谢不尽！到临起身，须做场好事报答，再祈此去前程远大，福禄永长。”又问道：“那胡八判官是谁？”王福道：“这是官人的故交。”王妈妈道：“向来从不见说起有姓胡做官的来往。”媳妇道：“或者近日相交的，也未可知。”王福接口道：“正是近日相识的。”当下问了一回，王妈妈道：

"王福，你路上辛苦了，且去吃些酒饭，歇息则个。"到了次日。王福说道："奶奶这里收拾起来，也得好几日。官人在京，却又无人服侍。待小人先去回覆，打叠停当，候奶奶一到，即便起身往任，何如?"王妈妈道："此言甚是有理。"写起书信，付些盘缠银两，打发先行。

王福去后，王妈妈将一应田地宇舍，什物器皿，尽行变卖，止留细软东西，因恐误了儿子任期，不择善价，半送与人。又延请僧人做了一场好事，然后雇下一只官船，择日起程。有几个平日相往的邻家女眷，俱来相送，登舟而别。离了杭州，由嘉禾苏州常润州一路，出了大江，望前进发。那些奴仆，因家主得了官，一个个手舞足蹈，好不兴头！

避乱南驰实可哀，谁知富贵逼人来。
举家手额欢声沸，指日长安昼锦回。

且说王臣自离都下，兼程而进。不则一日，已到扬州码头上，把行李搬在客店上，打发牲口去了。吃了饭，教王福向河下雇觅船只。自己坐在客店门首，守着行囊，观看往来船只。只见一只官船溯流而上，船头站着四五个人，喜笑歌唱，甚是得意。渐渐至近，打一看时，不是别个，都是自己家人。王臣心中惊异道："他们不在家中服役，如何却在这只官船上?"又想道："想必母亲亡后，又归他人了。"正疑讶间，舱门帘儿启处，一个女子舒头而望。王臣仔细观看，又是房中侍婢，连称："奇怪!"刚欲询问，那船上家人却也看见，齐道："官人如何也在这里，却又恁般服色?"忙教稍子拢船。早惊动舱中王妈妈姑媳，掀帘观看。

王臣望见母亲尚在，急将麻衣脱下，打开包裹，换了衣服巾帻。船上家人登岸相迎。王臣教将行李齐搬下船，自己上船来见母亲。一眼觑着王留儿在船头上，不问情由，揪住便打。王妈妈走出说道："他又无罪过，如何把他来打?"王臣见母亲出来，放手上前拜道："都是这狗才将母亲书信至京，误传凶信，陷儿于不孝!"姑媳俱惊讶道："他日日在家，何尝有书差到京中!"王臣道："一月前，赍母亲书来，书中写的如此如此，这般这般。住了两日，遣他先回，安慰家中。然后将田产处置了，星夜赶来，怎说不曾到京?"合家大惊道："有这等异事！那里一般又有个王留儿?"连王留儿到咲起来道："莫说小人到京，就是这个梦也不曾做。"王妈妈道："你且取书来看，可像我的字迹?"王臣道："不像母亲字迹，我如何肯信?"便打开行李，取出书来看时，乃是一幅素纸，那有一个字影？把王臣惊得目睁口呆，只管将这纸来翻看。王妈妈道："书在那里？把来我看。"王臣道："却不作怪！书上写着许多言语，如何竟变做一幅白纸?"王妈妈不信道："焉有此理！自从你出门之后，并无书信往来。直至前日，你差王福将书接我，方有一信，令他先来覆你。如何有个假王留儿将假书哄你？如今却又说变了白纸！这是那里学来这些鬼话。”

王臣听说王福曾回家这话，也甚惊骇，乃道：“王福在京，与儿一齐起身到此，几曾教他将书来接母亲？”姑媳都道：“呀！这话愈加说得混账了！一月前王福送书到家，书上说都中产业俱在。又遇甚么胡八判官，引在元丞相门下，得了官职，教将江东田宅，尽皆卖了，火速入京，同往任上，故此弃了家业，雇倩船只入京。怎说王福没有回来？”王臣大惊道：“这事一发奇怪！何曾有甚胡八判官引到元丞相门下，选甚官职，有书迎接母亲？”王妈妈道：“难道王福也是假的？”快叫来问。王臣道：“他去唤船了，少刻就来。”

众家人都到船头上一望，只见王福远远跑来，却也穿着凶服。众人把手乱招。王福认得是自家人，也道诧异，说：“他们如何都在这里？”走近船边，众人看时，与前日的王福不同了。前日左目已是损坏，如今这王福两只大眼滴溜溜，恰如铜铃一般。众人齐问道：“王福，你前日回家，眼已瞎了，如今怎又好好地？”王福向众人喷一口涎沫道：“啐！你们的眼便瞎了。我何曾回家？却又咒我眼瞎！”众人笑道：“这事真个有些古怪。奶奶在舱中唤你，且除下身上麻衣，快去相见。”王福见说，呆了一呆道：“奶奶还在？”众人道：“那里去了，不在？”王福不信，也不脱麻衣，径撞入舱来。王臣看见，喝道：“这狗才，奶奶在这里，还不换了衣服来见？”王福慌忙退出船头，脱下，进舱叩头。王妈妈擦磨老眼，仔细看时，连称：“怪哉！怪哉！前日王福回家，左目已损，今却又无恙，料然前日不是他了。”急去开了那封书来看时，也是一张白纸，并无一点墨迹。那时合家惶惑，正不知假王留儿、王福是甚变的？又不知有何缘故，却哄骗两头把家业破毁？还恐后来尚有变故，惊疑不定。

王臣沉思凝想了半日，忽想到假王福左眼是瞎的，恍然而悟，乃道：“是了！是了！原来却是这孽畜变来弄我。”王妈妈急问是甚东西。王臣乃将樊川打狐得书，客店变人诒骗，和夜间打门之事说出。又道：“当时我只道这孽畜不过变人来骗此书，到不提防他有恁般贼智。”众人闻言，尽皆摇首咋舌道：“这妖狐却也奸狡利害哩！隔着几多路，却会仿着字迹人形，把两边人都弄得如耍戏一般。早知如此，把那书还了他去也罢。”王臣道：“叵耐这孽畜无礼！如今越发不该还他了！若再缠帐，把那祸种头一火而焚之。”于氏道：“事已如此，莫要闲讲了，且商量正务。如今住在这里，不上不下，还是怎生计较？”王臣道：“京中产业俱已卖尽，去也没个着落。况兼路途又远。不如且归江东。”王妈妈道：“江东田宅也一毫无存，却住在何处？”王臣道：“权赁一所住下，再作区处。”当下拨转船头，原望江东而回。那些家人起初像火一般热，到此时化做冰一般冷，犹如断线偶戏，手足擗软，连话都无了。正是乘兴而来，败兴而返。

到了杭州，王臣同家人先上岸，在旧居左近赁了一所房屋，制办日用家伙，各色停当，然后发起行李，迎母妻进屋。计点囊橐，十无其半，又恼又气。门也不出，在家纳闷。这些邻家见妈妈去而复回，齐来询问。王臣道知其详，众人俱以为异事，互相传说。遂嚷遍了半个杭城。

一日，王臣正在堂中督率家人收拾，只见外边一人走将入来，威仪济楚，服饰整齐。怎见得？但见：

头戴一顶黑纱唐巾，身穿一领绿罗道袍；碧玉环正缀巾边，紫丝绦横围袍上；袜似两堆白雪，舄如二朵红云。堂堂相貌，生成出世之姿；落落襟怀，养就凌云之气。若非天上神仙，定是人间官宰。

那人走入堂中，王臣仔细打一看时，不是别人，正是同胞兄弟王宰。当下王宰向前作揖道："大哥别来无恙？"王臣还了个礼，乃道："贤弟，亏你寻到这里！"王宰道："兄弟到京回旧居时，见已化为白地。只道罹于兵火，甚是悲痛，即去访问亲故，方知合家向已避难江东。近日大哥至京，整理旧业，因得母亲凶问，刚始离京。兄弟闻了这信，遂星夜赶来。适才访到旧居，邻家说新迁于此，母亲却也无恙，故此又到舟中换了衣服才来。母亲如今在那里？为何反迁在这等破屋里边？"王臣道："一言难尽！待见过了母亲，与你细说。"引入后边，早有家人报知王妈妈。王妈妈闻得次儿归家，好生欢喜。即忙出来，恰好遇见。王宰倒身下拜，拜毕起身。王妈妈道："儿！我日夜挂心，一向好么？"王宰道："多谢母亲记念。待儿见过了嫂嫂，少停细细说与母亲知道。"当下王臣浑家并一家婢仆，都来见过。

王宰扯王臣往外就走，王妈妈也随出来，至堂中坐下，问道："大哥，你且先说，因甚弄得恁般模样？"王臣乃将樊川打狐起，直至两边掇赚，变卖产业，前后事细说一遍。王宰听了道："原来有这个缘故，以致如此！这却是你自取，非干野狐之罪。那狐自在林中看书，你是官道行路，两不妨碍，如何却去打他，又夺其书？及至客店中，他忍着疼痛，来赚你书，想是万不得已而然。你不还他罢了，怎地又起恶念，拔剑斩逐？及至夜间好言苦求，你又执意不肯，况且不识这字，终于无用，要他则甚！今反吃他捉弄得这般光景，都是自取其祸。"王妈妈道："我也是这般说。要他何用！如今反受其累！"王臣被兄弟数落一番，嘿然不语，心下好不耐烦。

王宰道："这书有几多大？还是什么字体？"王臣道："薄薄的一册，也不知什么字体，一字也识不出。"王宰道："你且把我看看。"王妈妈从旁衬道："正是！你去把来与兄弟看看，或者识得这字也不可知。"王宰道："这字料也难识，只当眼见希奇物罢了。"当时王臣向里边取出，到堂中递与王宰。王宰接过手，从前直揭至后，看了一看，乃道："这字果然稀见！"便立起身，走在堂中，向王臣道："前日王留儿就是我。今日天书已还，不来缠你了。请放心！”一头说，一头往外就奔。王臣大怒，急赶上前，大喝道：“孽畜大胆，那里走？”一把扯住衣裳。走的势发，扯的力猛，只听得聒喇一响，扯下一幅衣裳。那妖狐索性把身一抖，卸下衣服，见出本相，向门外乱跑，风团也似去了。

王臣同家人一齐赶到街上，四顾观看，并无踪影。王臣一来被他破荡了人家，二来又被他数落这场，三来不忿得这书，咬牙切齿，东张西望寻觅。只见一个瞎道人，站在对面檐下。王臣问道：“可见一个野狐从那里去了？”瞎道人把手指道：“向东边去了。”王臣同家人急望东而赶。行不上五六家门面，背后瞎道人叫道：“王臣，前日王福便是我，令弟也在这里。”众人闻得，复转身来。两个野狐执着书儿在前戏跃。众人奋勇前来追捕，二狐放下四蹄，飞也似去了。王臣刚奔到自己门首，王妈妈叫道：“去了这败家祸胎，已是安稳了，又赶他则甚！还不进来！”王臣忍着一肚子气，只得依了母亲，唤转家人进来，逐件检起衣服观看，俱随手而变。你道都是甚么东西？

破芭蕉，化为罗服；烂荷叶，变做纱巾。碧玉环，柳枝圈就；紫丝绦，萝薜搓成。罗袜二张白素纸，朱舄两片老松皮。

众人看了，尽皆骇异道：“妖狐神通这般广大！二官人不知在何处，却变得恁般厮像？”王臣心中转想转恼，气出一场病来，卧床不起。王妈妈请医调治，自不必说。

过了数日，家人们正在堂中，只见走进一个人来，看时，却王宰，也是纱巾罗服，与前妖狐一般打扮。众家人只道又是假的，一齐乱喊道：“妖狐又来了！”各去寻棍觅棒，拥上前乱打。王宰喝道：“这些泼男女，为何这等无礼！还不去报知奶奶！”众人那个採他，一味乱打。王宰止遏不住，惹恼性子，夺过一根棒来，打得众人四分五落，不敢近前，都闪在里边门旁，指着骂道：“你这孽蓄！书已拿去了，又来做甚？”王宰不解其意，心下大怒，直打入去。众人往内乱跑。

早惊动王妈妈，听得外边喧嚷，急走出来，撞见众人，问道：“为何这等慌乱？”众人道：“妖狐又变做二官人模样，打进来也。”王妈妈惊道：“有这等事？”言还未毕，王宰已在面前。看见母亲，即撇下棒子，上前叩拜道：“母亲，为甚这些泼男女将儿叫做妖狐孽畜，执棍乱打？”王妈妈道：“你真个是我孩儿不？”王宰道：“儿是母亲生的，有甚么假！”正说间，外面七八个人，扛抬铺程行李进来，众家人方知是真，上前叩头谢罪。

王宰问其缘故。王妈妈乃将妖狐前后事细说，又道：“汝兄为此气成病症，尚未能愈。”王宰闻言，亦甚惊骇道：“恁样说起来，儿在蜀中，王福曾赍书至，也是这狐假的了。”王妈妈道：“你且说书上怎写？”王宰道：“儿是随驾入蜀，分隶于剑南节度严武部下，得蒙拔为裨将。故上皇还京，儿不相从归国。两月前，忽见王福赍哥哥书来，说：向避难江东，不幸母亲有变，教儿速来计议，扶柩归乡。王福说：要至京打扫茔墓，次日先行。儿为此辞了本官，把许多东西都弃下了，轻装兼程趱来。才访至旧居，邻家指引至此，知母亲无恙，复到舟中易服来见。正要问哥为甚把这样凶信哄我，不想却有此异事！”即去行李中开出那封书来看时，也是一幅白纸。合家又好笑，又好恼。王宰同母至内见过嫂子，省视王臣，道其所以。王臣又气得个发昏。王妈妈道：“这狐虽然憃懒，也亏他至蜀中赚你回来，使我母子相会，将功折罪，莫怨他罢！”王臣病了两个月，方才痊可，遂入籍于杭州。所以至今吴越间称拐子为野狐精，有所本也。

蛇行虎走各为群，狐有天书狐自珍。
家破业荒书又去，令人千载笑王臣。

第七卷
钱秀才错占凤凰俦

渔船载酒日相随，短笛芦花深处吹。
湖面风收云影散，水天光照碧琉璃。

这首诗是宋时杨备游太湖所作。这太湖在吴郡西南三十馀里之外。你道有多少大？东西二百里，南北一百二十里，周围五百里，广三万六千顷，中有山七十二峰，襟带三州。那三州？苏州、湖州、常州。东南诸水皆归。一名震泽，一名具区，一名笠泽，一名五湖。何以谓之五湖？东通长洲松江，南通乌程霅溪，西通义兴荆溪，北通晋陵滆湖，东通嘉兴韭溪，水凡五道，故谓之五湖。那五湖之水，总是震泽分流，所以谓之太湖。就太湖中亦有五湖名色，曰：菱湖、游湖、莫湖、贡湖、胥湖。五湖之外，又有三小湖：扶椒山东曰梅梁湖，杜圻之西、鱼查之东曰金鼎湖，林屋之东曰东皋里湖，吴人只称做太湖。那太湖中七十二峰，惟有洞庭两山最大：东洞庭曰东山，西洞庭曰西山，两山分峙湖中。其馀诸山，或远或近，若浮或沉，隐见出没于波涛之间。有元人许谦诗为证：

周回万水入，远近数州环。
南极疑无地，西浮直际山。
三江归海表，一径界河间。
白浪秋风疾，渔舟意尚闲。

那东西两山在太湖中间，四面皆水，车马不通。欲游两山者，必假舟楫，往往有风波之险。昔宋时宰相范成大在湖中遇风，曾作诗一首：

白雾漫空白浪深，舟如竹叶信浮沉。
科头宴起吾何敢，自有山川印此心。

话说两山之人，善于货殖，八方四路，去为商为贾。所以江湖上有个口号，叫做“钻天洞庭”。内中单表西洞庭有个富家，姓高，名赞，少年惯走湖广，贩卖粮食。后来家道殷实了，开起两个解库，托着四个伙计掌管，自己只在家中受用。浑家金氏，生了男女二人，男名高标，女名秋芳。那秋芳反长似高标二岁。高赞请个积年老教授在家馆谷，教着两个儿女读书。那秋芳资性聪明，自七岁读书，至十二岁，书史皆通，写作俱妙。交十三岁，就不进学堂，只在房中习学女工，描鸾刺凤。看看长成十六岁，出落得好个女儿，美艳非常，有《西江月》为证：

面似桃花含露，体如白雪团成。眼横秋水黛眉清，十指尖尖春笋。　　袅娜休言西子，风流不让崔莺。金莲窄窄瓣儿轻，行动一天丰韵。

高赞见女儿人物整齐，且又聪明，不肯将他配个平等之人，定要拣个读书君子，才貌兼全的配他，聘礼厚薄到也不论。若对头好时，就赔些妆奁嫁去，也自情愿。有多少豪门富室，日来求亲的。高赞访得他子弟才不压众，貌不超群，所以不曾许允。虽则洞庭在水中央，三州通道，况高赞又是个富家，这些做媒的四处传扬，说高家女子美貌聪明，情愿赔钱出嫁，只要择个风流佳婿。但有一二分才貌的，那一个不挨风缉缝，央人说合。说时夸奖得潘安般貌，子建般才。及至访实，都只平常。高赞被这伙做媒的哄得不耐烦了，对那些媒人说道：“今后不须言三语四。若果有人才出众的，便与他同来见我。合得我意，一言两决，可不快当！”自高赞出了这句言语，那些媒人就不敢轻易上门。正是：

眼见方为是，传言未必真。
试金今有石，惊破假银人。

话分两头。却说苏州府吴江县平望地方，有一秀士，姓钱名青，字万选。此人饱读诗书，广知今古，更兼一表人才。也有《西江月》为证：

出落唇红齿白，生成眼秀眉清。风流不在着衣新，俊俏行中首领。　　下笔千言立就，挥毫四坐皆惊。青钱万选好声名，一见人人起敬。

钱生家世书香，产微业薄，不幸父母早丧，愈加零替。所以年当弱冠，无力娶妻。止与老仆钱兴相依同住。钱兴逐日做些小经纪供给家主，每每不敷，一饥两饱。幸得其年游庠。同县有个表兄，住在北门之外，家道颇富，就延他在家读书。那表兄姓颜，名俊，字伯雅，与钱生同庚生，都则一十八岁，颜俊只长得三个月，故此钱生呼之为兄。父亲已逝，止有老母在堂，亦未曾定亲。

说话的，那钱青因家贫未娶，颜俊是富家之子，如何一十八岁，还没老婆？其中有个缘故。那颜俊有个好高之病，立誓要拣个绝美的女子，方与他缔姻，所以急切不能成就，况且颜俊自己又生得十分丑陋。怎见得？亦有《西江月》为证：

> 面黑浑如锅底，眼圆却似铜铃。痘疤密摆泡头钉，黄发鬅松两鬓。　牙齿真金镀就，身躯顽铁敲成。楂开五指鼓锤能，枉了名呼颜俊。

那颜俊虽则丑陋，最好妆扮，穿红着绿，低声强笑，自以为美。更兼他腹中全无滴墨，纸上难成片语，偏好攀今掉古，卖弄才学。钱青虽知不是同调，却也借他馆地，为读书之资，每事左凑着他，故此颜俊甚是喜欢，事事商议而行，甚说得着。

话休絮烦。一日，正是十月初旬天气，颜俊有个门房远亲，姓尤名辰，号少梅，为人生意行中，颇颇伶俐，也领借颜俊些本钱，在家开个果子店营运过活。其日在洞庭山贩了几担橙橘回来，装做一盘，到颜家送新。他在山上闻得高家选婿之事，说话中间偶然对颜俊叙述，也是无心之谈。谁知颜俊到有意了，想道："我一向要觅一头好亲事，都不中意。不想这段姻缘却落在那里！凭着我恁般才貌，又有家私，若央媒去说，再增添几句好话，怕道不成？"那日一夜睡不着，天明起来，急急梳洗了，到尤辰家里。

尤辰刚刚开门出来，见了颜俊，便道："大官人为何今日起得恁早？"颜俊道："便是有些正事，欲待相烦。恐老兄出去了，特特早来。"尤辰道："不知大官人有何事见委？请里面坐了领教。"颜俊到坐启下，作了揖，分宾而坐。尤辰又道："大官人但有所委，必当效力，只怕用小子不着。"颜俊道："此来非为别事，特求少梅作伐。"尤辰道："大官人作成小子赚花红钱，最感厚意。不知说的是那一头亲事？"颜俊道："就是老兄昨日说的洞庭西山高家这头亲事，于家下甚是相宜，求老兄作成小子则个。"尤辰格的笑了一声道："大官人莫怪小子直言！若是第二家，小子也就与你去说了；若是高家，大官人作成别人做媒罢。"颜俊道："老兄为何推托？这是你说起的，怎么又叫我去寻别人？"尤辰道："不是小子推托。只为高老有些古怪，不容易说话，所以迟疑。"颜俊道："别件事，或者有些东扯西拽，东掩西遮，东三西四，不容易说话。这做媒乃是冰人撮合，一天好事，除非他女儿不要嫁人便罢休。不然，少不得男媒女妁。随他古怪，煞须知媒人不可怠慢。你怕他怎的！还是你故意作难，不肯总成我这桩美事。这也不难，我就央别人去说。说成了时，休想吃我的喜酒！”说罢，连忙起身。

那尤辰领借了颜俊家本钱，平日奉承他的，见他有咈然不悦之意，即忙回船转舵道：“大官人莫要性急，且请坐了，再细细商议。”颜俊道：“肯去说便去，不肯去就罢了。有甚话商量得！”口里虽则是恁般说了，身子却又转来坐下。尤辰道：“不是我故意作难，那老儿真个古怪，别家相媳妇，他偏要相女婿。但得他当面看得中意，才将女儿许他。有这些难处，只怕劳而无功，故此不敢把这个难题包揽在身上。”颜俊道：“依你说，也极容易。他要当面看我时，就等他看个眼饱。我又不残疾，怕他怎地！”尤辰不觉呵呵大笑道：“大官人，不是冲撞你说。大官人虽则不丑，更有比大官人胜过几倍的，他还看不上眼哩。大官人若是不把与他见面，这事纵没一分二分，还有一厘二厘。若是当面一看，便万分难成了。”颜俊道：“常言无谎不成媒。你与我包谎，只说十二分人才，或者该是我的姻缘，一说一就，不要面看，也不可知。”尤辰道：“倘若要看时，却怎地？”颜俊道：“且到那时，再有商量。只求老兄速去一言。”尤辰道：“既蒙分付，小子好歹走一遭便了。”

颜俊临起身，又叮咛道：“千万，千万！说得成时，把你二十两这纸借契，先奉还了。媒礼花红在外。”尤辰道：“当得，当得！”颜俊别去。不多时，就教人封上五钱银子，送与尤辰，为明日买舟之费。颜俊那一夜在床上又睡不着，想道：“倘他去时不尽其心，葫芦提回覆了我，可不枉走一遭！再差一个伶俐家人跟随他去，听他讲甚言语。好计，好计！”等待天明，便唤家童小乙来，跟随尤大舍往山上去说亲。小乙去了。颜俊心中牵挂，即忙梳洗，往近处一个关圣庙中求签，卜其事之成否。当下焚香再拜，把签筒摇了几摇，扑的跳出一签。拾起看时，却是第七十三签。签上写的有签诀四句，云：

忆昔兰房分半钗，而今忽把信音乖。
痴心指望成连理，到底谁知事不谐。

颜俊才学虽则不济，这几句签诀，文义显浅，难道好歹不知？求得此签，心中大怒，连声道：“不准，不准！”撒袖出庙门而去。回家中坐了一会，想道：“此事有甚不谐！难道真个嫌我丑陋，不中其意？男子汉须比不得妇人，只是出得人前罢了。一定要选个陈平、潘安不成？”一头想，一头取镜子自照。侧头侧脑的看了一回，良心不昧，自己也看不过了。把镜子向桌上一撇，叹了一口寡气，呆呆而坐，准准的闷了一日。不题。

且说尤辰是日同小乙驾了一只三橹快船，趁着无风静浪，咿呀的摇到西山高家门首停舶，刚刚是未牌时分。小乙将名帖递了。高公出迎，问其来意。说是与令爱作伐。高赞问是何宅。尤辰道：“就是敝县一个舍亲，家业也不薄，与宅上门户相当。此子方年十八，读书饱学。”高赞道：“人品生得如何？老汉有言在前，定要当面看过，方敢应承。”尤辰见小乙紧紧靠在椅子后边，只得不老实扯个大谎，便道：“若论人品，更不必言。堂堂一躯，十全之相；况且一肚文才，十四岁出去考童生，县里就高高取上一名。这几年为丁了父忧，不曾进院，所以未得游庠。有几个老学，看了舍亲的文字，都许他京解之才。就是在下，也非惯于为媒的。因年常在贵山买果，偶闻令爱才貌双全，老翁又慎于择婿，因思舍亲正合其选，故此斗胆轻造。”

高赞闻言，心中甚喜。便道：“令亲果然有才有貌，老汉敢不从命？但老汉未曾经目，终不放心。若是足下引令亲过寒家一会，更无别说。”尤辰道：“小子并非谬言，老翁他日自知。只是舍亲是个不出书房的小官人，或者未必肯到宅上。就是小子撺掇来时，若成得亲事还好，万一不成，舍亲何面目回转？小子必然讨他抱怨了。”高赞道：“既然人品十全，岂有不成之理？老夫生性是这般小心过度的人，所以必要着眼。若是令亲不屑下顾，待老汉到宅，足下不意之中，引令亲来一观，却不妥贴？”尤辰恐怕高赞身到吴江，访出颜俊之丑，即忙转口道：“既然尊意决要会面，小子还同舍亲奉拜，不敢烦尊驾动履。”说罢，告别。高公那里肯放，忙教整酒肴相款。吃到更馀，高公留宿。尤辰道：“小舟带有铺陈，明日要早行，即今奉别。等舍亲登门，却又相扰。”高公取舟金一封相送。

尤辰作谢下船。次早顺风，拽起饱帆，不勾大半日就到了吴江。颜俊正呆呆的站在门前望信，一见尤辰回家，便迎住问道：“有劳老兄往返，事体如何？”尤辰把问答之言，细述一遍：“他必要面会，大官人如何处置？”颜俊嘿然无言。尤辰便道：“暂别再会。”自回家去了。颜俊到里面，唤过小乙来问其备细，只恐尤辰所言不实。小乙说来果是一般。颜俊沉吟了半晌，心生一计，再走到尤辰家，与他商议。不知说的是甚么计策，正是：

为思佳偶情如火，索尽枯肠夜不眠。
自古姻缘皆分定，红丝岂是有心牵。

颜俊对尤辰道：“适才老兄所言，我有一计在此，也不打紧。”尤辰道：“有何好计？”颜俊道：“表弟钱万选，向在舍下同窗读书，他的才貌比我胜几分儿。明日我央及他同你去走一遭，把他只说是我，哄过一时。待行过了聘，不怕他赖我的姻事。”尤辰道：“若看了钱官人，万无不成之理，只怕钱官人不肯。”颜俊道：“他与我至亲，又相处得极好。只央他点一遍名儿，有甚亏他处？料他决然无辞。”说罢，作别回家。

其夜，就到书房中陪钱万选夜饭，酒肴比常分外整齐。钱万选愕然道：“日日相扰，今日何劳盛设？”颜俊道：“且吃三杯，有小事相烦贤弟则个。只是莫要推故。”钱万选道：“小弟但可效劳之处，无不从命。只不知甚么样事？”颜俊道：“不瞒贤弟说，对门开果子店的尤少梅，与我作伐，说的女家，是洞庭西山高家。一时间夸了大口，说我十分才貌。不想说得忒高兴了，那高老定要先请我去面会一会，然后行聘。昨日商议，若我自去，恐怕不应了前言。一来少梅没趣，二来这亲事就难成了。故此要劳贤弟认了我的名色，同少梅一行，瞒过那高老，玉成这头亲事，感恩不浅，愚兄自当重报。”钱万选想了一想，道：“别事犹可，这事只怕行不得。一时便哄过了，后来知道，你我都不好看相。”颜俊道：“原只要哄过这一时。若行聘过了，就晓得也何怕他？他又不认得你是甚么人。就怪也只怪得媒人，与你甚么相干！况且他家在洞庭西山，百里之隔，一时也未必知道。你但放心前去，到不要畏缩。”钱万选听了，沉吟不语。欲待从他，不是君子所为；欲待不从，必然取怪，这馆就处不成了，事在两难。颜俊见他沉吟不决，便道：“贤弟，常言道：天摊下来，自有长的撑住。凡事有愚兄在前，贤弟休得过虑。”钱万选道：“然虽如此，只是愚弟衣衫褴褛，不称仁兄之相。”颜俊道：“此事愚兄早已办下了。”是夜无话。

次日，颜俊早起，便到书房中，唤家童取出一皮箱衣服，都是绫罗绸绢时新花样的翠颜色，时常用龙涎庆真饼薰得扑鼻之香，交付钱青行时更换，下面净袜丝鞋，只有头巾不对，即时与他折了一顶新的。又封着二两银子送与钱青道：“薄意权充纸笔之用，后来还有相酬。这一套衣服，就送与贤弟穿了。日后只求贤弟休向人说，泄漏其事。今日约定了尤少梅，明日早行。”钱青道：“一依尊命。这衣小弟借穿，回时依旧纳还。这银子一发不敢领了。”颜俊道：“古人车马轻裘，与朋友共。就没有此事相劳，那几件粗衣奉与贤弟穿了，不为大事。这些须薄意，不过表情，辞时反教愚兄惭愧。”钱青道：“既是仁兄盛情，衣服便勉强领下，那银子断然不敢领。”颜俊道：“若是贤弟固辞，便是推托了。”钱青方才受了。

颜俊是日约会尤少梅。尤辰本不肯担这干纪，只为不敢得罪于颜俊，勉强应承。颜俊预先备下船只，及船中供应食物，和铺陈之类，又拨两个安童服侍，连前番跟去的小乙，共是三人。绢衫毡包，极其华整，隔夜俱已停当。又分付小乙和安童到彼，只当自家大官人称呼，不许露出个“钱”字。过了一夜，侵早就起来催促钱青梳洗穿着。钱青贴里贴外，都换了时新华丽衣服，行动香风拂拂，比前更觉标致。

分明荀令留香去，疑是潘郎掷果回。

颜俊请尤辰到家，同钱青吃了早饭，小乙和安童跟随下船。又遇了顺风，片帆直吹到洞庭西山，天色已晚，舟中过宿。次日，早饭过后，约莫高赞起身，钱青全柬写颜俊名字拜帖，谦逊些，加个“晚”字。小乙捧帖，到高家门首投下，说：“尤大舍引颜宅小官人特来拜见。”高家仆人认得小乙的，慌忙通报。高赞传言快请。假颜俊在前，尤辰在后，步入中堂。高赞一眼看见那个小后生，人物轩昂，衣冠济楚，心下已自三分欢喜。叙礼已毕，高赞看椅上坐。钱青自谦幼辈，再三不肯，只得东西昭穆坐下。高赞肚里暗暗欢喜："果然是个谦谦君子。"坐定，先是尤辰开口，称说前日相扰。高翁答言多慢，接口就问道："此位就是令亲颜大官人？前日不曾问得贵表。"钱青道："年幼无表。"尤辰代言："舍亲表伯雅。伯仲之伯，雅俗之雅。"高赞道："尊名尊字，俱称其实。"钱青道："不敢！"高赞又问起家世。钱青一一对答，出词吐气，十分温雅。高赞想道："外才已是美了，不知他学问如何？且请先生和儿子出来相见，盘他一盘，便见有学无学。"献茶二道，分付家人："书馆中请先生和小舍出来见客。"

去不多时，只见五十多岁一个儒者，引着一个垂髫学生出来。众人一齐起身作揖。高赞一一通名："这位是小儿的业师，姓陈，见在府庠；这就是小儿高标。"钱青看那学生，生得眉清目秀，十分俊雅。心中想着："此子如此，其姊可知。颜兄好造化哩！"又献了一道茶。高赞便对先生道："此位尊客是吴江颜伯雅，年少高才。"那陈先生已会了主人之意，便道："吴江是人才之地，见高识广，定然不同。请问贵邑有三高祠，还是那三个？"钱青答言："范蠡、张翰、陆龟蒙。"又问："此三人何以见得他高处？"钱青一一分疏出来。两个遂互相盘问了一回。钱青见那先生学问平常，故意谭天说地，讲古论今，惊得先生一字俱无，连称道："奇才，奇才！"把一个高赞就喜得手舞足蹈。忙唤家人，悄悄分付备饭，要整齐些。家人闻言，即时摆开桌子，排下五色果品。高赞取杯箸安席。钱青答敬谦让了一回，照前昭穆坐下。三汤十菜，添案小吃，顷刻间，摆满了桌子，真个咄嗟而办。

你道为何如此便当？原来高赞的妈妈金氏，最爱其女，闻得媒人引颜小官人到来，也伏在遮堂背后张看。看见一表人才，语言响亮，自家先中意，料高老必然同心，故此预先准备筵席，一等分付，流水的就搬出来。宾主共是五位。酒后饭，饭后酒，直吃到红日衔山。钱青和尤辰起身告辞。高赞心中甚不忍别，意欲攀留数日，钱青那里肯住。高赞留了几次，只得放他起身。钱青拜别了陈先生，口称承教，次与高公作谢道："明日早行，不得再来告别！"高赞道："仓卒怠慢，勿得见罪。"小学生也作揖过了。金氏已备下几色嗄程相送，无非是酒米鱼肉之类，又有一封舟金。高赞扯尤辰到背处，说道："颜小官人才貌，更无他说。若得少梅居间成就，万分之幸。"尤辰道："小子领命。"高赞直送上船，方才分别。当夜夫妻两口，说了颜小官人一夜。正是：

不须玉杵千金聘，已许红绳两足缠。

再说钱青和尤辰，次日开船，风水不顺，直到更深，方才抵家。颜俊兀自秉烛夜坐，专听好音。二人叩门而入，备述昨朝之事。颜俊见亲事已成，不胜之喜，忙忙的就本月中择个吉日行聘。果然把那二十两借契送还了尤辰，以为谢礼。就择了十二月初三日成亲。高赞得意了女婿，况且妆奁久已完备，并不推阻。

日往月来，不觉十一月下旬，吉期将近。原来江南地方娶亲，不行古时亲迎之礼，都是女亲家和阿舅自送上门。女亲家谓之送娘，阿舅谓之抱嫁。高赞为选中了乘龙佳婿，到处夸扬，今日定要女婿上门亲迎，准备大开筵宴，遍请远近亲邻吃喜酒，先遣人对尤辰说知。尤辰吃了一惊，忙来对颜俊说了。颜俊道："这番亲迎，少不得我自去走遭。"尤辰跌足道："前日女婿上门，他举家都看个勾，行乐图也画得出在那里。今番又换了一个面貌，教做媒的如何措辞？好事定然中变，连累小子必然受辱。"颜俊听说，反抱怨起媒人来道："当初我原说过来，该是我姻缘，自然成就。若第一次上门时，自家去了，那见得今日进退两难？都是你捉弄我，故意说得高老十分古怪，不要我去，教钱家表弟替了。谁知高老甚是好情，一说就成，并不作难。这是我命中注定，该做他家的女婿，岂因见了钱表弟方才肯成？况且他家已受了聘礼，他的女儿就是我的人了，敢道个不字么？你看我今番自去，他怎生发付我？难道赖我的亲事不成？"尤辰摇着头道："成不得，人也还在他家，你狠到那里去？若不肯把人送上轿，你也没奈何他！"颜俊道："多带些人从去，肯便肯，不肯时打进去，抢将回来，告到官司，有生辰吉帖为证，只是赖婚的不是，我并没差处。"尤辰道："大官人休说满话！常言道：恶龙不斗地头蛇。你的从人虽多，怎比得坐地的，有增无减。万一弄出事来，缠到官司，那老儿诉说，求亲的一个，娶亲的又是一个，官府免不得与媒人诘问。刑罚之下，小子只得实说，连累钱大官人前程干系，不是要处。"

颜俊想了一想道："既如此，索性不去了。劳你明日去回他一声，只说前日已曾会过了，敝县没有亲迎的常规，还是从俗送亲罢。"尤辰道："一发成不得。高老因看上了佳婿，到处夸其才貌。那些亲邻专等亲迎之时，都要来厮认。这是断然要去的。"颜俊道："如此，怎么好？"尤辰道："依小子愚见，更无别策，只是再央令表弟钱大官人走遭，索性哄他到底。哄得新人进门，你就靠家大了，不怕他又夺了去。结姻之后，纵然有话，也不怕他了。"颜俊顿了一顿口道："话到有理！只是我的亲事，到作成别人去风光。央及他时，还有许多作难哩。"尤辰道："事到其间，不得不如此了。风光只在一时，怎及得大官人终身受用！"

颜俊又喜又恼，当下别了尤辰，回到书房，对钱青说道："贤弟，又要相烦一事。"钱青道："不知兄又有何事？"颜俊道："出月初三，是愚兄毕姻之期。初二日就要去亲迎。原要劳贤弟一行，方才妥当。"钱青道："前日代劳，不过泛然之事。今番亲迎，是个大礼，岂是小弟代得的！这个断然不可！”颜俊道：“贤弟所言虽当，但因初番会面，他家已认得了。如今忽换我去，必然疑心。此事恐有变卦。不但亲事不成，只恐还要成讼。那时连贤弟也有干系。却不是为小妨大，把一天好事自家弄坏了？若得贤弟迎回来，成就之后，不怕他闲言闲语。这是个权宜之术，贤弟须知：塔尖上功德，休得固辞。”钱青见他说得情辞恳切，只索依允。

颜俊又唤过吹手及一应接亲人从，都分付了说话，不许漏泄风声，取得亲回，都有重赏。众人谁敢不依。到了初二日侵晨，尤辰便到颜家相帮，安排亲迎礼物，及上门各项赏赐，都封得停停当当。其钱青所用，及儒巾圆领丝绦皂靴，并皆齐备。又分派各船食用，大船二只，一只坐新人，一只媒人共新郎同坐；中船四只，散载众人；小船四只，一者护送，二者以备杂差。十馀只船，筛锣掌号，一齐开出湖去。一路流星炮杖，好不兴头。正是：

门阑多喜气，女婿近乘龙。

船到西山，已是下午。约莫离高家半里停泊，尤辰先到高家报信。一面安排亲迎礼物，及新人乘坐百花彩轿，灯笼火把，共有数百。钱青打扮整齐，另有青绢暖轿，四抬四绰，笙箫鼓乐，径望高家而来。那山中远近人家，都晓得高家新女婿才貌双全，竞来观看，挨肩并足，如看神会故事的一般热闹。钱青端坐轿中，美如冠玉，无不喝采。有妇女曾见过秋芳的，便道：“这般一对夫妻，真个郎才女貌！高家拣了许多女婿，今日果然被他拣着了。”不题众人。且说高赞家中，大排筵席，亲朋满坐，未及天晚，堂中点得画烛通红。只听得乐声聒耳，门上人报道：“娇客轿子到门了。”傧相披红插花，忙到轿前作揖，念了诗赋，请出轿来。众人谦恭揖让，延至中堂奠雁。行礼已毕，然后诸亲一一相见。众人见新郎标致，一个个暗暗称羡。献茶后，吃了茶果点心，然后定席安位。此日新女婿与寻常不同，面南专席，诸亲友环坐相陪，大吹大擂的饮酒。随从人等，外厢另有款待。

且说钱青坐于席上，只听得众人不住声的赞他才貌，贺高老选婿得人。钱青肚里暗笑道：“他们好似见鬼一般！我好像做梦一般！做梦的醒了，也只扯淡；那些见神见鬼的，不知如何结末哩？我今日且落得受用。”又想道：“我今日做替身，担了虚名，不知实受还在几时？料想不能如此富贵。”转了这一念，反觉得没兴起来，酒也懒吃了。高赞父子，轮流敬酒，甚是殷勤。钱青怕耽误了表兄的正事，急欲抽身。高赞固留，又坐了一回。用了汤饭，仆从的酒都吃完了。

约莫四鼓，小乙走在钱青席边，催促起身。钱青教小乙把赏封给散，起身作别。高赞量度已是五鼓时分，赔嫁妆奁俱已点检下船，只待收拾新人上轿。只见船上人都走来说：“外边风大，难以行船。且消停一时，等风头缓了好走。”原来半夜里便发了大风。那风刮得好利害！只见：

山间拔木扬尘，湖内腾波起浪。

只为堂中鼓乐喧阗，全不觉得。高赞叫乐人住了吹打，听时，一片风声，吹得怪响。众皆愕然，急得尤辰只把脚跳。高赞心中大是不乐，只得重新入席，一面差人在外专看风色。看看天晓，那风越狂起来，刮得彤云密布，雪花飞舞。众人都起身看着天，做一块儿商议。一个道："这风还不像就住的。"一个道："半夜起的风，原要半夜里住。"又一个道："这等雪天，就是没风也怕行不得。"又一个道："只怕这雪还要大哩。"又一个道："风太急了，住了风，只怕湖胶。"又一个道："这太湖不愁他胶断，还怕的是风雪。"众人是恁般闲讲，高老和尤辰好生气闷！又捱一会，吃了早饭，风愈狂，雪愈大，料想今日过湖不成。错过了吉日良时，残冬腊月，未必有好日了。况且笙箫鼓乐，乘兴而来，怎好教他空去。

事在千难万难之际，坐间有个老者，唤做周全，是高赞老邻，平日最善处分乡里之事。见高赞沉吟无计，便道："依老汉愚见，这事一些不难。"高赞道："足下计将安在？"周全道："既是选定日期，岂可错过！令婿既已到宅，何不就此结亲？趁这筵席，做了花烛。等风息，从容回去，岂非全美。"众人齐声道："最好！"高赞正有此念，却喜得周老说话投机。当下便分付家人，准备洞房花烛之事。

却说钱青虽然身子在此，本是个局外之人。起初风大风小，也还不在他心上。忽见周全发此议论，暗暗心惊，还道高老未必听他。不想高老欣然应允，老大着忙，暗暗叫苦。欲央尤少梅代言，谁想尤辰平昔好酒，一来天气寒冷，二来心绪不佳，斟着大杯，只顾吃。吃得烂醉如泥，在一壁厢空椅子上，打鼾去了。钱青只得自家开口道："此百年大事，不可草草。不妨另择个日子，再来奉迎。"高赞那里肯依，便道："翁婿一家，何分彼此！况贤婿尊人已不在堂，可以自专。"说罢，高赞入内去了。钱青又对各位亲邻，再三央及，不愿在此结亲。众人都是奉承高老的，那一个不极口赞成。

钱青此时无可奈何，只推出恭，到外面时，却叫颜小乙与他商议。小乙心上也道不该，只教钱秀才推辞，此外别无良策。钱青道："我辞之再四，其奈高老不从！若执意推辞，反起其疑。我只要委曲周全你家主一桩大事，并无欺心。若有苟且，天地不容。"主仆二人，正在讲话，众人都攒拢来道："此是美事，令岳意已决矣，大官人不须疑虑！"钱青嘿然无语。众人揖钱青请进。午饭已毕，重排喜筵。傧相披红喝礼，两位新人打扮登堂，照依堂规行礼，结了花烛。正是：

百年姻眷今宵就，一对夫妻此夜新。

得意事成失意事，有心人遇没心人。

其夜酒阑人散，高赞老夫妇亲送新郎进房，伴娘替新娘卸了头面。几遍催新郎安置，钱青只不答应，正不知什么意故，只得伏侍新娘先睡，自己出房去了。丫鬟将房门掩上，又催促官人上床。钱青心上如小鹿乱撞，勉强答应一句道：“你们先睡。”丫鬟们乱了一夜，各自倒东歪西去打瞌睡。钱青本待秉灯达旦，一时不曾讨得几枝蜡烛。到烛尽时，又不好声唤，忍着一肚子闷气，和衣在床外侧身而卧，也不知女孩儿头东头西。次早清清天亮，便起身出外，到舅子书馆中去梳洗。高赞夫妻只道他少年害羞，亦不为怪。

是日雪虽住了，风尚不息。高赞且做庆贺筵席，钱青吃得酩酊大醉，坐到更深进房。女孩儿又先睡了。钱青打熬不过，依旧和衣而睡，连小娘子的被窝儿也不敢触着。又过一晚，早起时，见风势稍缓，便要起身。高赞定要留过三朝，方才肯放。钱青拗不过，只得又吃了一日酒，坐间背地里和尤辰说起夜间和衣而卧之事。尤辰口虽答应，心下未必准信。事已如此，只索由他。

却说女孩儿秋芳，自结亲之夜，偷眼看那新郎，生得果然齐整，心中暗暗欢喜。一连两夜，都则衣不解带，不解其故。“莫非怪我先睡了，不曾等待得他？”此是第三夜了，女孩儿预先分付丫鬟，只等官人进房，先请他安息。丫鬟奉命，只等新郎进来，便替他解衣脱帽。钱青见不是头，除了头巾，急急的跳上床去，贴着床里自睡，仍不脱衣。女孩儿满怀不乐，只得也和衣睡了，又不好告诉爹娘。到第四日，天气晴和，高赞预先备下送亲船只，自己和老婆亲送女孩儿过湖。娘女共是一船，高赞与钱青、尤辰又是一船。船头俱挂了杂彩，鼓乐振天，好生热闹。只有小乙受了家主之托，心中甚不快意，驾个小小快船，赶路先行。

话分两头。且说颜俊自从打发众人迎亲去后，悬悬而望。到初二日半夜，听得刮起大风大雪，心上好不着忙。也只道风雪中船行得迟，只怕挫了时辰，那想道过不得湖！一应花烛筵席，准备十全，等了一夜，不见动静，心下好闷。想道：“这等大风，到是不曾下船还好；若在湖中行动，老大担忧哩。”又想道：“若是不曾下船，我岳父知道错过吉期，岂肯胡乱把女儿送来？定然要另选个日子。又不知几期吉利？可不闷杀了人！”又想道：“若是尤少梅能事时，在岳丈前撺掇，权且迎来，那时我那管时日利与不利，且落得早些受用。”如此胡思乱想，坐不安席，不住的在门前张望。

到第四日风息，料道决有佳音。等到午后，只见小乙先回报道：“新娘已取来了，不过十里之遥。”颜俊问道：“吉期挫过，他家如何肯放新人下船？”小乙道：“高家只怕挫过好日，定要结亲。钱大官人替东人权做新郎三日了。”颜俊道：“既结了亲，这三夜钱大官人难道竟在新人房里睡的？”小乙道：“睡是同睡的，却不曾动弹。那钱大官人是看得熟鸭蛋，伴得小娘眠的。”颜俊骂道：“放屁！那有此理！我托你何事？你如何不叫他推辞，却做下这等勾当？”小乙道：“家人也说过来。钱大官人道：‘我只要周全你家之事，若有半点欺心，天神鉴察。”’颜俊此时怒从心上起，恶向胆边生，一把掌将小乙打在一边，气忿忿的奔出门外，专等钱青来厮闹。

恰好船已拢岸。钱青终有细腻，预先嘱付尤辰伴住高老，自己先跳上岸。只为自反无愧，理直气壮，昂昂的步到颜家门首。望见颜俊，笑嘻嘻的正要上前作揖，告诉衷情。谁知颜俊以小人之心，度君子之腹，此际便是仇人相见，分外眼睁，不等开言，便扑的一头撞去，咬定牙根，狠狠的骂道：“天杀的！你好快活！”说声未毕，揸开五指，将钱青和巾和发，扯做一把，乱踢乱打，口里不绝声的道：“天杀的！好欺心！别人费了钱财，把与你见成受用！”钱青口中也自分辩。颜俊打骂忙了，那里听他半个字儿。家人也不敢上前相劝。钱青吃打慌了，但呼救命。船上人听得闹吵，都上岸来看。只见一个丑汉，将新郎痛打，正不知甚么意故。都走拢来解劝，那里劝得他开。高赞盘问他家人，那家人料瞒不过，只得实说了。高赞不闻犹可，一闻之时，心头火起，大骂尤辰无理，做这等欺三瞒四的媒人，说骗人家女儿，也扭着尤辰乱打起来。高家送亲的人，也自心怀不平，一齐动手要打那丑汉。颜家的家人回护家主，就与高家从人对打。先前颜俊和钱青是一对厮打，以后高赞和尤辰是两对厮打。结末两家家人，扭做一团厮打。看的人重重叠叠，越发多了，街道拥塞难行，却似：

九里山前摆阵势，昆阳城下赌输赢。

事有凑巧，其时本县大尹，恰好送了上司回轿，至于北门，见街上震天喧嚷，却是厮打的。停了轿子，喝教拿下。众人见知县相公拿人，都则散了。只有颜俊兀自扭住钱青，高赞兀自扭住尤辰，纷纷告诉，一时不得其详。大尹都教带到公庭，逐一细审，不许搀口。见高赞年长，先叫他上堂诘问。高赞道：“小人是洞庭山百姓，叫做高赞，为女择婿，相中了女婿才貌，将女许配。初三日，女婿上门亲迎，因被风雪所阻。小人留女婿在家，完了亲事。今日送女到此，不期遇了这个丑汉，将小人的女婿毒打。小人问其缘故，却是那丑汉买嘱媒人，要哄骗小人的女儿为婚，却将那姓钱的后生，冒名到小人家里。老爷只问媒人，便知奸弊。”大尹道：“媒人叫甚名字？可在这里么？”高赞道：“叫做尤辰，见在台下。”

大尹喝退高赞，唤尤辰上来，骂道：“弄假成真，以非为是，都是你弄出这个伎俩！你可实实供出，免受重刑。”尤辰初时还只含糊抵赖。大尹发怒，喝教取夹棍伺候。尤辰虽然市井，从未熬刑，只得实说。起初颜俊如何“央小人去说亲”，高赞如何作难，要选才貌。后来如何央钱秀才冒名去拜望。直到结亲始末，细细述了一遍。大尹点头道：“此是实情了。颜俊这厮费了许多事，却被别人夺了头筹，却怪不得发恼。只是起先设心哄骗的不是。”便教颜俊，审其口词。颜俊已听尤辰说了实话，又见知县相公词气温和，只得也叙了一遍，两口相同。

大尹结末唤钱青上来，一见钱青青年美貌，且被打伤，便有几分爱他怜他之意。问道："你是个秀才，读孔子之书，达周公之礼，如何替人去拜望迎亲，同谋哄骗，有乖行止？"钱青道："此事原非生员所愿。只为颜俊是生员表兄，生员家贫，又馆谷于他家，被表兄再四央求不过，勉强应承。只道一时权宜，玉成其事。"大尹道："住了！你既为亲情而往，就不该与那女儿结亲了。"钱青道："生员原只代他亲迎。只为一连三日大风，太湖之隔，不能行舟，故此高赞怕误了婚期，要生员就彼花烛。"大尹道："你自知替身，就该推辞了。"颜俊从傍磕头道："青天老爷！只看他应承花烛，便是欺心。"大尹喝道："不要多嘴，左右扯他下去。"再问钱青："你那时应承做亲，难道没有个私心？"钱青道："只问高赞便知。生员再三推辞，高赞不允。生员若再辞时，恐彼生疑，误了表兄的大事。故此权成大礼。虽则三夜同床，生员和衣而睡，并不相犯。"大尹呵呵大笑道："自古以来，只有一个柳下惠坐怀不乱。那鲁男子就自知不及，风雪之中，就不肯放妇人进门了。你少年子弟，血气未定，岂有三夜同床，并不相犯之理？这话哄得那一个！"钱青道："生员今日自陈心迹，父母老爷未必相信，只教高赞去问自己女儿，便知真假。"大尹想道："那女儿若有私情，如何肯说实话。"当下想出个主意来，便教左右唤到老实稳婆一名，到舟中试验高氏是否处子，速来回话。

不一时，稳婆来覆知县相公，那高氏果是处子，未曾破身。颜俊在阶下听说高氏还是处子，便叫喊道："既是小的妻子不曾破坏，小的情愿成就。"大尹又道："不许多嘴！"再叫高赞道："你心下愿将女儿配那一个？"高赞道："小人初时原看中了钱秀才。后来女儿又与他做过花烛。虽然钱秀才不欺暗室，与小女即无夫妇之情，已定了夫妇之义。若教女儿另嫁颜俊，不惟小人不愿，就是女儿也不愿。"大尹道："此言正合吾意。"钱青心下到不肯，便道："生员此行，实是为公不为私。若将此女归了生员，把生员三夜衣不解带之意全然没了。宁可令此女别嫁，生员决不敢冒此嫌疑，惹人谈论。"大尹道："此女若归他人，你过湖这两番替人诓骗，便是行止有亏，干碍前程了。今日与你成就亲事，乃是遮掩你的过失。况你的心迹已自洞然，女家两相情愿，有何嫌疑？休得过让，我自有明断。"遂举笔判云：

> 高赞相女配夫，乃其常理；颜俊借人饰己，实出奇闻。东床已招佳选，何知以羊易牛；西邻纵有责言，终难指鹿为马。两番渡湖，不让传书柳毅；三宵隔被，何惭秉烛云长。风伯为媒，天公作合。佳男配了佳妇，两得其宜；求妻到底无妻，自作之孽。高氏断归钱青，不须另作花烛。颜俊既不合设骗局于前，又不合奋老拳于后。

事已不谐，姑免罪责。所费聘仪，合助钱青，以赎一击之罪。尤辰往来煽诱，实启衅端，重惩示儆。

判讫，喝教左右，将尤辰重责三十板，免其画供，竟行逐出，盖不欲使钱青冒名一事彰闻于人也。高赞和钱青拜谢。一干人出了县门，颜俊满面羞惭，敢怒而不敢言，抱头鼠窜而去。有好几月不敢出门。尤辰自回家将息棒疮不题。

却说高赞邀钱青到舟中，反殷勤致谢道："若非贤婿才行俱全，上官起敬，小女几乎错配匪人。今日到要屈贤婿同小女到舍下少住几时，不知贤婿宅上还有何人？"钱青道："小婿父母俱亡，别无亲人在家。"高赞道："既如此，一发该在舍下住了。老夫供给读书，贤婿意下如何？"钱青道："若得岳父扶持，足感盛德。"是夜开船离了吴江，随路宿歇。次日早到西山。一山之人闻知此事，皆当新闻传说。又知钱青存心忠厚，无不钦仰。后来钱青一举成名，夫妻偕老。有诗为证：

丑脸如何骗美妻，作成表弟得便宜。
可怜一片吴江月，冷照鸳鸯湖上飞。

第八卷 乔太守乱点鸳鸯谱

自古姻缘天定，不繇人力谋求。有缘千里也相投，对面无缘不偶。　仙境桃花出水，宫中红叶传沟。三生簿上注风流，何用冰人开口。

这首《西江月》词，大抵说人的婚姻，乃前生注定，非人力可以勉强。今日听在下说一桩意外姻缘的故事，唤做《乔太守乱点鸳鸯谱》。这故事出在那个朝代？何处地方？那故事出在大宋景祐年间，杭州府，有一人姓刘名秉义，是个医家出身。妈妈谈氏，生得一对儿女。儿子唤做刘璞，年当弱冠，一表非俗，已聘下孙寡妇的女儿珠姨为妻。那刘璞自幼攻书，学业已就。到十六岁上，刘秉义欲令他弃了书本，习学医业。刘璞立志大就，不肯改业，不在话下。女儿小名慧娘，年方一十五岁，已受了邻近开生药铺裴九老家之聘。那慧娘生得姿容艳丽，意态妖娆，非常标致。怎见得？但见：

蛾眉带秀，凤眼含情，腰如弱柳迎风，面似娇花拂水。体态轻盈，汉家飞燕同称；性格风流，吴国西施并美。蕊宫仙子谪人间，月殿嫦娥临下界。

不题慧娘貌美。

且说刘公见儿子长大，同妈妈商议，要与他完姻。方待教媒人到孙家去说，恰好裴九老也教媒人来说，要娶慧娘。刘公对媒人道："多多上覆裴亲家，小女年纪尚幼，一些妆奁未备，须再过几时，待小儿完姻过了，方及小女之事。目下断然不能从命。"媒人得了言语，回覆裴家。那裴九老因是老年得子，爱惜如珍宝一般，恨不能风吹得大，早些儿与他毕了姻事，生男育女。今日见刘公推托，好生不喜。又央媒人到刘家说道："令爱今年一十五岁，也不算做小了。到我家来时，即如女儿一般看待，决不难为。就是妆奁厚薄，但凭亲家，并不计论。万望亲家曲允则个。"刘公立意先要与儿完姻，然后嫁女。媒人往返了几次，终是不允。裴九老无奈，只得忍耐。当时若是刘公允了，却不省好些事体。止因执意不从，到后生出一段新闻，传说至今。正是：

只因一着错，满盘俱是空。

却说刘公回脱了裴家，央媒人张六嫂到孙家去说儿子的姻事。原来孙寡妇母家姓胡，嫁的丈夫孙恒，原是旧家子弟。自十六岁做亲，十七岁就生下一个女儿，唤名珠姨，才隔一岁，又生个儿子，取名孙润，小字玉郎。两个儿女，方在襁褓中，孙恒就亡过了。亏孙寡妇有些节气，同着养娘，守这两个儿女，不肯改嫁，因此人都唤他是孙寡妇。光阴迅速，两个儿女，渐渐长成。珠姨便许了刘家，玉郎从小聘定善丹青徐雅的女儿文哥为妇。那珠姨、玉郎都生得一般美貌，就如良玉碾成，白粉团就一般。加添资性聪明，男善读书，女工针指。还有一件，不但才貌双美，且又孝悌兼全。闲话休题。

且说张六嫂到孙家传达刘公之意，要择吉日娶小娘子过门。孙寡妇母子相依，满意欲要再停几时，因想男婚女嫁，乃是大事，只得应承，对张六嫂道："上覆亲翁亲母，我家是孤儿寡妇，没甚大妆奁嫁送，不过随常粗布衣裳，凡事不要见责。"张六嫂覆了刘公。刘公备了八盒羹果礼物并吉期送到孙家。孙寡妇受了吉期，忙忙的制办出嫁东西。看看日子已近，母子不忍相离，终日啼啼哭哭。

谁想刘璞因冒风之后，出汗虚了，变为寒症，人事不省，十分危笃。吃的药就如泼在石上，一毫没用，求神问卜俱说无救。唬得刘公夫妻魂魄都丧，守在床边，吞声对泣。刘公与妈妈商量道："孩儿病势恁样沉重，料必做亲不得。不如且回了孙家，等待病痊，再择日罢。"刘妈妈道："老官儿，你许多年纪了，这样事难道还不晓得？大凡病人势凶，得喜事一冲就好了。未曾说起的还要去相求；如今现成事体，怎么反要回他！"刘公道："我看孩儿病体，凶多吉少。若娶来家冲得好时，此是万千之喜，不必讲了；倘或不好，可不害了人家子女，有个晚嫁的名头？"刘妈妈道："老官，你但顾了别人，却不顾自己。你我费了许多心机，定得一房媳妇。谁知孩儿命薄，临做亲，

却又患病起来。今若回了孙家，孩儿无事，不消说起。万一有些山高水低，有甚把臂，那原聘还了一半，也算是他们忠厚了，却不是人财两失！”刘公道：“依你便怎样？”刘妈妈道；“依着我，分付了张六嫂，不要题起孩儿有病，竟娶来家，就如养媳妇一般。若孩儿病好，另择日结亲。倘然不起，媳妇转嫁时，我家原聘并各项使费，少不得班足了，放他出门，却不是个万全之策。”刘公耳朵原是棉花做的，就依着老婆，忙去叮嘱张六嫂不要泄漏。

自古道，若要不知，除非莫为。刘公便瞒着孙家，那知他紧间壁的邻家姓李名荣，曾在人家管过解库，人都叫做李都管，为人极是刁钻，专一打听人家的细事，喜谈乐道。因他做主管时，得了些不义之财，手中有钱，所居与刘家基址相连，意欲强买刘公房子，刘公不肯，为此两下面和意不和，巴不能刘家有些事故，幸灾乐祸。晓得刘璞有病危急，满心欢喜，连忙去报知孙家。

孙寡妇听见女婿病凶，恐防误了女儿，即使养娘去叫张六嫂来问。张六嫂欲待不说，恐怕刘璞有变，孙寡妇后来埋怨，欲要说了，又怕刘家见怪。事在两难，欲言又止。孙寡妇见他半吞半吐，越发盘问得急了。张六嫂隐瞒不过，乃说：“偶然伤风，原不是十分大病。将息到做亲时，料必也好了。”孙寡妇道：“闻得他病势十分沉重，你怎说得这般轻易？这事不是当耍的。我受了千辛万苦，守得这两个儿女成人，如珍宝一般。你若含糊赚了我女儿时，少不得和你性命相搏，那时不要见怪。”又道：“你去到刘家说：若果然病重，何不待好了，另择日子？总是儿女年纪尚小，何必恁般忙迫。问明白了，快来回报一声。”张六嫂领了言语，方欲出门，孙寡妇又叫转道：“我晓得你决无实话回我的。我令养娘同你去走遭，便知端的。”张六嫂见说教养娘同去，心中着忙道：“不消得！好歹不误大娘之事。”孙寡妇那里肯听，教了养娘些言语，跟张六嫂同去。

张六嫂摵脱不得，只得同到刘家。恰好刘公走出门来，张六嫂欺养娘不认得，便道：“小娘子少待，等我问句话来。”急走上前，拉刘公到一边，将孙寡妇适来言语细说。又道：“他因放心不下，特教养娘同来讨个实信，却怎的回答？”刘公听见养娘来看，手足无措，埋怨道：“你怎不阻挡住了？却与他同来！”张六嫂道：“再三拦阻，如何肯听？教我也没奈何。如今且留他进去坐了，你们再去从长计较回他，不要连累我后日受气。”说还未毕，养娘已走过来。张六嫂就道：“此位便是刘老爹。”养娘深深道个万福。刘公还了礼道：“小娘子请里面坐。”一齐进了大门，到客堂内。刘公道：“六嫂，你陪小娘子坐着，待我教老荆出来。”张六嫂道：“老爹自便。”刘公急急走到里面，一五一十，学于妈妈。又说：“如今养娘在外，怎地回他？倘要进来探看孩儿，却又如何掩饰？不如改了日子罢！”妈妈道：“你真是个死货！他受了我家的聘，便是我家的人了。怕他怎的！不要着忙，自有道理。”便教女儿慧娘：“你去将新房中收拾整齐，留孙家妇女吃点心。”慧娘答应自去。

刘妈妈即走向外边，与养娘相见毕，问道：“小娘子下顾，不知亲母有甚话说？”养娘道：“俺大娘闻得大官人有恙，放心不下，特教男女来问候。二来上覆老爹大娘：若大官人病体初痊，恐未可做亲。不如再停几时，等大官人身子健旺，另拣日罢。”刘妈妈道：“多承亲母过念，大官人虽是有些身子不快，也是偶然伤风，原非大病。若要另择日子，这断不能勾的。我们小人家的买卖，千难万难，方才支持得停当。如错过了，却不又费一番手脚。况且有病的人，正要得喜事来冲，他病也易好。常见人家要省事时，还借这病来见喜，何况我家吉期定已多日，亲戚都下了帖儿请吃喜筵，如今忽地换了日子，他们不道你家不肯，必认做我们讨媳妇不起。传说开去，却不被人笑耻，坏了我家名头？烦小娘子回去上覆亲母，不必担忧，我家干系大哩！”养娘道：“大娘话虽说得是。请问大官人睡在何处？待男女候问一声，好家去回报大娘，也教他放心！”刘妈妈道：“适来服了发汗的药，正熟睡在那里，我与小娘子代言罢。事体总在刚才所言了，更无别说。”张六嫂道：“我原说偶然伤风，不是大病。你们大娘不肯相信，又要你来。如今方见老身不是说谎的了。”养娘道：“既如此，告辞罢。”便要起身。刘妈妈道：“那有此理！说话忙了，茶也还没有吃，如何便去？”即邀到里边。又道：“我房里腌腌臜臜，到在新房里坐罢。”引入房中。养娘举目看时，摆设得十分齐整。刘妈妈又道：“你看我家诸事齐备，如何肯又改日子？就是做了亲，大官人到还要留在我房中歇宿，等身子痊愈了，然后同房哩。”养娘见他整备得停当，信以为实。当下刘妈妈教丫鬟将出点心茶来摆上，又教慧娘也来相陪。养娘心中想道：“我家珠姨是极标致的了，不想这女娘也恁般出色！”吃了茶，作别出门。临行，刘妈妈又再三嘱付张六嫂：“是必来覆我一声。”

养娘同着张六嫂回到家中，将上项事说与主母。孙寡妇听了，心中到没了主意，想道：“欲待允了，恐怕女婿真个病重，变出些不好来，害了女儿。将欲不允，又恐女婿果是小病已愈，误了吉期。”疑惑不定，乃对张六嫂道：“六嫂，待我酌量定了，明早来取回信罢。”张六嫂道：“正是，大娘从容计较计较，老身明早来也。”说罢自去。

且说孙寡妇与儿子玉郎商议：“这事怎生计结？”玉郎道：“想起来还是病重，故不要养娘相见。如今必要回他另择日子，他家也没奈何，只得罢休。但是空费他这番东西，见得我家没有情义。倘后来病好相见之间，觉道没趣。若依了他们时，又恐果然有变，那时进退两难，懊悔却便迟了。依着孩儿，有个两全之策在此，不知母亲可听？”孙寡妇道：“你且说是甚两全之策？”玉郎道：“明早教张六嫂去说，日子便依着他家，妆奁一毫不带。见喜过了，到第三朝就要接回。等待病好，连妆奁送去。是恁样，纵有变故，也不受他们笼络，这却不是两全其美。”孙寡妇道：“你真是个孩子家见识！他们一时假意应承娶去，过了三朝，不肯放回，却怎么处？”玉郎道：“如此怎好？”孙寡妇又想了一想道：“除非明日教张六嫂依此去说，临期教姐姐闪过一边，把你假扮了送去。皮箱内原带一副道袍鞋袜，预防到三朝。容你回来，不消说起；倘若不容，且住在那里，看个下落。倘有三长两短，你取出道袍穿了，竟自走回，那个扯得你住！”玉郎道：“别事便可，这件却使不得！后来被人晓得，教孩儿怎生做人？”孙寡妇见儿子推却，心中大怒道：“纵别人晓得，不过是耍笑之事，有甚大害？”玉郎平昔孝顺，见母亲发怒，连忙道：“待孩儿去便了。只不会梳头，却怎么好？”孙寡妇道：“我教养娘伏侍你去便了！”计较已定，次早张六嫂来讨回音，孙寡妇与他说如此如此，恁般恁般，“若依得，便娶过去；依不得，便另择日罢！”张六嫂覆了刘家，一一如命。你道他为何就肯了？只因刘璞病势愈重，恐防不妥，单要哄媳妇到了家里，便是买卖了。故此将错就错，更不争长竞短。那知孙寡妇已先参透机关，将个假货送来。刘妈妈反做了：

周郎妙计高天下，赔了夫人又折兵。

话休烦絮。到了吉期，孙寡妇把玉郎妆扮起来，果然与女儿无二，连自己也认不出真假。又教习些女人礼数。诸色好了，只有两件难以遮掩，恐怕露出事来。那两件？第一件是足与女子不同。那女子的尖尖趫趫，凤头一对，露在湘裙之下，莲步轻移，如花枝招展一般。玉郎是个男子汉，一只脚比女子的有三四只大。虽然把扫地长裙遮了，教他缓行细步，终是有些蹊跷。这也还在下边，无人来揭起裙儿观看，还隐藏得过。第二件是耳上的环儿。此乃女子平常时所戴，爱轻巧的，也少不得戴对丁香儿。那极贫小户人家，没有金的银的，就是铜锡的，也要买对儿戴着。今日玉郎扮做新人，满头珠翠，若耳上没有环儿，可成模样么？他左耳还有个环眼，乃是幼时恐防难养穿过的。那右耳却没眼儿，怎生戴得？孙寡妇左思右想，想出一个计策来。你道是甚计策？他教养娘讨个小小膏药，贴在右耳。若问时，只说环眼生着疳疮，戴不得环子，露出左耳上眼儿掩饰。打点停当，将珠姨藏过一间房里，专候迎亲人来。

到了黄昏时候，只听得鼓乐喧天，迎亲轿子已到门首。张六嫂先入来，看见新人打扮得如花神一般，好不欢喜。眼前不见玉郎，问道：“小官人怎地不见？”孙寡妇道：“今日忽然身子有些不健，睡在那里，起来不得。”那婆子不知就里，不来再问。孙寡妇将酒饭犒赏了来人，傧相念起诗赋，请新人上轿。玉郎兜上方巾，向母亲作别。孙寡妇一路假哭，送出门来。上了轿子，教养娘跟着，随身只有一只皮箱，更无一毫妆奁。孙寡妇又叮嘱张六嫂道："与你说过，三朝就要送回的，不要失信！"张六嫂连声答应道："这个自然！"不题孙寡妇。

且说迎亲的。一路笙箫聒耳，灯烛辉煌，到了刘家门首，傧相进来说道："新人将已出轿，没新郎迎接，难道教他独自拜堂不成？"刘公道："这却怎好？不要拜罢！"刘妈妈道："我自有道理，教女儿陪拜便了。"即令慧娘出来相迎。傧相念了阑门诗赋，请新人出了轿子，养娘和张六嫂两边扶着。慧娘相迎，进了中堂，先拜了天地，次及公姑亲戚。双双却是两个女人同拜，随从人没一个不掩口而笑。都相见过了，然后姑嫂对拜。刘妈妈道："如今到房中去与孩儿冲喜。"乐人吹打，引新人进房，来至卧床边，刘妈妈揭起帐子，叫道："我的儿，今日娶你媳妇来家冲喜，你须挣扎精神则个。"连叫三四次，并不则声。刘公将灯照时，只见头儿歪在半边，昏迷去了。原来刘璞病得身子虚弱，被鼓乐一震，故此昏迷。当下老夫妻手忙脚乱，掐住人中，即教取过热汤，灌了几口，出了一身冷汗，方才苏醒。刘妈妈教刘公看着儿子，自己引新人到新房中去。揭起方巾，打一看时，美丽如画，亲戚无不喝采，只有刘妈妈心中反觉苦楚。他想："媳妇恁般美貌，与儿正是一对儿。若得双双奉侍老夫妻的暮年，也不枉一生辛苦。谁想他没福，临做亲却染此大病，十分中到有九分不妙。倘有一差两误，媳妇少不得归于别姓，岂不目前空喜！"不题刘妈妈心中之事。

且说玉郎也举目看时，许多亲戚中，只有姑娘生得风流标致。想道："好个女子，我孙润可惜已定了妻子。若早知此女恁般出色，一定要求他为妇。"这里玉郎方在赞羡，谁知慧娘心中也想道："一向张六嫂说他标致，我还未信，不想话不虚传。只可惜哥哥没福受用，今夜教他孤眠独宿。若我丈夫像得他这样美貌，便称我的生平了，只怕不能够哩！"不题二人彼此欣羡。

刘妈妈请众亲戚赴过花烛筵席，各自分头歇息。傧相乐人，俱已打发去了。张六嫂没有睡处，也自归家。玉郎在房，养娘与他卸了首饰，秉烛而坐，不敢便寝。刘妈妈与刘公商议道："媳妇初到，如何教他独宿？可教女儿去陪伴。"刘公道："只怕不稳便，繇他自睡罢。"刘妈妈不听，对慧娘道："你今夜相伴嫂嫂在新房中去睡，省得他怕冷静。"慧娘正爱着嫂嫂，见说教他相伴，恰中其意。刘妈妈引慧娘到新房中道："娘子，只因你官人有些小差，不能同房，特令小女来陪你同睡。"玉郎恐露出马脚，回道："奴家自来最怕生人，到不消罢。"刘妈妈道："呀！你们姑嫂年纪相仿，即如姊妹一般，正好相处，怕怎的！你若嫌不稳时，各自盖着条被儿，便不妨了。"对慧娘道："你去收拾了被窝过来。"慧娘答应而去。

玉郎此时，又惊又喜。喜的是心中正爱着姑娘标致，不想天与其便，刘妈妈令来陪卧，这事便有几分了。惊的是恐他不允，一时叫喊起来，反坏了自己之事。又想道："此番挫过，后会难逢！看这姑娘年纪已在当时，情窦料也开了。须用计缓缓撩拨热了，不怕不上我钩。"心下正想，慧娘教丫鬟拿了被儿同进房来，放在床上。刘妈妈起身，同丫鬟自去。慧娘将房门闭上，走到玉郎身边，笑容可掬，乃道："嫂嫂，适来见你一些东西不吃，莫不饿了？"玉郎道："到还未饿。"慧娘又道："嫂嫂，今后要甚东西，可对奴家说知，自去拿来，不要害羞不说。"玉郎见他意儿殷勤，心下暗喜，答道："多谢姑娘美情。"慧娘见灯上结着一个大大花儿，笑道："嫂嫂，好个灯花儿，正对着嫂嫂，可知喜也！"玉郎也笑道："姑娘休得取笑，还是姑娘的喜信。"慧娘道："嫂嫂话儿到会耍人。"两个闲话一回。

慧娘道："嫂嫂，夜深了，请睡罢。"玉郎道："姑娘先请。"慧娘道："嫂嫂是客，奴家是主，怎敢僭先！"玉郎道："这个房中还是姑娘是客。"慧娘笑道："恁样占先了。"便解衣先睡。养娘见两下取笑，觉道玉郎不怀好意，低低说道："官人，你须要斟酌，此事不是当耍的。倘大娘知了，连我也不好。"玉郎道："不消嘱付，我自晓得，你自去睡。"养娘便去旁边打个铺儿睡下。玉郎起身携着灯儿，走到床边，揭起帐子照看，只见慧娘卷着被儿，睡在里床，见玉郎将灯来照，笑嘻嘻的道："嫂嫂，睡罢了，照怎的？"玉郎也笑道："我看姑娘睡在那一头，方好来睡。"把灯放在床前一只小桌儿上，解衣入帐。对慧娘道："姑娘，我与你一头睡了，好讲话耍子。"慧娘道："如此最好！"玉郎钻下被里，卸了上身衣服，下体小衣却穿着，问道："姑娘，今年青春了？"慧娘道："一十五岁。"又问："姑娘许的是那一家？"慧娘怕羞，不肯回言。玉郎把头捱到他枕上，附耳道："我与你一般是女儿家，何必害羞。"慧娘方才答道："是开生药铺的裴家。"又问道："可见说佳期还在何日？"慧娘低低道："近日曾教媒人再三来说，爹道奴家年纪尚小，回他们再缓儿时哩。"玉郎笑道："回了他家，你心下可不气恼么？"慧娘伸手把玉郎的头推下枕来，道："你不是个好人！哄了我的话，便来耍人。我若气恼时，你今夜心里还不知怎地恼着哩！"玉郎依旧又捱到枕上道："你且说我有甚恼？"慧娘道："今夜做亲没有个对儿，怎地不恼？"玉郎道："如今有姑娘在此，便是个对儿了，又有甚恼！"慧娘笑道："恁样说，你是我的娘子了。"玉郎道："我年纪长似你，丈夫还是我。"慧娘道："我今夜替哥哥拜堂，就是哥哥一般，还该是我。"玉郎道："大家不要争，只做个女夫妻罢！"两个说风话耍子，愈加亲热。

玉郎料想没事，乃道："既做了夫妻，如何不合被儿睡？"口中便说，两手即掀开他的被儿，提过身来，伸手便去摸他身上，腻滑如酥，下体却也穿着小衣。慧娘此时已被玉郎调动春心，忘其所以，任玉郎摩弄，全然不拒。慧娘也把手来将玉郎浑身一摸，吃了一惊，缩手不迭，乃道："你是何人？

却假妆着嫂嫂来此?”玉郎道：“我便是你的丈夫了，又问怎的。”慧娘双手推开半边道：“你若不说真话，我便叫喊起来，教你了不得。”玉郎着了急，连忙道：“娘子不消性急，待我说便了。我是你嫂嫂的兄弟玉郎。闻得你哥哥病势沉重，未知怎地。我母亲不舍得姐姐出门，又恐误了你家吉期，故把我假装嫁来。等你哥哥病好，然后送姐姐过门。不想天付良缘，到与娘子成了夫妇。此情只许你我晓得，不可泄漏!”慧娘初时只道是真女人，尚然心爱，如今却是个男子，岂不欢喜?况且已被玉郎先引得神魂飘荡，又惊又喜，半推半就道：“原来你们恁样欺心!”玉郎那有心情回答，双手紧紧抱住，即便恣意风流：

一个是青年孩子，初尝滋味；一个是黄花女儿，乍得甜头。一个说，今宵花烛到成就了你我姻缘；一个说，此夜衾裯，便试发了夫妻恩爱。一个说，前生有分，不须月老冰人；一个道，异日休忘，说尽山盟海誓。各燥自家脾胃，管甚么姐姐哥哥。且图眼下欢娱，全不想有夫有妇。双双蝴蝶花间舞，两两鸳鸯水上游。

云雨已毕，紧紧偎抱而睡。且说养娘恐怕玉郎弄出事来，卧在旁边铺上，眼也不合。听着他们初时说话笑耍，次后只听得床棱摇戛，气喘吁吁，已知二人成了那事，暗暗叫苦。到次早起来，慧娘自向母亲房中梳洗。养娘替玉郎梳妆，低低说道：“官人，你昨夜恁般说了，却又口不应心，做下那事!倘被他们晓得，却怎处?”玉郎道：“又不是我去寻他，他自送上门来，教我怎生推却!”养娘道：“你须拿住主意便好。”玉郎道：“你想恁样花一般的美人，同床而卧，便是铁石人也打熬不住，叫我如何忍耐得过!你若不泄漏时，更有何人晓得。”妆扮已毕，来刘妈妈房里相见。刘妈妈道：“儿，环子也忘戴了?”养娘道：“不是忘了，因右耳上环眼生了疳疮，戴不得，还贴着膏药哩。”刘妈妈道：“原来如此。”玉郎依旧来至房中坐下，亲戚女眷都来相见，张六嫂也到。慧娘梳裹罢，也到房中，彼此相视而笑。是日刘公请内外亲戚吃庆喜筵席，大吹大擂，直饮到晚，各自辞别回家。慧娘依旧来伴玉郎，这一夜颠鸾倒凤，海誓山盟，比昨倍加恩爱。看看过了三朝，二人行坐不离。到是养娘捏着两把汗，催玉郎道：“如今已过三朝，可对刘大娘说，回去罢!”玉郎与慧娘正火一般热，那想回去，假意道：“我怎好启齿说要回去，须是母亲叫张六嫂来说便好。”养娘道：“也说得是。”即便回家。

却说孙寡妇虽将儿子假妆嫁去，心中却怀着鬼胎。急切不见张六嫂来回覆，眼巴巴望到第四日，养娘回家，连忙来问。养娘将女婿病凶，姑娘陪拜，夜间同睡相好之事，细细说知。孙寡妇跌足叫苦道：“这事必然做出来也!你快去寻张六嫂来。”养娘去不多时，同张六嫂来家。孙寡妇道：“六嫂前日讲定的三朝便送回来，今已过了，劳你去说，快些送我女儿回来。”张六嫂得了言语，同养娘来至刘家。恰好刘妈妈在玉郎房中闲话，张六嫂将孙家要接新人的话说知。玉郎慧娘不忍割舍，到暗暗道："但愿不允便好。"谁想刘妈妈真个说道："六嫂，你媒也做老了，难道恁样事还不晓得？从来可有三朝媳妇便归去的理么？前日他不肯嫁来，这也没奈何。今既到我家，便是我家的人了，还像得他意？我千难万难，娶得个媳妇，到三朝便要回去，说也不当人子。既如此不舍得，何不当初莫许人家。他也有儿子，少不得也要娶媳妇，看三朝可肯放回家去？闻得亲母是个知礼之人，亏他怎样说了出来？"一番言语，说得张六嫂哑口无言，不敢回覆孙家。那养娘恐怕有人闯进房里，冲破二人之事，到紧紧守着房门，也不敢回家。

且说刘璞自从结亲这夜，惊出那身冷汗来，渐渐痊可。晓得妻子已娶来家，人物十分标致，心中欢喜，这病愈觉好得快了。过了数日，挣扎起来，半眠半坐，日渐健旺，即能梳裹，要到房中来看浑家。刘妈妈恐他初愈，不耐行动，叫丫鬟扶着，自己也随在后，慢腾腾的走到新房门口。养娘正坐在门槛之上，丫鬟道："让大官人进去。"养娘立起身来，高声叫道："大官人进来了。"玉郎正搂着慧娘调笑，听得有人进来，连忙走开。刘璞掀开门帘跨进房来。慧娘道："哥哥，且喜梳洗了。只怕还不宜劳动。"刘璞道："不打紧！我也暂时走走，就去睡的。"便向玉郎作揖。玉郎背转身，道了个万福。刘妈妈道："我的儿，你且慢作揖么！"又见玉郎背立，便道："娘子，这便是你官人。如今病好了，特来见你，怎么到背转身子？"走向前，扯近儿子身边，道："我的儿，与你恰好正是个对儿。"刘璞见妻子美貌非常，甚是快乐，真个是人逢喜事精神爽，那病平去了几分。刘妈妈道："儿去睡了罢，不要难为身子。"原叫丫鬟扶着，慧娘也同进去。

玉郎见刘璞虽然是个病容，却也人材齐整，暗想道："姐姐得配此人，也不辱抹了。"又想道："如今姐夫病好，倘然要来同卧，这事便要决撒，快些回去罢。"到晚上对慧娘道："你哥哥病已好了，我须住身不得。你可撺掇母亲送我回家，换姐姐过来，这事便隐过了。若再住时，事必败露！"慧娘道："你要归家，也是易事。我的终身，却怎么处？"玉郎道："此事我已千思万想，但你已许人，我已聘妇，没甚计策挽回，如之奈何？"慧娘道："君若无计娶我，誓以魂魄相随，决然无颜更事他人！"说罢，呜呜咽咽哭将起来。玉郎与他拭了眼泪道："你且勿烦恼，容我再想。"自此两相留恋，把回家之事到阁起一边。一日午饭已过，养娘向后边去了。二人将房门闭上，商议那事，长算短算，没个计策，心下苦楚，彼此相抱暗泣。

且说刘妈妈自从媳妇到家之后，女儿终日行坐不离。刚到晚，便闭上房门去睡，直至日上三竿，方才起身，刘妈妈好生不乐。初时认做姑嫂相爱，不在其意，以后日日如此，心中老大疑惑。也还道是后生家贪眠懒惰，几遍要说，因想媳妇初来，尚未与儿子同床，还是个娇客，只得耐住。那日也是合当有事。偶在新房前走过，忽听得里边有哭泣之声。向壁缝中张时，只见媳妇共女儿互相搂抱，低低而哭。刘妈妈见如此做作，料道这事有些蹊跷。欲待发作，又想儿子才好，若知得，必然气恼，权且耐住。便掀门帘进来，门却闭着。叫道："快些开门!"二人听见是妈妈声音，拭干眼泪，忙来开门。刘妈妈走将进去，便道："为甚青天白日，把门闭上，在内搂抱啼哭?"二人被问，惊得满面通红，无言可答。刘妈妈见二人无言，一发是了，气得手足麻木，一手扯着慧娘道："做得好事！且进来和你说话。"扯到后边一间空屋中来。丫鬟看见，不知为甚，闪在一边。

刘妈妈扯进了屋里，将门闩上。丫鬟伏在门上张时，见妈妈寻了一根木棒，骂道："贱人！快说话，便饶你打骂。若一句含糊，打下你这下半截来!"慧娘初时抵赖。妈妈道："贱人！我且问你，他来得几时，有甚恩爱割舍不得，闭着房门，搂抱啼哭?"慧娘对答不来。妈妈拿起棒子要打，心中却又不舍得。慧娘料是隐瞒不过，想道："事已至此，索性说个明白，求爹妈辞了裴家，配与玉郎。若不允时，拼个自尽便了!"乃道："前日孙家晓得哥哥有病，恐误女儿，要看下落，教爹妈另自择日。因爹妈执意不从，故把儿子玉郎假妆嫁来。不想母亲叫孩儿陪伴，遂成了夫妇，恩深义重，誓必图百年偕老。今见哥哥病好，玉郎恐怕事露，要回去换姐姐过来。孩儿思想，一女无嫁二夫之理，叫玉郎寻门路娶我为妻。因无良策，又不忍分离，故此啼哭。不想被母亲看见，只此便是实话。"刘妈妈听罢，怒气填胸，把棒撇在一边，双足乱跳，骂道："原来这老乞婆恁般欺心，将男作女哄我！怪道三朝便要接回。如今害了我女儿，须与他干休不得！拼这老性命结果这小杀才罢!"开了门，便赶出来。慧娘见母亲去打玉郎，心中着忙，不顾羞耻，上前扯住。被妈妈将手一推，跌在地上。爬起时，妈妈已赶向外边去了。慧娘随后也赶将来，丫鬟亦跟在后边。

且说玉郎见刘妈妈扯去慧娘，情知事露，正在房中着急。只见养娘进来道："官人，不好了！弄出事来也！适在后边来，听得空屋中乱闹。张看时，见刘大娘拿大棒子拷打姑娘，逼问这事哩!"玉郎听说打着慧娘，心如刀割，眼中落下泪来，没了主意。养娘道："今若不走，少顷便祸到了!"玉郎即忙除下簪钗，挽起一个角儿，皮箱内开出道袍鞋袜穿起，走出房来，将门带上。离了刘家，带跌奔回家里。正是：

　　拆破玉笼飞彩凤，顿开金锁走蛟龙。

孙寡妇见儿子回来，恁般慌急，又惊又喜，便道："如何这般模样?"养娘将上项事说知。孙寡妇埋怨道："我教你去，不过权宜之计，如何却做出这般没天理事体！你若三朝便回，隐恶扬善，也不见得事败。可恨张六嫂这老虔婆，自从那日去了，竟不来覆我。养娘，你也不回家走遭，教我日夜担愁！今日弄出事来，害这姑娘，却怎么处？要你不肖子何用！”玉郎被母亲嗔责，惊愧无地。养娘道：“小官人也自要回的，怎奈刘大娘不肯。我因恐他们做出事来，日日守着房门，不敢回家。今日暂走到后边，便被刘大娘撞破。幸喜得急奔回来，还不曾吃亏。如今且教小官人躲过两日，他家没甚话说，便是万千之喜了。”孙寡妇真个教玉郎闪过，等候他家消息。

且说刘妈妈赶到新房门口，见门闭着，只道玉郎还在里面，在外骂道：“天杀的贼贱才！你把老娘当做什么样人，敢来弄空头，坏我女儿！今日与你性命相博，方见老娘手段。快些走出来！若不开时，我就打进来了！”正骂时，慧娘已到，便去扯母亲进去。刘妈妈骂道：“贱人，亏你羞也不羞，还来劝我！”尽力一摔，不想用力猛了，将门靠开。母子两个都跌进去，搅做一团。刘妈妈骂道：“好天杀的贼贱才，到放老娘这一交！”即忙爬起寻时，那里见个影儿。那婆子寻不见玉郎，乃道：“天杀的好见识！走得好！你便走上天去，少不得也要拿下来！”对着慧娘道：“如今做下这等丑事，倘被裴家晓得，却怎地做人？”慧娘哭道：“是孩儿一时不是，做差这事。但求母亲怜念孩儿，劝爹爹怎生回了裴家，嫁着玉郎，犹可挽回前失。倘若不允，有死而已！”说罢，哭倒在地。刘妈妈道：“你说得好自在话儿！他家下财纳聘，定着媳妇，今日平白地要休这亲事，谁个肯么？倘然问因甚事故要休这亲，教你爹怎生对答？难道说我女儿自寻了一个汉子不成？”慧娘被母亲说得满面羞惭，将袖掩着痛哭。刘妈妈终是禽犊之爱，见女儿恁般啼哭，却又恐哭伤了身子，便道：“我的儿，这也不干你事，都是那老虔婆设这没天理的诡计，将那杀才乔妆嫁来。我一时不知，教你陪伴，落了他圈套。如今总是无人知得，把来阁过一边，全你的体面，这才是个长策。若说要休了裴家，嫁那杀才，这是断然不能！”慧娘见母亲不允，愈加啼哭。刘妈妈又怜又恼，到没了主意。

正闹间，刘公正在人家看病回来，打房门口经过，听得房中啼哭，乃是女儿声音，又听得妈妈话响，正不知为着甚的，心中疑惑。忍耐不住，揭开门帘，问道：“你们为甚恁般模样？”刘妈妈将前项事，一一细说。气得刘公半晌说不出话来。想了一想，到把妈妈埋怨道：“都是你这老乞婆害了女儿！起初儿子病重时，我原要另择日子，你便说长道短，生出许多话来，执意要那一日。次后孙家教养娘来说，我也罢了，又是你弄嘴弄舌，哄着他家。及至娶来家中，我说待他自睡罢，你又偏生推女儿伴他。如今伴得好么！”刘妈妈因玉郎走了，又不舍得女儿，难为一肚子气，正没发脱，见老公倒前倒后，数说埋怨，急得暴躁如雷，骂道：“老忘八！依你说起来，我的孩儿应该与这杀才骗的！”一头撞个满怀。刘公也在气恼之时，揪过来便打。慧娘便来解劝。三人搅做一团，滚做一块，分拆不开。丫鬟着了忙，奔到房中报与刘璞道："大官人，不好了！大爷大娘在新房中相打哩。"刘璞在塌上爬起来，走至新房，向前分解。老夫妻见儿子来劝，因惜他病体初愈，恐劳碌了他，方才罢手。犹兀自老忘八老乞婆相骂。刘璞把父亲劝出外边，乃问："妹子，为甚在这房中厮闹，娘子怎又不见？"慧娘被问，心下惶愧，掩面而哭，不敢则声。刘璞焦躁道："且说为着甚的？"刘婆方把那事细说，将刘璞气得面如土色。停了半晌，方道："家丑不可外扬，倘若传到外边，被人耻笑。事已至此，且再作区处。"刘妈妈方才住口，走出房来。慧娘挣住不行，刘妈妈一手扯着便走，取巨锁将门锁上。来至房里，慧娘自觉无颜，坐在一个壁角边哭泣。正是：

饶君掬尽湘江水，难洗今朝满面羞。

且说李都管听得刘家喧嚷，伏在壁上打听。虽然晓得些风声，却不知其中细底。次早，刘家丫鬟走出门来，李都管招到家中问他。那丫鬟初时不肯说，李都管取出四五十钱来与他，道："你若说了，送这钱与你买东西吃。"丫鬟见了铜钱，心中动火，接过来藏在身边，便从头至尾，尽与李都管说知。李都管暗喜道："我把这丑事报与裴家，撺掇来闹吵一场，他定无颜在此居住，这房子可不归于我了？"忙忙的走至裴家，一五一十报知，又添些言语，激恼裴九老。

那九老夫妻，因前日娶亲不允，心中正恼着刘公。今日听见媳妇做下丑事，如何不气？一径赶到刘家，唤出刘公来发话道："当初我央媒来说，要娶亲时，千推万阻，道女儿年纪尚小，不肯应承。护在家中，私养汉子。若早依了我，也不见得做出事来。我是清清白白的人家，决不要这样败坏门风的好东西。快还了我昔年聘礼，另自去对亲，不要误我孩儿的大事。"将刘公嚷得面上一回红，一回白，想道：我家昨夜之事，他如何今早便晓得了？这也怪异！又不好承认，只得赖道："亲家，这是那里说起，造恁样言语污辱我家？倘被外人听得，只道真有这事，你我体面何在？"裴九老便骂道："打脊贱才！真个是老忘八。女儿现做着恁样丑事，那个不晓得了？亏你还长着鸟嘴，在我面前遮掩。"赶近前把手向刘公脸上一捻道："老忘八，羞也不羞！待我送个鬼脸儿与你戴了见人。"刘公被他羞辱不过，骂道："老杀才，今日为甚赶上门来欺我？"便一头撞去，把裴九老撞倒在地，两下相打起来。里边刘妈妈与刘璞听得外面喧嚷，出来看时，却是裴九老与刘公厮打，急向前拆开。裴九老指着骂道："老忘八打得好！我与你到府里去说话。"一路骂出门去了。刘璞便问父亲："裴九因甚清早来厮闹？"刘公把他言语学了一遍。刘璞道："他家如何便晓得了？此甚可怪。"又道："如今事已彰扬，却怎么处？"刘公又想起裴九老恁般耻辱，心中转恼，顿足道："都是孙家老乞婆，害我家坏了门风，受这样恶气！若不告他，怎出得这气？”刘璞劝解不住。刘公央人写了状词，望着府前奔来。正值乔太守早堂放告。这乔太守虽则关西人，又正直，又聪明，怜才爱民，断狱如神，府中都称为乔青天。

却说刘公刚到府前，劈面又遇着裴九老。九老见刘公手执状词，认做告他，便骂道：“老忘八，纵女做了丑事，到要告我，我同你去见太爷。”上前一把扯住，两下又打将起来。两张状词，都打失了。二人结做一团，直至堂上。乔太守看见，喝教各跪一边，问道：“你二人叫甚名字？为何结扭相打？”二人一齐乱嚷。乔太守道：“不许搀越！那老儿先上来说。”裴九老跪上去诉道：“小人叫做裴九，有个儿子裴政，从幼聘下刘秉义的女儿慧娘为妻，今年都已十五岁了。小人因是老年爱子，要早与他完姻。几次央媒去说，要娶媳妇，那刘秉义只推女儿年纪尚小，勒措不许。谁想他纵女卖奸，恋着孙润，暗招在家，要图赖亲事。今早到他家理说，反把小人殴辱。情极了，来爷爷台下投生。他又赶来扭打。求爷爷作主，救小人则个！”，乔太守听了，道：“且下去。”唤刘秉义上去问道：“你怎么说？”刘公道：“小人有一子一女。儿子刘璞，聘孙寡妇女儿珠姨为妇，女儿便许裴九的儿子。向日裴九要娶时，一来女儿尚幼，未曾整备妆奁，二来正与儿子完姻，故此不允。不想儿子临婚时，忽地患起病来。不敢教与媳妇同房。令女儿陪伴嫂子。那知孙寡妇欺心，藏过女儿，却将儿子孙润假妆过来，到强奸了小人女儿。正要告官，这裴九知得了，登门打骂。小人气忿不过，与他争嚷，实不是图赖他的婚姻。”乔太守见说男扮为女，甚以为奇，乃道：“男扮女妆，自然有异。难道你认他不出？”刘公道：“婚嫁乃是常事，那曾有男子假扮之理，却去辨他真假？况孙润面貌，美如女子。小人夫妻见了，已是万分欢喜，有甚疑惑？”乔太守道：“孙家既以女许你为媳，因甚却又把儿子假妆？其中必有缘故。”又道：“孙润还在你家么?" 刘公道：“已逃回去了。”乔太守即差人去拿孙寡妇母子三人，又差人去唤刘璞、慧娘兄妹俱来听审。不多时，都已拿到。

乔太守举目看时，玉郎姊弟，果然一般美貌，面庞无二。刘璞却也人物俊秀，慧娘艳丽非常，暗暗欣羡道：“好两对青年儿女！”心中便有成全之意。乃问孙寡妇：“因甚将男作女，哄骗刘家，害他女儿？”孙寡妇乃将女婿病重，刘秉义不肯更改吉期，恐怕误了女儿终身，故把儿子妆去冲喜，三朝便回。是一时权宜之策。不想刘秉义却教女儿陪卧，做出这事！乔太守道：“原来如此！”问刘公道：“当初你儿子既是病重，自然该另换吉期。你执意不肯，却主何意？假若此时依了孙家，那见得女儿有此丑事？这都是你自起衅端，连累女儿。”刘公道：“小人一时不合听了妻子说话，如今悔之无及！”乔太守道：“胡说！你是一家之主，却听妇人言语。”

又唤玉郎、慧娘上去说：“孙润，你以男假女，已是不该。却又奸骗处女，当得何罪？”玉郎叩头道：“小人虽然有罪，但非设意谋求，乃是刘亲母自遣其女陪伴小人。”乔太守道：“他因不知你是男子，故令他来陪伴，乃是美意。你怎不推却？”玉郎道：“小人也曾苦辞，怎奈坚执不从。”乔太守道：“论起法来，本该打一顿板子才是！姑念你年纪幼小，又系两家父母酿成，权且饶恕。”玉郎叩头泣谢。乔太守又问慧娘：“你事已做错，不必说起。如今还是要归裴氏，要归孙润？实说上来。”慧娘哭道：“贱妾无媒苟合，节行已亏，岂可更事他人？况与孙润恩义已深，誓不再嫁。若爷爷必欲判离，贱妾即当自尽，决无颜苟活，贻笑他人。”说罢，放声大哭。乔太守见他情词真恳，甚是怜惜，且喝过一边，唤裴九老分付道：“慧娘本该断归你家，但已失身孙润，节行已亏。你若娶回去，反伤门风，被人耻笑；他又蒙二夫之名，各不相安。今判与孙润为妻，全其体面。令孙润还你昔年聘礼，你儿子另自聘妇罢！”裴九老道：“媳妇已为丑事，小人自然不要。但孙润破坏我家婚姻，今原归于他，反周全了奸夫淫妇，小人怎得甘心！情愿一毫原聘不要，求老爷断媳妇另嫁别人，小人这口气也还消得一半。”乔太守道：“你既已不愿娶他，何苦又作此冤家！”刘公亦禀道：“爷爷，孙润已有妻子，小人女儿岂可与他为妾？”乔太守初时只道孙润尚无妻子，故此斡旋，见刘公说已有妻，乃道：“这却怎么处？”对孙润道：“你既有妻子，一发不该害人闺女了！如今置此女于何地？”玉郎不敢答应。

乔太守又道：“你妻子是何等人家？可曾过门么？”孙润道：“小人妻子是徐雅女儿，尚未过门。”乔太守道：“这等易处了。”叫道：“裴九，孙润原有妻未娶，如今他既得了你媳妇，我将他妻子断偿你的儿子，消你之忿！”裴九老道：“老爷明断，小人怎敢违逆？但恐徐雅不肯。”乔太守道：“我作了主，谁敢不肯！你快回家引子过来，我差人去唤徐雅带女儿来当堂匹配。”裴九老忙即归去，将儿子裴政领到府中。徐雅同女儿也唤到了。乔太守看时，两家男女却也相貌端正，是个对儿。乃对徐雅道：“孙润因诱了刘秉义女儿，今已判为夫妇。我今作主，将你女儿配与裴九儿子裴政。限即日三家俱便婚配回报。如有不伏者，定行重治。”徐雅见太守作主，怎敢不依，俱各甘伏。乔太守援笔判道：

弟代姊嫁，姑伴嫂眠。爱女爱子，情在理中。一雌一雄，变出意外。移干柴近烈火，无怪其燃；以美玉配明珠，适获其偶。孙氏子因姊而得妇，搂处子不用逾墙；刘氏女因嫂而得夫，怀吉士初非衒玉。相悦为婚，礼以义起。所厚者薄，事可权宜。使徐雅别婿裴九之儿，许裴政改娶孙郎之配。夺人妇人亦夺其妇，两家恩怨，总息风波；独乐乐不若与人乐，三对夫妻，各谐鱼水。人虽兑换，十六两原只一斤；亲是交门，五百年决非错配。以爱及爱，伊父母自作冰人；非亲是亲，我官府权为月老。已经明断，各赴良期。

乔太守写毕，教押司当堂朗诵与众人听了。众人无不心服，各各叩头称谢。乔太守在库上支取喜红六段，教三对夫妻披挂起来，唤三起乐人，三顶花花轿儿，抬了三位新人。新郎及父母，各自随轿而出。此事闹动了杭州府，都说好个行方便的太守，人人诵德，个个称贤。自此各家完亲之后，都无说话。

李都管本欲唆孙寡妇、裴九老两家与刘秉义讲嘴，鹬蚌相持，自已渔人得利。不期太守善于处分，反作成了孙玉郎一段良姻。街坊上当做一件美事传说，不以为丑。他心中甚是不乐。未及一年，乔太守又取刘璞、孙润，都做了秀才，起送科举。李都管自知惭愧，安身不牢，反躲避乡居。后来刘璞、孙润同榜登科，俱任京职，仕途有名，扶持裴政亦得了官职。一门亲眷，富贵非常。刘濮官直至龙图阁学士，连李都管家宅反归并于刘氏。刁钻小人，亦何益哉！后人有诗，单道李都管为人不善，以为后戒。诗云：

为人忠厚为根本，何苦刁钻欲害人！
不见古人卜居者，千钱只为买乡邻。

又有一诗，单夸乔太守此事断得甚好：

鸳鸯错配本前缘，全赖风流太守贤。
锦被一床遮尽丑，乔公不枉叫青天。

第九卷 陈多寿生死夫妻

世事纷纷一局棋，输赢未定两争持。
须臾局罢棋收去，毕竟谁赢谁是输？

这四句诗，是把棋局比着那世局。世局千腾万变，转盼皆空，正如下棋的较胜争强，眼红喉急，分明似孙庞斗智，赌个你死我活；又如刘项争天下，不到乌江不尽头。及至局散棋收，付之一笑。所以高人隐士，往往寄兴棋枰，消闲玩世。其问吟咏，不可胜述，只有国朝曾棨状元应制诗做得甚好。诗曰：

两君相敌立双营，坐运神机决死生。
十里封疆驰骏马，一川波浪动金兵。
虞姬歌舞悲垓下，汉将旌旗逼楚城。
兴尽计穷征战罢，松阴花影满棋枰。

此诗虽好，又有人驳他，说虞姬、汉将一联，是个套话。第七句说兴尽计穷，意趣便萧索了。应制诗是进御的，圣天子重瞳观览，还该要有些气象。同时洪熙皇帝御制一篇，词意宏伟，远出寻常，诗曰：

二国争强各用兵，摆成队伍定输赢。
马行曲路当先道，将守深营戒远征。
乘险出车收散卒，隔河飞炮下重城。
等闲识得军情事，一着功成定太平。

今日为何说这下棋的话？只为有两个人家，因这几着棋子，遂为莫逆之交，结下儿女姻亲。后来做出花锦般一段说话，正是：

夫妻不是今生定，五百年前结下因。

话说江西分宜县，有两个庄户人家，一个叫做陈青，一个叫做朱世远，两家东西街对面居住。论起家事，虽然不算大富长者，靠祖上遗下些田业，尽可温饱有馀。那陈青与朱世远，皆在四旬之外，累代邻居，志同道合，都则本分为人，不管闲事，不惹闲非。每日吃了酒饭，出门相见，只是一盘象棋，消闲遣日。有时迭为宾主，不过清茶寡饭，不设酒肴，以此为常。那些三邻四舍，闲时节也到两家看他下棋顽耍。其中有个王三老，寿有六旬之外，少年时也自欢喜象棋，下得颇高。近年有个火症，生怕用心动火，不与人对局了。日常无事，只以看棋为乐，早晚不倦。说起来，下棋的最怕傍人观看。常言道：傍观者清，当局者迷。倘或傍观的口嘴不紧，遇煞着处溜出半句话来，赢者反输，输者反赢，欲待发恶，不为大事；欲待不抱怨，又忍气不过。所以古人说得好：

观棋不语真君子，把酒多言是小人。

可喜王三老偏有一德，未曾分局时，绝不多口。到胜负已分，却分说那一着是先手，所以赢；那一着是后手，所以输。朱陈二人到也喜他讲论，不以为怪。

一日，朱世远在陈青家下棋，王三老亦在座。吃了午饭，重整棋枰，方欲再下，只见外面一个小学生踱将进来。那学生怎生模样：

面如傅粉，唇若涂朱，光着靛一般的青头，露着玉一样的嫩手。

仪容清雅，步履端详。却疑天上仙童，不信人间小子。

那学生正是陈青的儿子，小名多寿，抱了书包，从外而入。跨进坐启，不慌不忙，将书包放下椅子之上，先向王三老叫声公公，深深的作了个揖。王三老欲待回礼，陈青就座上一把按住道："你老人家不须多礼。却不怕折了那小厮一世之福？"王三老道："说那里话！"口中虽是恁般说，被陈青按住，只把臀儿略起了一起，腰儿略曲了一曲，也算受他半礼了。那小学生又向朱世远叫声伯伯，作揖下去。朱世远还礼时，陈青却是对坐，隔了一张棋桌，不便拖拽，只得也作揖相陪。小学生见过了二位尊客，才到父亲跟前唱喏，立起身来，禀道："告爹爹：明日是重阳节日，先生放学回去了，直过两日才来。分付孩儿回家，不许顽耍，限着书，还要读哩。"说罢，在椅子上取了书包，端端正正，走进内室去了。

王三老和朱世远见那小学生行步舒徐，语音清亮，且作揖次第，甚有礼数，口中夸奖不绝。王三老便问："令郎几岁了？"陈青答应道："是九岁。"王三老道："想着昔年汤饼会时，宛如昨日。倏忽之间，已是九年，真个光阴似箭，争教我们不老！"又问朱世远道："老汉记得宅上令爱也是这年生的。"朱世远道："果然，小女多福，如今也是九岁了。"王三老道："莫怪老汉多口，你二人做了一世的棋友，何不扳做儿女亲家？古时有个朱陈村，一村中只有二姓，世为婚姻。如今你二人之姓，适然相符，应是天缘。况且好男好女，你知我见，有何不美？"朱世远已自看上了小学生，不等陈青开口，先答应道；"此事最好！只怕陈兄不愿。若肯俯就，小子再无别言。"陈青道："既蒙朱兄不弃寒微，小子是男家，有何推托？就烦三老作伐。"王三老道："明日是个重阳日，阳九不利。后日大好个日子，老夫便当登门。今日一言为定，出自二位本心。老汉只图吃几杯见成喜酒，不用谢媒。"陈青道："我说个笑话你听：玉皇大帝要与人皇对亲，商量道：两亲家都是皇帝，也须得个皇帝为媒才好，乃请灶君皇帝往下界去说亲。人皇见了灶君，大惊道：'那做媒的怎的这般样黑？'灶君道：'从来媒人那有白做的！"'王三老和朱世远都笑起来。朱陈二人又下棋到晚方散。

只因一局输赢子，定了三生男女缘。

次日，重阳节无话。到初十日，王三老换了一件新开折的色衣，到朱家说亲。朱世远已自与浑家柳氏说过，夸奖女婿许多好处。是日一诺无辞，财礼并不计较。他日嫁送，称家之有无，各不责备便了。王三老即将此言回覆陈青。陈青甚喜，择了个和合吉日，下礼为定。朱家将庚帖回来。吃了一日喜酒。从此亲家相称，依先下棋来往。

时光迅速，不觉过了六年。陈多寿年一十五岁，经书皆通。指望他应试，登科及第，光耀门楣。何期运限不佳，忽然得了个恶症，叫做癞。初时只道疥癣，不以为意。一年之后，其疾大发，形容改变，弄得不像模样了：

肉色焦枯，皮毛皴裂。浑身毒气，发成斑驳奇疮；遍体虫钻，苦杀晨昏怪痒。任他凶疥癣，只比三分；不是大麻疯，居然一样。粉孩儿变作蛤蟆相，少年郎活像老鼋头。搔爬十指带脓腥，龌龊一身皆恶臭。

陈青单单生得这个儿子，把做性命看成。见他这个模样，如何不慌。连象棋也没心情下了。求医问卜，烧香还愿，无所不为。整整的乱了一年，费过了若干钱钞，病势不曾减得分毫。老夫妻两口愁闷，自不必说。朱世远为着半子之情，也一般着忙，朝暮问安，不离门限。延捱过三年之外，绝无个好消息。

朱世远的浑家柳氏，闻知女婿得个恁般的病症，在家里哭哭啼啼，抱怨丈夫道："我女儿又不腌臭起来，为甚忙忙的九岁上就许了人家？如今却怎么好！索性那癞蛤蟆死了，也出脱了我女儿。如今死不死，活不活，女孩儿年纪看看长成，嫁又嫁他不得，赖又赖他不得，终不然看着那癞子守活孤孀不成！这都是王三那老乌龟，一力撺掇，害了我女儿终身。"把王三老千乌龟，万乌龟的骂，哭一番，骂一番。朱世远原有怕婆之病，凭他夹七夹八，自骂自止，并不敢开言。一日，柳氏偶然收拾橱柜子，看见了象棋盘和那棋子，不觉勃然发怒，又骂起丈夫来，道："你两个老忘八，只为这儿着象棋上说得着，对了亲，赚了我女儿，还要留这祸胎怎的！"一头说，一头走到门前，把那象棋子乱撒在街上，棋盘也掼做几片。朱世远是本分之人，见浑家发性，拦他不住，洋洋的躲开去了。女儿多福又怕羞，不好来劝，任他絮聒个不耐烦，方才罢休。

自古道："隔墙须有耳，窗外岂无人？"柳氏镇日在家中骂媒人，骂老公，陈青已自晓得些风声，将信未信。到满街撒了棋子，是甚意故，陈青心下了了。与浑家张氏两口儿商议道："以己之心，度人之心。我自家晦气，儿子生了这恶疾，眼见得不能痊可，却教人家把花枝般女儿伴这癞子做夫妻，真是罪过，料女儿也必然怨伤。便强他进门，终不和睦，难指望孝顺。当初定这房亲事，都是好情，原不曾费甚大财。千好万好，总只一好，有心好到底了，休得为好成歉，从长计较，不如把媳妇庚帖送还他家，任他别缔良姻。倘然皇天可怜，我孩儿有病痊之日，怕没有老婆？好歹与他定房亲事。如今害得人家夫妻反目，哭哭啼啼，絮絮聒聒，我也于心何忍。"计议已定，忙到王三老家来。

王三老正在门首，同几个老人家闲坐白话，见陈青到，慌忙起身作揖，问道："令郎两日尊恙好些么？"陈青摇首道："不济。正有句话，要与三老讲，屈三老到寒舍一行。"王三老连忙随着陈青到他家坐启内，分宾坐下。献茶之后，三老便问："大郎有何见教？"陈青将自己坐椅掇近三老，四膝相凑，吐露衷肠。先叙了儿子病势如何的利害，次叙着朱亲家夫妇如何的抱怨。这句话王三老却也闻知一二，口中只得包谎："只怕没有此事。"陈青道："小子岂敢乱言。今日小子到也不怪敝亲家。只是自己心中不安，情愿将庚帖退还，任从朱宅别选良姻。此系两家稳便，并无勉强。"王三老道："只怕使不得！老汉只管撮合，那有拍开之理？足下异日翻悔之时，老汉却当不起。"陈青道："此事已与拙荆再四商量过了，更无翻悔。就是当先行过些须薄礼，也不必见还。”王三老道：“既然庚帖返去，原聘也必然还璧。但吉人天相，令郎尊恙，终有好日，还要三思而行。”陈青道：“就是小儿侥幸脱体，也是水底捞针，不知何日到手，岂可担阁人家闺女。”说罢，袖中取出庚帖，递与王三老，眼中不觉流下泪来。王三老亦自惨然，道：“既是大郎主意已定，老汉只得奉命而行。然虽如此，料令亲家是达礼之人，必然不允。”陈青收泪而答道：“今日是陈某自己情愿，并非舍亲家相逼。若舍亲家踌躇之际，全仗三老撺掇一声，说陈某中心计较，不是虚情。”三老连声道：“领命，领命！”

当下起身，到了朱家。朱世远迎接，讲礼而坐。未及开言，朱世远连声唤茶。这也有个缘故，那柳氏终日在家中千乌龟万乌龟指名骂媒人，王三老虽然不闻，朱世远却于心有愧，只恐三老见怪，所以殷勤唤茶。谁知柳氏恨杀王三老做错了媒，任丈夫叫唤，不肯将茶出来。此乃妇人小见。坐了一会，王三老道：“有句不识进退的话，特来与大郎商量。先告过，切莫见怪。”原来朱世远也是行一，里中都称他朱大郎。朱世远道：“有话尽说。你老人家有甚差错，岂有见怪之理。”王三老方才把陈青所言退亲之事，备细说了一遍：“此乃令亲家主意，老汉但传言而已。但凭大郎主张。”朱世远终日被浑家聒絮得不耐烦，也巴不能个一掰两开。只是自己不好启齿，得了王三老这句言语，分明是朝廷新颁下一道赦书，如何不喜？当下便道：“虽然陈亲家贤哲，诚恐后来翻悔，反添不美。”王二老道：“老汉都曾讲过。他主意已决，不必怀疑。宅上庚帖，亦交付在此，大郎请收过。”朱世远道：“聘礼未还，如何好收他的庚帖？”王三老道：“他说些须薄聘，不须提起。是老汉多口，说道：既然庚帖返去，原聘必然返璧。”朱世远道：“这是自然之理。先曾受过他十二两银子，分毫不敢短少。还有银钗二股，小女收留，容讨出一并奉还。这庚帖权收在你老人家处。”王三老道：“不妨事，就是大郎收下。老汉暂回，明日来领取聘物。却到令亲处回话。”说罢分别。有诗为证：

月老系绳今又解，冰人传语昔皆讹。
分宜好个王三老，成也萧何败也何。

朱世远随即入内，将王三老所言退亲之事，述与浑家知道。柳氏喜不自胜。自己私房银子也搜括将出来，把与丈夫，凑足十二两之数。却与女孩儿多福讨那一对银钗。

却说那女儿虽然不读诗书，却也天生志气。多时听得母亲三言两语，絮絮聒聒，已自心慵意懒。今日与他讨取聘钗，明知是退亲之故，并不答应一字，径走进卧房，闭上门儿，在里面啼哭。朱世远终是男子之辈，见貌辨色，已知女孩儿心事，对浑家道：“多福心下不乐，想必为退亲之故。你须慢慢偎他，不可造次。万一逼得他紧，做出些没下稍勾当，悔之何及！”柳氏听了丈夫言语，真个去敲那女儿的房门，低声下气的叫道："我儿，钗子肯不肯繇你，何须使性！你且开了房门，有话时，好好与做娘的讲。做娘的未必不依你。"那女儿初时不肯开门，柳氏连叫了几次，只得拔了门闩，叫声："开在这里了。"自向兀子上气忿忿的坐了。

柳氏另掇个兀子傍着女儿坐了，说道："我儿，爹娘为将你许错了对头，一向愁烦。喜得男家愿退，许了一万个利市，求之不得。那癞子终无好日，可不误了你终身之事。如今把聘钗还了他家，恩断义绝。似你恁般容貌，怕没有好人家来求你。我儿休要执性，快把钗儿出来还了他罢。"女儿全不做声，只是流泪。柳氏偎了半晌，看见女儿如此模样，又款款的说道："我儿，做爹娘的都只是为好，替你计较。你愿与不愿，直直的与我说，恁般自苦自知，教爹娘如何过意。"女儿恨穷道："为好，为好！要讨那钗子也尚早！"柳氏道："呵呀！两股钗儿，连头连脚，也重不上二三两，甚么大事。若另许个富家，金钗玉钗都有。"女儿道："那希罕金钗玉钗！从没见好人家女子吃两家茶。贫富苦乐，都是命中注定。生为陈家妇，死为陈家鬼，这银钗我要随身殉葬的，休想还他！"说罢，又哀哀的哭将起来。柳氏没奈何，只得对丈夫说，女儿如此如此："这门亲多是退不成了。"朱世远与陈青肺腑之交，原不肯退亲，只为浑家絮聒不过，所以巴不得撇开，落得耳边清净。谁想女儿恁般烈性，又是一重欢喜，便道："恁的时，休教苦坏了女孩儿。你与他说明，依旧与陈门对亲便了。"柳氏将此言对女儿说了，方才收泪。正是：

三冬不改孤松操，万苦难移烈女心。

当晚无话。次日，朱世远不等王三老到来，却自己走到王家，把女儿执意不肯之情，说了一遍，依旧将庚帖送还。王三老只称："难得，难得！"随即往陈青家回话，如此这般。陈青退此亲事，十分不忍，听说媳妇守志不从，愈加欢喜，连连向王三老作揖道："劳动，劳动！然虽如此，只怕小儿病症不痊，终难配合。此事异日还要烦三老开言。"王三老摇手道："老汉今番说了这一遍，以后再不敢奉命了。"闲话休题。

却说朱世远见女儿不肯悔亲，在女婿头上愈加着忙，各处访问名医国手，赔着盘缠，请他来看治。那医家初时来看，定说能医，连病人服药，也有些兴头。到后来不见功效，渐渐的懒散了。也有讨着荐书到来，说大话，夸大口，索重谢，写包票，都只有头无尾。日复一日，不觉又捱了二年有馀。医家都说是个痼疾，医不得的了。

多寿叹口气，请爹妈到来，含泪而言道："丈人不允退亲，访求名医用药，只指望我病有痊可之期。如今服药无效，眼见得没有好日。不要赚了人家儿女。孩儿决意要退这头亲事了。"陈青道："前番说了一场，你丈人丈母都肯，只为你媳妇执意不从，所以又将庚帖送来。"多寿道："媳妇若晓得孩儿愿退，必然也放下了。”妈妈张氏道：“孩儿，且只照顾自家身子，休牵挂这些闲事！”多寿道：“退了这头亲，孩儿心下到放宽了一件。”陈青道：“待你丈人来时，你自与他讲便了。”说犹未了，丫鬟报道：“朱亲家来看女婿。”妈妈躲过。陈青邀入内书房中，多寿与丈人相见，口中称谢不尽。朱世远见女婿三分像人，七分像鬼，好生不悦。茶罢，陈青推故起身。多寿吐露衷肠，说起自家病势不痊，难以完婚，决要退亲之事，袖中取出柬帖一幅，乃是预先写下的四句诗。朱世远展开念道：

命犯孤辰恶疾缠，好姻缘是恶姻缘。

今朝撒手红丝去，莫误他人美少年。

原来朱世远初次退亲，甚非本心，只为浑家逼迫不过。今番见女婿恁般病体，又有亲笔诗句，口气决绝，不觉也动了这个念头。口里虽道：“说那里话！还是将息贵体要紧。”却把那四句诗摺好，藏于袖中，即便抽身作别。陈青在坐启下接着，便道：“适才小儿所言，出于至诚，望亲家委曲劝谕令爱俯从则个。庚帖仍旧奉还。”朱世远道：“既然贤乔梓谆谆分付，权时收下，再容奉复。”陈青送出门前。

朱世远回家，将女婿所言与浑家说了。柳氏道：“既然女婿不要媳妇时，女孩儿守他也是扯淡。你把诗意解说与女儿听，料他必然回心转意。”朱世远真个把那柬帖递与女儿，说：“陈家小官人病体不痊，亲自向我说，决要退婚。这四句诗便是他的休书了。我儿也自想终身之事，休得执迷。”多福看了诗句，一言不发，回到房中，取出笔砚，就在那诗后也写四句：

运蹇虽然恶疾缠，姻缘到底是姻缘。

从来妇道当从一，敢惜如花美少年。

自古道：好事不出门，恶事扬千里。只为陈小官自家不要媳妇，亲口回绝了丈人，这句话就传扬出去。就有张家嫂，李家婆，一班靠撮合山养家的，抄了若干表号，到朱家议亲。说的都是名门富室，聘财丰盛。虽则媒人之口，不可尽信，却也说得柳氏肚里热蓬蓬的，分明似钱玉莲母亲，巴不得登时撇了王家，许了孙家。谁知女儿多福，心如铁石，并不转移。看见母亲好茶好酒款待媒人，情知不为别件。丈夫病症又不痊，爹妈又不容守节，左思右算，不如死了干净。夜间灯下取出陈小官诗句，放在桌上，反复看了一回，约莫哭了两个更次，乘爹妈睡熟，解下束腰的罗帕，悬梁自缢。正是：

三寸气在千般用，一日无常万事休。

此际已是三更时分。也是多福不该命绝，朱世远在睡梦之中，恰像有人推醒，耳边只闻得女儿呜呜的哭声，吃了一惊，擦一擦眼睛，摇醒浑家，说道：“适才闻得女孩儿啼哭，莫非做出些事来？且去看他一看。”浑家道：“女孩儿好好的睡在房里，你却说鬼话。要看时，你自去看，老娘要睡觉哩。”

朱世远披衣而起，黑暗里开了房门，摸到女儿卧房门首，双手推门不开。连唤几声，女孩儿全不答应。只听得喉间痰响，其声异常。当下心慌，尽生平之力，一脚把房门踢开，已见桌上残灯半明不灭，女儿悬梁高挂，就如走马灯一般，团团而转。朱世远吃这一惊非小，忙把灯儿剔明，高叫："阿妈快来，女孩儿缢死了！"柳氏梦中听得此言，犹如冷雨淋身，穿衣不及，驮了被儿，就哭儿哭肉的跑到女儿房里来。

朱世远终是男子汉，有些智量，早已把女儿放下，抱在身上，将膝盖紧紧的抵住后门，缓缓的解开颈上的死结，用手去摩。柳氏一头打寒颤，一头叫唤。约莫半个时辰，渐渐魄返魂回，微微转气。柳氏口称谢天谢地，重到房中穿了衣服，烧起热水来，灌下女儿喉中，渐渐苏醒。睁开双眼，看见爹妈在前，放声大哭。爹妈道："我儿！蝼蚁尚且贪生，怎的做此短见之事？"多福道："孩儿一死，便得完名全节。又唤转来则甚？就是今番不死，迟和早少不得是一死，到不如放孩儿早去，也省得爹妈费心。譬如当初不曾养孩儿一般。"说罢，哀哀的哭之不已。朱世远夫妻两口，再三劝解不住，无可奈何。

比及天明，朱世远教浑家窝伴女儿在床眠息，自己径到城隍庙里去抽签。签语云：

时运未通亨，年来祸害侵。
云开终见日，福寿自天成。

细详签意，前二句已是准了。第三句云开终见日，是否极泰来之意。末句福寿自天成，女儿名多福，女婿名多寿，难道陈小官人病势还有好日？一夫一妇，天然成配？心中好生委决不下，回到家中。浑家兀自在女儿房里坐着，看见丈夫到来，慌忙摇手道："不要则声！女儿才停了哭，睡去了。"朱世远夜来剔灯之时，看见桌上一副柬帖，无暇观看。其时取而观之，原来就是女婿所写的诗句，后面又有一诗，认得女儿之笔。读了一遍，叹口气道："真烈女也！为父母者，正当玉成其美，岂可以非理强之。"遂将城隍庙签词，说与浑家道："福寿天成，神明嘿定。若私心更改，皇天必不护祐。况女孩儿吟诗自誓，求死不求生，我们如何看守得他了日？倘然一个眼睉，女儿死了时节，空负不义之名，反作一场笑话。据吾所见，不如把女儿嫁与陈家，一来表得我们好情，二来遂了女儿之意，也省了我们干纪。不知妈妈心下如何？"柳氏被女儿唬坏了，心头兀自突突的跳，便答应道："随你作主，我管不得这事！"朱世远道："此事还须央王三老讲。"

事有凑巧，这里朱世远走出门来，恰好王三老在门首走过。朱世远就迎住了，请到家中坐下，将前后事情，细细述了一遍。"如今欲把女儿嫁去，专求三老一言。"王三老道："老汉曾说过，只管撮合，不管撒开。今日大郎所言，是仗义之事，老汉自当效劳。”朱世远道：“小女儿见了小婿之诗，曾和得一首，情见乎词。若还彼处推托，可将此诗送看。”王三老接了柬帖，即便起身。只为两亲家紧对门居住，左脚跨出了朱家，右脚就跨进了陈家，甚是方便。

陈青听得王三老到来，只认是退亲的话，慌忙迎接问道：“三老今日光降，一定朱亲家处有言。”王三老道：“正是。”陈青道：“今番退亲，出于小儿情愿，亲家那边料无别说。”王三老道：“老汉今日此来，不是退亲，到是要做亲。”陈青道：“三老休要取笑。”王三老就将朱宅女儿如何寻死，他爹妈如何心慌，“留女儿在家，恐有不测，情愿送来服侍小官人。老汉想来，此亦两便之事。令亲家处脱了干纪，获其美名。你贤夫妇又得人帮助，令郎早晚也有个着意之人照管，岂不美哉！”陈青道：“虽承亲家那边美意，还要问小儿心下允否？”王三老就将柬帖所和诗句呈于陈青，道：“令媳和得有令郎之诗。他十分性烈，令郎若不允从，必然送了他性命，岂不可惜！”陈青道：“早晚便来回覆。”

当下陈青先与浑家张氏商议了一回，道：“媳妇如此性烈，必然贤孝。得他来贴身看觑，夫妇之间，比爹娘更觉周备。万一度得个种时，就是孩儿无命，也不绝了我陈门后代。我两个做了主，不怕孩儿不依。”当下双双两口，到书房中，对儿子多寿说知此事。多寿初时推却；及见了所和之诗，顿口无言。陈青已知儿子心肯。回覆了王三老，择下吉日，又送些衣饰之类。那边多福知是陈门来娶，心安意肯。至期，笙箫鼓乐，娶过门来。街坊上听说陈家癞子做亲，把做新闻传说道：“癞蛤蟆也有吃天鹅肉的日子。”又有刻薄的闲汉，编为口号四句：

伯牛命短偏多寿，娇香女儿偏逐臭。
红绫被里合欢时，粉花香与脓腥斗。

闲话休题。却说朱氏自过门之后，十分和顺。陈小官人全得他殷勤伏侍。怎见得：

着意殷勤，尽心伏侍。熬汤煎药，果然味必亲尝。早起夜眠，真个衣不解带。身上东疼西痒，时时抚摩。衣裳血臭脓腥，勤勤煎洗。分明傅母育娇儿，只少开胸喂乳。又似病姑逢孝妇，每思割股烹羹。雨云休想欢娱，岁月岂辞劳苦。唤娇妻有名无实，怜少妇少乐多忧。

如此两年，公姑无不欢喜。只是一件，夫妇日间孝顺无比，夜里各被各枕，分头而睡，并无同衾共枕之事。张氏欲得他两个配合雌雄，却又不好开言。忽一日进房，见媳妇不在，便道：“我儿，你枕头龌龊了，我拿去与你拆洗。”又道：“被儿也龌龊了。”做一包儿卷了出去，只留一床被、一个枕头在床。明明要他夫妇二人共枕同衾、生儿度种的意思。

谁知他夫妇二人，肚里各自有个主意。陈小官人肚里道：“自己十死九生之人，不是个长久夫妻，如何又去污损了人家一个闺女？”朱小娘子肚里又道：“丈夫恁般病体，血气全枯，怎经得女色相侵？”所以一向只是各被各枕，分头而睡。是夜只有一床被，一个枕，却都是朱小娘子的卧具。每常朱小娘子伏侍丈夫先睡，自己灯下还做针指，直待公婆都睡了，方才就寝。当夜多寿与母亲取讨枕被，张氏推道：“浆洗未干，胡乱同宿一夜罢。”朱氏将自己枕头让与丈夫安置。多寿又怕污了妻子的被窝，和衣而卧，多福亦不解衣，依旧两头各睡。次日，张氏晓得了，反怪媳妇做格，不去勾搭儿子干事，把一团美意，看做不良之心，捉鸡骂狗，言三语四，影射的发作了一场。朱氏是个聪明女子，有何难解。惟恐伤了丈夫之意，只作不知，暗暗偷泪。陈小官人也理会得了几分，甚不过意。

如此又捱过了一个年头。当初十五岁上得病，十六岁病凶，十九岁上退亲不允，二十一岁上做亲。自从得病到今，将近十载，不生不死，甚是闷人。闻得江南新到一个算命的瞎子，叫做灵先生，甚肯直言。央他推算一番，以决死期远近。原来陈多寿自得病之后，自嫌丑陋，不甚出门。今日特为算命，整整衣冠，走到灵先生铺中来。那先生排成八字，推了五星运限，便道：“这贵造是宅上何人？先告过了，若不见怪，方敢直言。”陈小官人道：“但求据理直言，不必忌讳。”先生道：“此造四岁行运，四岁至十三，童限不必说起，十四岁至二十三，此十年大忌，该犯恶疾，半死不生。可曾见过么？”陈小官人道：“见过了。”先生道：“前十年，虽是个水缺，还跳得过。二十四到三十三，这一运更不好。船遇危波亡桨舵，马逢峭壁断缰绳，此乃夭折之命。有好八字再算一个，此命不足道也！”小官人闻言，惨然无语。忙把命金送与先生，作别而行。腹内寻思，不觉泪下。想着：“那先生算我前十年已自准了，后十年运限更不好，一定是难过。我死不打紧，可怜贤德娘子伏侍了我三年，并无一宵之好。如今又连累他受苦怎的？我今苟延性命，与死无二，便多活几年，没甚好处。不如早早死了，出脱了娘子，也得他趁少年美貌，别寻头路。”此时便萌了个自尽之念。顺路到生药铺上，赎了些砒霜，藏在身边。

回到家中，不题起算命之事。至晚上床，却与朱氏叙话道：“我与你九岁上定亲，指望长大来夫唱妇随，生男育女，把家当户。谁知得此恶症，医治不痊。惟恐担误了娘子终身，两番情愿退亲。感承娘子美意不允，拜堂成亲。虽有三年之外，却是有名无实。并不敢污损了娘子玉体，这也是陈某一点存天理处。日后陈某死了，娘子别选良缘，也教你说得嘴响，不累你叫做二婚之妇。”朱氏道：“官人，我与你结发夫妻，苦乐同受。今日官人患病，即是奴家命中所招。同生同死，有何理说！别缔良姻这话，再也休题。”陈小官人道：“娘子烈性如此。但你我相守，终非长久之计。你伏事我多年，夫妻之情，已自过分。此恩料今生不能补报，来生定有相会之日。”朱氏道：“官人怎说这伤心话儿？夫妻之间，说甚补报？”两个你对我答，足足的说了半夜方睡。正是：

夫妻只说三分话，今日全抛一片心。

次日，陈小官人又与父母叙了许多说话，这都是办了个死字，骨肉之情，难割难舍的意思。看看至晚，陈小官人对朱氏说：“我要酒吃。”朱氏道：“你闲常怕发痒，不吃酒。今日如何要吃？”陈小官人道：“我今日心上有些不爽快，想酒，你与我热些烫一壶来。”朱氏为他夜来言语不祥，心中虽然疑惑，却不想到那话儿。当下问了婆婆讨了一壶上好酽酒，烫得滚热，取了一个小小杯儿，两碟小菜，都放在桌上。陈小官人道：“不用小杯，就是茶瓯吃一两瓯，到也爽利。”朱氏取了茶瓯，守着要斟。陈小官人道：“慢着，待我自斟。我不喜小菜，有果子讨些来下酒。”把这句话遣开了朱氏，揭开了壶盖，取出包内砒霜，向壶中一倾，忙斟而饮。朱氏走了几步，放心不下，回头一看，见丈夫手慌脚乱，做张做智，老大疑惑，恐怕有些跷蹊。慌忙转来，已自呷了一碗，又斟上第二碗。朱氏见酒色不佳，按住了瓯子，不容丈夫上口。陈小官人道：“实对你说，这酒内下了砒霜。我主意要自尽，免得累你受苦。如今已吃下一瓯，必然无救，索性得我尽醉而死，省得费了工夫。”说罢，又夺第二瓯去吃了。朱氏道：“奴家有言在前，与你同生同死。既然官人服毒，奴家义不独生。”遂夺酒壶在手，骨都都吃个罄尽。此时陈小官人腹中作耗，也顾不得浑家之事。须臾之间，两个做一对儿跌倒。时人有诗叹此事云：

病中只道欢娱少，死后方知情义深。
相爱相怜相殉死，千金难买两同心。

却说张氏见儿子要吃酒，妆了一碟巧糖，自己送来。在房门外，便听得服毒二字，吃了一惊，一步做两步走。只见两口儿都倒在地下，情知古怪，着了个忙，叫起屈来。陈青走到，见酒壶里面还剩有砒霜。平昔晓得一个单方，凡服砒霜者，将活羊杀了，取生血灌之，可活。也是二人命中有救，恰好左邻是个卖羊的屠户，连忙唤他杀羊取血。此时朱世远夫妻都到了。陈青夫妇自灌儿子，朱世远夫妇自灌女儿。两个亏得灌下羊血，登时呕吐，方才苏醒。馀毒在腹中，兀自皮肤迸裂，流血不已。调理月馀，方才饮食如故。

有这等异事！朱小娘子自不必说，那陈小官人害了十年癞症，请了若干名医，用药全无功效。今日服了毒酒，不意中，正合了以毒攻毒这句医书，皮肤内迸出了许多恶血，毒气泄尽，连癞疮渐渐好了。比及将息平安，疮痂脱尽，依旧头光面滑，肌细肤荣。走到人前，连自己爹娘都不认得。分明是脱皮换骨，再投了一个人身。此乃是个义夫节妇一片心肠，感动天地，所以毒而不毒，死而不死，因祸得福，破泣为笑。城隍庙签诗所谓“云开终见日，福寿自天成”，果有验矣。陈多寿夫妇俱往城隍庙烧香拜谢。朱氏将所聘银钗布施作供。王三老闻知此事，率了三邻四舍，提壶挈盒，都来庆贺，吃了好几日喜酒。

陈多寿是年二十四岁，重新读书，温习经史。到三十三岁登科，三十四岁及第。灵先生说他十年必死之运，谁知一生好事，偏在这几年之中。从来命之理微，常人岂能参透。言祸言福，未可尽信也。再说陈青和朱世远从此亲情愈高，又下了几年象棋，寿并八十馀而终。陈多寿官至佥宪，朱氏多福，恩爱无比，生下一双儿女，尽老百年。至今子孙繁盛。这回书唤作“生死夫妻”。诗曰：

从来美眷说朱陈，一局棋枰缔好姻。
只为二人多节义，死生不解赖神明。

第十卷
刘小官雌雄兄弟

衣冠未必皆男子，巾帼如何定妇人？
历数古今多怪事，高山为谷海生尘。

且说国朝成化年间，山东有一男子，姓桑，名茂，是个小家之子。垂髫时，生得红白细嫩。一日，父母教他往村中一个亲戚人家去，中途遇了大雨，闪在冷庙中躲避。那庙中先有一老妪也在内躲雨，两个做一堆儿坐地。那雨越下越大了，出头不得。老妪看见桑茂标致，将言语调他。桑茂也略通些情窍，只道老妪要他干事。临上交时，原来老妪腰间倒有本钱，把桑茂后庭弄将起来。事毕，雨还未止。桑茂终是孩子家，便问道：“你是妇道，如何有那话儿?”老妪道：“小官，我实对你说，莫要泄漏于他人。我不是妇人，原是个男子。从小缚做小脚，学那妇道妆扮，习成低声哑气，做一手好针线，潜往他乡，假称寡妇，央人引进豪门巨室行教。女眷们爱我手艺，便留在家中，出入房闱，多与妇女同眠，恣意行乐。那妇女相处情厚，整月留宿，不放出门。也有闺女贞娘，不肯胡乱的，我另有个媚药儿，待他睡去，用水喷在面上，他便昏迷不醒，任我行事。及至醒来，我已得手。他自怕羞辱，不敢声张。还要多赠金帛送我出门，嘱付我莫说。我今年四十七岁了，走得两京九省，到处娇娘美妇，同眠同卧，随身食用，并无缺乏，从不曾被人识破！”

桑茂道：“这等快活好事，不知我可学得么？”老妪道：“似小官恁般标致，扮妇女极像样了。你若肯投我为师，随我一路去，我就与你缠脚，教导你做针线，引你到人家去，只说是我外甥女儿，得便就有良遇。我一发把媚药方儿传授与你，包你一世受用不尽！”桑茂被他说得心痒，就在冷庙中四拜，投老妪为师。也不去访亲访眷，也不去问爹问娘，等待雨止，跟着老妪便走。

那老妪一路与桑茂同行同宿，出了山东境外，就与桑茂三绺梳头，包裹中取出女衫换了，脚头缠紧，套上一双窄窄的尖头鞋儿，看来就像个女子，改名郑二姐。后来年长到二十二岁上，桑茂要辞了师父，自去行动。师父分付道：“你少年老成，定有好人相遇。只一件，凡得意之处，不可久住。多则半月，少则五日，就要换场，免露形迹。还一件，做这道儿，多见妇人，少见男子，切忌与男子相近交谈。若有男子人家，预先设法躲避。倘或被他看出破绽，性命不保。切记，切记！”桑茂领教，两下分别。

后来桑茂自称郑二娘，各处行游哄骗。也走过一京四省。所奸妇女，不计其数。到三十二岁上，游到江西一个村镇，有个大户人家女眷留住，传他针线。那大户家妇女最多，桑茂迷恋不舍，住了二十馀日不去。大户有个女婿，姓赵，是个纳粟监生，一日，赵监生到岳母房中作揖，偶然撞见了郑二娘，爱其俏丽，嘱付妻子接他来家。郑二娘不知就里，欣然而往。被赵监生邀入书房，拦腰抱住，定要求欢。郑二娘抵死不肯，叫喊起来。赵监生本是个粗人，惹得性起，不管三七二十一，竟按倒在床上去解他裤裆。郑二娘挡抵不开，被赵监生一手插进，摸着了那话儿，方知是个男人女扮。当下叫起家人，一索捆翻，解到官府。用刑严讯，招称真姓真名，及向来行奸之事，污秽不堪。府县申报上司，都道是从来未有之变。具疏奏闻，刑部以为人妖败俗，律所不载，拟成凌迟重辟，决不待时。可怜桑茂假充了半世妇人，讨了若干便宜，到头来死于赵监生之手。正是：

福善祸淫天有理，律轻情重法无私。

方才说的是男人妆女败坏风化的。如今说个女人妆男，节孝兼全的来正本，恰似：

薰莸不共器，尧舜好相形。

毫厘千里谬，认取定盘星。

这话本也出在本朝宣德年间，有一老者，姓刘，名德，家住河西务镇上。这镇在运河之旁，离北京有二百里之地，乃各省出入京都的要路。舟楫聚泊，

如蚂蚁一般。车音马迹，日夜络绎不绝。上有居民数百馀家。边河为市，好不富庶。那刘德夫妻两口，年纪六十有馀，并无弟兄子女。自己有几间房屋，数十亩田地，门首又开一个小酒店儿。刘公平昔好善，极肯周济人的缓急。凡来吃酒的，偶然身边银钱缺少，他也不十分计较。或有人多把与他，他便勾了自己价钱，馀下的定然退还，分毫不肯苟取。有晓得的，问道："这人错与你的，落得将来受用，如何反把来退还？"刘公说："我身没有子嗣，多因前生不曾修得善果，所以今世罚做无祀之鬼，岂可又为恁样欺心的事！倘然命里不该时，错得了一分到手，或是变出些事端，或是染患些疾病，反用去几钱，却不倒折便宜？不若退还了，何等安逸。"因他做人公平，一镇的人无不敬服，都称为刘长者。

一日，正值隆冬天气，朔风凛冽，彤云密布，降下一天大雪。原来那雪：

能穿帷幕，善度帘栊。乍飘数点，俄惊柳絮飞扬。狂舞一番，错认梨花乱坠。声从竹叶传来，香自梅枝递至。塞外征人穿冻甲，山中隐士拥寒衾。王孙绮席倒金尊，美女红炉添兽炭。

刘公因天气寒冷，暖起一壶热酒，夫妻两个向火对饮，吃了一回，起身走到门首看雪。只见远远一人背着包裹，同个小厮迎风冒雪而来。看看至近，那人扑的一交，跌在雪里，挣扎不起。小厮便向前去搀扶。年小力微，两个一拖，反向下边跌去，都滚做一个肉饺儿。抓了好一回，方才得起。刘公擦摩老眼看时，却是六十来岁的老儿，行缠绞脚，八搭麻鞋，身上衣服甚是褴褛。这小厮到也生得清秀，脚下穿一双小布褕鞋。

那老儿把身上雪片抖净，向小厮道："儿，风雪甚大，身上寒冷，行走不动。这里有酒在此，且买一壶来，荡荡寒再行。"便走入店来，向一副座头坐下，把包裹放在桌上，小厮坐于旁边。刘公去暖一壶热酒，切一盘牛肉，两碟小菜，两副杯箸，做一盘儿托过来摆在桌上。小厮捧过壶来，斟上一杯，双手递与父亲，然后筛与自己。刘公见他年幼，有些礼数，便问道："这位是令郎么？"那老儿道："正是小犬。"刘公道；"今年几岁了？"答道："乳名申儿，十二岁了。"又问道："客官尊姓？是往那里去的？恁般风雪中行走？"那老儿答道："老汉方勇，是京师龙虎卫军士，原籍山东济宁。今要回去取讨军庄盘缠，不想下起雪来。"问主人家尊姓，刘公道："在下姓刘，招牌上近河，便是贱号。"又道："济宁离此尚远，如何不寻个脚力，却受这般辛苦？"答道："老汉是个穷军，那里雇得起脚力！只得慢慢的挨去罢了。"

刘公举目看时，只见他单把小菜下酒，那盘牛肉，全然不动。问道："长官父子想都是奉斋么？"答道："我们当军的人，吃什么斋！"刘公道："既不奉斋，如何不吃些肉儿？"答道："实不相瞒，身边盘缠短少，吃小菜饭儿，还恐走不到家。若用了这大菜，便去了几日的口粮，怎生得到家里？"

刘公见他说得恁样穷乏，心中惨然，便道："这般大雪，腹内得些酒肉，还可挡得风寒。你只管用，我这里不算账罢了。"老军道："主人家休得取笑！那有吃了东西，不算账之理？"刘公道："不瞒长官说，在下这里，比别家不同。若过往客官，偶然银子缺少，在下就肯奉承。长官既没有盘缠，只算我请你罢了。"老军见他当真，便道："多谢厚情，只是无功受禄，不当人子。老汉转来，定当奉酬。"刘公道："四海之内，皆兄弟也。这些小东西，值得几何，怎说这奉酬的话！"老汉方才举箸。刘公又盛过两碗饭来，道："一发吃饱了好行路。"老军道："忒过分了！"父子二人正在饥馁之时，拿起饭来，狼餐虎咽，尽情一饱。这才是：

救人须救急，施人须当厄。
渴者易为饮，饥者易为食。

当下吃完饭，刘公又叫妈妈点两杯热茶来吃了。老军便腰间取出银子来还饭钱。刘公连忙推住道："刚才说过，是我请你的，如何又要银子？恁样时，到像在下说法卖这盘肉了。你且留下，到前途去盘缠。"老军便住了手，千恩万谢，背上了包裹，作辞起身。

走出门外，只见那雪越发大了。对面看不出人儿。被寒风一吹，倒退下几步。小厮道："爹，这般大雪，如何行走？"老军道："便是没奈何，且捱到前途，觅个宿店歇罢。"小厮眼中便流下泪来。刘公心中不忍，说道："长官，这般风寒大雪，着甚要紧，受此苦楚！我家空房床铺尽有，何不就此安歇，候天晴了走，也未迟。"老军道："若得如此，甚好，只是打搅不当。"刘公道："说那里话题！谁人是顶着房子走的？快些进来，不要打湿了身上。"老军引着小厮，重新进门。

刘公领去一间房里，把包裹放下。看床上时，席子草荐都有。刘公还怕他寒冷，又取出些稻草来，放在上面。老军打开包裹，将出被窝铺下。此时天气尚早，安顿好了，同小厮走出房来。刘公已将店面关好，同妈妈向火，看见老军出房，便叫道："方长官，你若冷时，有火在此，烘一烘暖活也好。"老军道："好到好，只是奶奶在那里，恐不稳便。"刘公道："都是老人家了，不妨得。"老汉方才同小厮走过来，坐于火边。那时比前又加识熟，便称起号来，说："近河，怎么只有老夫妻两位，想是令郎们另居么？"刘公道："不瞒你说，老拙夫妻今年都痴长六十四岁，从来不曾生育，那里得有儿子？"老军道："何不承继一个，伏侍你老年也好。"刘公答道："我心里初时也欲得如此，因常见人家承继来的，不得他当家替力，反惹闲气，不如没有的到得清净。总要时，急切不能有个中意的，故此休了这念头。若得你令郎这样一个，却便好了，只是如何得能够？"两个闲话一回，看看已晚，老军讨了个灯火，叫声安置，同儿子到客房中来安歇。对儿子说："儿，今日天幸得遇这样好人。若没有他时，冻也要冻死了。明日莫管天晴下雪，早些走罢。打搅他，心上不安。”小厮道：“爹说得是！”父子上床安息。

不想老军受了些风寒，到下半夜，火一般热起来，口内只是气喘，讨汤水吃。这小厮家夜晚间又在客店里，那处去取。巴到天明，起来开房门看时，那刘公夫妻还未曾起身，他又不敢惊动。原把门儿掩上，守在床前。少顷，听得外面刘公咳嗽声响，便开门走将出来。刘公一见，便道：“小官儿，如何起得恁早？”小厮道：“告公公得知，不想爹爹昨夜忽然发起热来，口中不住吁喘，要讨口水吃，故此起得早些。”刘公道：“阿呀！想是他昨日受些寒了。这冷水怎么吃得？待我烧些热汤与你。”小厮道：“怎好又劳公公？”刘公便教妈妈烧起一大壶滚汤。刘公送到房里，小厮扶起来吃了两碗。老军睁眼观看，见刘公在旁，谢道：“难为你老人家！怎生报答？”刘公走近前道：“休恁般说。你且安心自在，盖热了，发出些汗来便好了。”小厮放倒下去。刘公便扯被儿与他盖好，见那被儿单薄，说道：“可知道着了寒！如何这被恁薄？怎能发的汗出？”妈妈在门口听见，即去取出一条大絮被来道：“老官儿，有被在此，你与他盖好了。这般冷天气，不是当耍的。”小厮便来接去。刘公与他盖得停当，方才走出。

少顷，梳洗过，又走进来，问：“可有汗么？”小厮道：“我才摸时，并无一些汗气。”刘公道：“若没汗时，这寒气是感的重的了，须请个太医来用药，表他的汗出来方好。不然，这风寒怎能勾发泄？”小厮道：“公公，身伴无钱，将何请医服药？”刘公道：“不消你费心，有我在此。”小厮听说，即便叩头道：“多蒙公公厚恩，救我父亲。今生若不能补报，死当为犬马偿恩！”刘公连忙扶起道：“快不要如此，既在此安宿，我便是亲人了，岂忍坐视！你自去房中伏侍，老汉与你迎医。”

其日雪止天霁，街上的积雪被车马践踏，尽为泥泞，有一尺多深。刘公穿了木屐，出街头望了一望，复身进门。小厮看刘公转进来，只道不去了，噙着两行泪珠，方欲上前叩问，只见刘公从后屋牵出个驴儿骑了，出门而去。小厮方才放心。

且喜太医住得还近，不多时便到了。那太医也骑个驴儿，家人背着药箱，随在后面，到门首下了。刘公请进堂中，吃过茶，然后引至房里。此时老军已是神思昏迷，一毫人事不省。太医诊了脉，说道：“这是个双感伤寒，风邪已入于腠理。伤寒书上有两句歌云：‘两感伤寒不须治，阴阳毒过七朝期。’此乃不治之症。别个医家，便要说还可以救得。学生是老实的，不敢相欺，这病下药不得了。”小厮见说，惊得泪如雨下，拜倒在地上道：“先生可怜我父子是个异乡之人，怎生用帖药救得性命，决不忘恩！”太医扶起道：“不是我做难，其实病已犯实，教我也无奈。”刘公道：“先生，常言道：药医不死病，佛度有缘人。你且不要拘泥古法，尽着自家意思，大了胆医去，或者他命不该绝，就好了也未可知。万一不好，决无归怨你之理。”先生道：“既是长者恁般说，且用一帖药看。若吃了发得汗出，便有可生之机，速来报我，再将药与他吃。若没有汗时，这病就无救了，不消来覆我。”教家人开了药箱儿，撮了一帖药剂递与刘公道：“用生姜为引，快煮与他吃。这也是万分之一，莫做指望。”刘公接了药，便去封出一百文钱，递与太医道：“些少药资，权为利市。”太医必不肯受而去。

刘公夫妻两口，亲自把药煎好，将到房中与小厮相帮，扶起吃了，将被没头没脑的盖下。小厮在旁守候。刘公因此事忙乱一朝，把店中生意都担阁了，连饭也没工夫去煮。直到午上，方吃早膳。刘公去唤小厮吃饭。那小厮见父亲病重，心中慌急，那里要吃。再三劝慰，才吃了半碗。看看到晚，摸那老军身上，并无一些汗点。那时连刘公也慌张起来。又去请太医时，不肯来了。准准到第七日，呜呼哀哉。正是：

三寸气在千般用，一日无常万事休。

可怜那小厮申儿哭倒在地。刘公夫妇见他哭的悲切，也涕泪交流，扶起劝道：“方小官，死者不可复生，哭之无益。你且将息自己身子。”小厮双膝跪下哭告道：“儿不幸，前年丧母，未能入土，故与父谋归原籍，求取些银两来殡葬。不想逢此大雪，路途艰楚。得遇恩人，赐以酒饭，留宿在家，以为万千之幸。谁料皇天不祐，父忽骤病。又蒙恩人延医服药，日夜看视，胜如骨肉。只指望痊愈之日，图报大恩，那知竟不能起，有负盛意！此间举目无亲，囊乏钱钞，衣棺之类，料不能办。欲求恩人借数尺之土，把父骸掩盖，儿情愿终身为奴仆，以偿大德。不识恩人肯见允否？”说罢，拜伏在地。刘公扶起道：“小官人休虑！这送终之事，都在于我。岂可把来藁葬？”小厮又哭拜道：“得求隙地埋骨，已出望外，岂敢复累恩人费心坏钞！此恩此德，教儿将何补报？”刘公道：“这是我平昔自愿，那望你的报偿！”当下忙忙的取了银子，便去买办衣衾棺木。唤两个土工来，收拾人殓过了。又备羹饭祭奠，焚化纸钱，那小厮悲恸，自不必说。就抬到屋后空地上埋葬好了。又立一个碑额，上写“龙虎卫军士方勇之墓”。诸事停当，小厮向刘公夫妇叩头拜谢。

过了两日，刘公对小厮道：“我欲要教你回去，访问个亲族来，搬丧回乡，又恐怕你年纪幼小，不认得路途。你且暂住我家，俟有识熟的在此经过，托他带回故乡，然后徐图运柩回去。不知你的意下何如？”小厮跪下泣告道：“儿受公公如此大恩，地厚天高，未曾报得，岂敢言归！且恩人又无子嗣，儿虽不才，倘蒙不弃，收充奴仆，朝夕伏侍，少效一点孝心。万一恩人百年之后，亦堪为坟前拜扫之人。那时到京取回先母遗骨，同父骸葬于恩人墓道之侧，永守于此，这便是儿之心愿。”刘公夫妇大喜道：“若得你肯如此，乃天赐与我为嗣，岂有为奴仆之理！今后当以父子相称。”小厮道：“即蒙收留，即今日就拜了爹妈。”便掇两把椅儿居中放下，请老夫妇坐了。四双八拜，认为父子，遂改姓为刘。刘公又不忍没其本姓，就将方字为名，唤做刘方。自此日夜辛勤，帮家过活，奉侍刘公夫妇，极其尽礼孝敬。老夫妇也把他如亲生一般看待。有诗为证：

刘方非亲是亲，刘德无子有子。

小厮事死事生，老军虽死不死。

时光似箭，不觉刘方在刘公家里已过了两个年头。时值深秋，大风大雨，下了半月有馀。那运河内的水，暴涨有十来丈高下，犹如白沸汤一般，又紧又急。往来的船只，坏了无数。一日午后，刘方在店中收拾，只听得人声鼎沸。他只道甚么火发，忙来观看，见岸上人捱挤不开，都望着河中。急走上前来看时，却是上流头一只大客船，被风打坏，淌将下来。船上之人，飘溺已去大半，馀下的抱桅攀舵，呼号哀泣，只叫“救人”。那岸上看的人，虽然有救捞之念，只是风水利害，谁肯从井救人？眼睁睁看他一个个落水，口中只好叫句“可怜”而已。忽然一阵大风，把那船吹近岸旁。岸上人一齐喊声“好了”！顷刻挽挠钩子二十多张，一齐都下，搭住那船，救起十数多人，各自分头投店内。

有一个少年，年纪不上二十，身上被挠钩摘伤几处，行走不动，倒在地下，气息将绝，尚紧紧抱住一只竹箱，不肯放舍。刘方在旁睹景伤情，触动了自己往年冬间之事，不觉流下泪来，想道：“此人之苦，正与我一般。我当时若没有刘公时，父子尸骸不知归于何处矣。这人今日却便没人怜救了，且回去与爹妈说知，救其性命。”急急转家，把上项事报知刘公夫妇，意欲扶他回家调养。刘公道：“此是阴德美事，为人正该如此。”刘妈妈道：“何不就同他来家?”刘方道：“未曾禀过爹妈，怎敢擅便?”刘公道：“说那里话！我与你同去。”

父子二人，行至岸口，只见众人正围着那少年观看。刘公分开众人，捱身而入，叫道：“小官人，你挣扎着，我扶你到家去将息。”那少年睁眼看了一看，点点头儿。刘公同刘方向前搀扶。一个年幼力弱，一个年老衰迈，全不济事。旁边转过一个轩跎刺的后生道：“老人家闪开，待我来。”向前一抱，轻轻的就扶了起来。那后生在右，刘公在左，两旁挟住胳膊便走。少年虽然说话不出，心下却甚明白，把嘴努着竹箱。刘方道：“这箱子待我与你驮去。”把来背在肩上，在前开路。

众人闪在两边，让他们前行，随后便都跟来看。内中认得刘公的，便道：“还是刘长者有些义气。这个异乡落难之人，在此这一回，并没有个慈悲的，肯收留回去，偏他一晓得了便搀扶回家。这样人，真个世间少有！只可惜无个儿子，这也是天公没分晓。”又有道：“他虽没有亲儿，如今承继这刘方，甚是孝顺，比嫡亲的尤胜，这也算是天报他了。”那不认得的，见他老夫老妻自来搀扶，一个小厮与他驮了竹箱，就认做那少年的亲族。以后见土人纷纷传说，方才晓得，无不赞叹其义。还有没肚子的人，称量他那竹箱内有物无物，财多财少。此乃是人面相似，人心不同，不在话下。

且说刘公同那后生扶少年到家，向一间客房里放下。刘公叫声“劳动”，后生自去。刘方把竹箱就放在少年之旁。刘妈妈连忙去取干衣，与他换下湿衣，然后扶在铺上。原来落水人吃不得热酒，刘公晓得这道数，教妈妈取酽酒略温一下，尽着少年痛饮，就取刘方的卧被，与他盖了，夜间就教刘方伴他同卧。到次早，刘公进房来探问。那少年已觉健旺，连忙挣扎起来，要下床称谢。刘公急止住道：“莫要劳动，调养身子要紧！”那少年便向枕上叩头道：“小子乃垂死之人，得蒙公公救拔，实乃再生之父母。但不知公公尊姓？”刘公道：“老拙姓刘。”少年道：“原来与小子同姓。”刘公道：“官人那里人氏？”少年答道：“小子刘奇，山东张秋人氏。二年前，随父三考在京。不幸遇了时疫，数日之内，父母俱丧，无力扶柩还乡，只得将来火化。”指着竹箱道：“奉此骸骨归葬，不想又遭此大难。自分必死，天幸得遇恩人，救我之命。只是行李俱失，一无所有，将何报答大恩？”刘公道：“官人差矣！不忍之心，人皆有之。救人一命，胜造七级浮屠。若说报答，就是为利了，岂是老汉的本念。”刘奇见说，愈加感激。将息了两日，便能起身，向刘公夫妇叩头泣谢。那刘奇为人温柔俊雅，礼貌甚恭。刘公夫妇十分爱他，早晚好酒好食管待。刘奇见如此殷勤，心上好生不安。欲要辞归，怎奈钩伤之处溃烂成疮，步履不便，身边又无盘费，不能行动，只得权且住下。正是：

不恋故乡生处好，受恩深处便为家。

却说刘方与刘奇年貌相仿，情投契合，各把生平患难细说。二人因念出处相同，遂结拜为兄弟，友爱如嫡亲一般。一日，刘奇对刘方道：“贤弟如此美质，何不习些书史？”刘方道：“弟甚有此志，只是无人教导。”刘奇道：“不瞒贤弟说，我自幼攻书，博通今古，指望致身青云。不幸先人弃后，无心于此。贤弟肯读书时，寻些书本来，待我指引便了。”刘方道：“若得如此，乃弟之幸也。”连忙对刘公说知。刘公见说是个饱学之士，肯教刘方读书，分外欢喜，即便去买许多书籍。刘奇罄心指教，那刘方颖悟过人，一诵即解。日里在店中看管，夜间挑灯而读。不过数月，经书词翰，无不精通。

且说刘奇在刘公家中住有半年，彼此相敬相爱，胜如骨肉。虽然依傍得所，只是终日坐食，心有不安。此时疮口久愈，思想要回故土，来对刘公道：“多蒙公公夫妇厚恩，救活残喘，又搅扰半年，大恩大德，非口舌可谢。今欲暂辞公公，负先人骸骨归葬。服阕之后，当图报效。”刘公道：“此乃官人的孝心，怎好阻当，但不知几时起行？”刘奇道：“今日告过公公，明早就走。”刘公道：“既如此，待我去觅个便船与你。”刘奇道：“水路风波险恶，且乏盘缠，还从陆路行罢。”刘公道：“陆路脚力之费，数倍于舟，且又劳碌。”刘奇道：“小子不用脚力，只是步行。”刘公道：“你身子怯弱，如何走得远路？”刘奇道：“公公，常言道的好，有银用银，无银用力。小子这样穷人，还惜得什么辛苦！”刘公想了一想，道：“这也易处。”便教妈妈整备酒肴，与刘奇送行。饮至中间，刘公泣道：“老拙与官人萍水相逢，聚首半年，恩同骨肉，实是不忍分离。但官人送尊人入土，乃人子大事，故不好强留。只是自今一别，不知后日可能得再见了？”说罢，歔欷不胜。刘妈妈与刘方尽皆泪下。刘奇也泣道：“小子此行，实非得已。俟服一满，即星夜驰来奉候，幸勿过悲。”刘公道：“老拙夫妇年近七旬，如风中之烛，早暮难保。恐君服满来时，在否不可知矣。倘若不弃，送尊人入土之后，即来看我，也是一番相知之情。”刘奇道：“既蒙嘱付，敢不如命。”一宿晚景不题。

到了次早清晨，刘妈妈又整顿酒饭与他吃了。刘公取出一个包裹，放在桌上，又叫刘方到后边牵出那小驴儿来，对刘奇道：“此驴畜养已久，老汉又无远行，少有用处，你就乘他去罢，省得路上雇倩。这包裹内是一床被窝，几件粗布衣裳，以防路上风寒。”又在袖中摸一包银子交与道：“这三两银子，将就盘缠，亦可到得家了。但事完之后，即来走走，万勿爽信。”刘奇见了许多厚赠，泣拜道：“小子受公公如此厚恩，今生料不能报，俟来世为犬马以酬万一。”刘公道：“何出此言！”当下将包裹竹箱都装在牲口身上，作别起身。刘公夫妇送出门首，洒泪而别。刘方不忍分舍，又送十里之外，方才分手。正是：

萍水相逢骨肉情，一朝分袂泪俱倾。
骊驹唱罢劳魂梦，人在长亭共短亭。

且说刘奇一路夜住晓行，饥餐渴饮，不一日来到山东故乡。那知去年这场大风大雨，黄河泛溢，张秋村镇，尽皆漂溺，人畜庐舍，荡尽无遗。举目遥望时，几十里田地，绝无人烟。刘奇无处投奔，只得寄食旅店。思想欲将骸骨埋葬于此，却又无处依栖，何以营生？须寻了个着落之处，然后举事。遂往各处市镇乡村访问亲旧，一无所遇。住了月馀，这三两银子盘费将尽，心下着忙：“若用完了这银子，就难行动了。不如原往河西务去求恩人一搭空地，埋了骨殖，倚傍在彼处，还是个长策。”算还店钱，上了牲口，星夜赶来。

到了刘公门首，下了牲口。看时，只见刘方正在店中，手里拿着一本书儿在那里观看。刘奇叫声：“贤弟，公公妈妈一向好么？”刘方抬头看时，却是刘奇。把书撇下，忙来接住牲口，牵入家中，卸了行李，作揖道：“爹妈日夜在此念兄，来得正好！”一齐走入堂中。刘公夫妇看见，喜从天降，便道：“官人，想杀我也！”刘奇上前倒身下拜。刘公还礼不迭。见罢，问道：“尊人之事，想已毕了？”刘奇细细泣诉前因，又道：“某故乡已无处容身，今复携骸骨而来，欲求一搭馀地葬埋，就拜公公为父，依傍于此，朝夕奉侍，不知尊意允否？”刘公道：“空地尽有，任凭取择。但为父子，恐不敢当。”刘奇道：“若公公不屑以某为子，便是不允之意了。”即便请刘公夫妇上坐，拜为父子，将骸骨也葬于屋后地上。自此兄弟二人，并力同心，勤苦经营，家业渐渐兴隆。服侍公母，备尽人子之礼。合镇的人，没一个不欣羡刘公无子而有子，皆是阴德之报。

时光迅速，倏忽又经年馀。父子正安居乐业，不想刘公夫妇，年纪老了，筋力衰倦，患起病来。二子日夜服侍，衣不解带，求神罔效，医药无功。看看待尽。二子心中十分悲切，又恐伤了父子之心，惟把言语安慰，背地吞声而泣。刘公自知不起，呼二子至床前分付道：“我夫妇老年孤孑，自谓必作无祀之鬼，不意天地怜念，赐汝二人与我为嗣。名虽义子，情胜嫡血。我死无遗恨矣！但我去世之后，汝二人务要同心经业，共守此薄产，我于九泉亦得瞑目。”二子哭拜受命。又延两日，夫妻相继而亡。二子怆地呼天，号啕痛哭，恨不得以身代替。置办衣衾棺椁，极其从厚。又请僧人做九昼夜功果超荐。入殓之后，兄弟商议筑起一个大坟，要将三家父母合葬一处。刘方遂至京中，将母柩迎来，择了吉日，以刘公夫妇葬于居中，刘奇迁父母骸骨葬于左边，刘方父母葬于右边，三坟拱列，如连珠相似。那合镇的人，一来慕刘公向日忠厚之德，二来敬他弟兄之孝，尽来相送。

话休絮烦。且说刘奇二人自从刘公亡后，同眠同食，情好愈笃。把酒店收了，开起一个布店来。四方过往客商来买货的，见二人少年志诚，物价公道，传播开去，慕名来买者，挨挤不开。一二年间，挣下一个老大家业，比刘公时已多数倍。讨了两房家人，两个小厮，动用家伙器皿，甚是次第。

那镇上有几个富家，见二子家业日裕，少年未娶，都央媒来与之议姻。刘奇心上已是欲得，只是刘方却执意不愿。刘奇劝道：“贤弟今年一十有九，我已二十有二，正该及时求配，以图生育，接续三家宗祀，不知贤弟为何不愿？”刘方答道：“我与兄方在壮年，正好经营生理，何暇去谋此事！况我弟兄向来友爱，何等安乐，万一娶了一个不好的，反是一累，不如不娶为上。”刘奇道：“不然，常言说得好：无妇不成家。你我俱在店中支持了生意时，里面绝然无人照管。况且交游渐广，设有个客人到来，中馈无人主持，成何体面？此还是小事。当初义父以我二人为子时，指望子孙绍他宗祀，世守此坟。今若不娶，必然湮绝，岂不负其初念，何颜见之泉下。”再三陈说，刘方只把言支吾，终不肯应承。刘奇见兄弟不允，自已又不好独娶。

一日，偶然到一相厚朋友钦大郎家中去探望。两个偶然言及姻事，刘奇乃把刘方不肯之事，细细说与。又道：“不知舍弟是甚主意？”钦大郎笑道：“此事浅而易见。他与兄共创家业，况他是先到，兄是后来，不忿得兄先娶，故此假意推托。”刘奇道：“舍弟乃仁义端直之士，决无此事。”钦大郎道：“令弟少年英俊，岂不晓得夫妇之乐，恁般推阻？兄若不信，且教个人私下去见他，先与之为媒，包你一说就是。”刘奇被人言所惑，将信将疑，作别而回。恰好路上遇见两个媒婆，正要到刘奇家说亲，所说的是本镇开细缎店崔三朝奉家。叙起年庚，正与刘方相合。刘奇道：“这门亲正对我家二官人，只是他有些古怪，人面前就害羞。你只悄地去对他说。若说得成时，自当厚酬。我且不归去，坐在巷口油店里等你回话。两个媒婆应声而去。不一时，回覆刘奇道：“二官人果是古怪。老媳妇恁般撺掇，只是不允。再说时，他喉急起来，好教媳妇们老大没趣。”

刘奇方才信刘方不肯是个真心。但不知甚么意故。一日，见梁上燕儿营巢，刘奇遂题一词于壁上，以探刘方之意，词云：

营巢燕，双双雄，朝暮衔泥辛苦同。若不寻雌继壳卵，巢成毕竟巢还空。

刘方看见，笑诵数次，亦援笔和一首于后，词曰：

营巢燕，双双飞，天设雌雄事久期。雌兮得雄愿已足，雄兮将雌胡不知？

刘奇见了此词，大惊道：“据这词中之意，吾弟乃是个女子了。怪道他恁般娇弱，语音纤丽，夜间睡卧，不脱内衣，连袜子也不肯去。酷暑中还穿着两层衣服。原来他却学木兰所为。”

虽然如此，也还疑惑，不敢去轻易发言。又到钦大郎家中，将词念与他听。钦大郎道：“这词意明白，令弟确然不是男子。但与兄数年同榻，难道看他不出？”刘奇叙他向来并未曾脱衣之事。钦大郎道：“恁般一发是了！如今兄当以实问之，看他如何回答。”刘奇道：“我与他恩义甚重，情如同胞，安忍启口。”钦大郎道：“他若果然是个女子，与兄成配，恩义两全，有何不可。”谈论已久，钦大郎将出酒肴款待。两人对酌，竟不觉至晚。

刘奇回至家时，已是黄昏时候。刘方迎着，见他已醉，扶进房中问道：“兄从何处饮酒，这时方归？”刘奇答道：“偶在钦兄家小饮，不觉话长坐久。”口中虽说，细细把他详视。当初无心时，全然不觉是女，此时已是有心辨他真假，越看越像个女子了。刘奇虽无邪念，心上却要见个明白，又不好直言。乃道：“今日见贤弟所和燕子词，甚佳，非愚兄所能及。但不知贤弟可能再和一首否？”刘方笑而不答，取过纸笔来，一挥而就。词曰：

营巢燕，声声叶，莫使青年空岁月。可怜和氏璧无瑕，何事楚君终不纳？

刘奇接来看了，便道：“原来贤弟确是女子。”刘方闻言，羞得满脸通红，未及答言。刘奇又道：“你我情同骨肉，何必避讳？但不识贤弟昔年因甚如此妆束？”刘方道：“妾初因母丧，随父还乡，恐途中不便，故为男扮。后因父殁，尚埋浅土，未得与母同葬。妾故不敢改形。欲求一安身之地，以厝先灵。幸得义父遗此产业，父母骸骨，得以归土。妾是时意欲说明，因思家事尚微，恐兄独力难成，故复迟迟。今见兄屡劝妾婚配，故不得不自明耳。”刘奇道：“原来贤弟用此一段苦心，成全大事。况我与你同榻数年，不露一毫圭角，真乃节孝兼全，女中丈夫，可敬可羡！但弟词中已有俯就之意，我亦决无他娶之理。萍水相逢，周旋数载，昔为兄弟，今为夫妇，此岂人谋，实繇天合。倘蒙一诺，便订百年。不知贤弟意下如何？”刘方道：“此事妾亦筹之熟矣。三宗坟墓，俱在于此，妾若适他人，公母三尺之土，朝夕不便省视。况义父义母，看待你我犹如亲生。弃此而去，亦难恝然。兄若不弃陋质，使妾得侍箕帚，供奉三姓香火，妾之愿也。但无媒私合，于礼有亏。惟兄裁酌而行，免受傍人谈议，则全美矣。”刘奇道：“贤弟高见，即当处分。”是晚两人便分房而卧。

次早，刘奇与钦大郎说了，请他大娘为媒，与刘方说合。刘方已自换了女妆。刘奇备办衣饰，择了吉日，先往三个坟墓上祭告过了，然后花烛成亲，大排筵席，广请邻里。那时哄动了河西务一镇，无不称为异事。赞叹刘家一门孝义贞烈。刘奇成亲之后，夫妇相敬如宾，挣起大大家事，生下五男二女。至今子孙蕃盛，遂为巨族。人皆称为刘方三义村云。有诗为证：

无情骨肉成吴越，有义天涯作至亲。
三义村中传美誉，河西千载想奇人。

第十一卷
苏小妹三难新郎

聪明男子做公卿，女子聪明不出身。
若许裙钗应科举，女儿那见逊公卿？

自混沌初辟，乾道成男，坤道成女，虽则造化无私，却也阴阳分位。阳动阴静，阳施阴受，阳外阴内。所以男子主四方之事，女子主一室之事。主四方之事的，顶冠束带，谓之丈夫；出将入相，无所不为；须要博古通今，达权知变。主一室之事的，三绺梳头，两截穿衣。一日之计，止无过饔飧井臼；终身之计，止无过生男育女。所以大家闺女，虽曾读书识字，也只要他识些姓名，记些帐目。他又不应科举，不求名誉，诗文之事，全不相干。然虽如此，各人资性不同。有等愚蠢的女子，教他识两个字，如登天之难。有等聪明的女子，一般过目成诵，不教而能。吟诗与李杜争强，作赋与班马斗胜。这都是山川秀气，偶然不钟于男而钟于女。且如汉有曹大家，他是个班固之妹，代兄续成汉史。又有个蔡琰，制《胡笳十八拍》，流传后世。晋时有个谢道韫，与诸兄咏雪，有柳絮随风之句，诸兄都不及他。唐时有个上官婕妤，中宗皇帝教他品第朝臣之诗，臧否一一不爽。至于大宋妇人，出色的更多。就中单表一个叫作李易安，一个叫作朱淑真。他两个都是闺阁文章之伯，女流翰苑之才。论起相女配夫，也该对个聪明才子。争奈月下老错注了婚籍，都嫁了无才无学之人，每每怨恨之情，形于笔札。有诗为证：

鸥鹭鸳鸯作一池，曾知羽翼不相宜！

东君不与花为主，何似休生连理枝！

那李易安有《伤秋》一篇，调寄《声声慢》：

寻寻觅觅，冷冷清清，凄凄惨惨戚戚。乍暖还寒时候，正难将息。三杯两盏淡酒，怎敌他晚来风力？雁过也，总伤心，却是旧时相识。　　满地黄花堆积，憔悴损，如今有谁堪摘。守着窗儿，独自怎生得黑？梧桐更兼细雨，到黄昏，点点滴滴。这次第，怎一个愁字了得！

朱淑真时值秋间，丈夫出外，灯下独坐无聊，听得窗外雨声滴点，吟成一绝：

哭损双眸断尽肠，怕黄昏到又昏黄。

那堪细雨新秋夜，一点残灯伴夜长！

后来刻成诗集一卷，取名《断肠集》。

说话的，为何单表那两个嫁人不着的？只为如今说一个聪明女子，嫁着一个聪明的丈夫，一唱一和，遂变出若干的话文。正是：

说来文士添佳兴，道出闺中作美谈。

话说四川眉州，古时谓之蜀郡，又曰嘉州，又曰眉山。山有蟇颐、峨眉，水有岷江、环湖。山川之秀，钟于人物，生出个博学名儒来，姓苏名洵，字允明，别号老泉。当时称为老苏。老苏生下两个孩儿，大苏小苏。大苏名轼，字子瞻，别号东坡；小苏名辙，字子由，别号颍滨。两子都有文经武纬之才，博古通今之学，同科及第，名重朝廷，俱拜翰林学士之职。天下称他兄弟，谓之二苏。称他父子，谓之三苏。这也不在话下。

更有一桩奇处，那山川之秀，偏萃于一门。两个儿子未为希罕，又生个女儿，名曰小妹，其聪明绝世无双，真个闻一知二，问十答十。因他父兄都是个大才子，朝谈夕讲，无非子史经书，目见耳闻，不少诗词歌赋。自古道：近朱者赤，近墨者黑。况且小妹资性过人十倍，何事不晓。十岁上随父兄居于京师寓中，有绣球花一树，时当春月，其花盛开。老泉赏玩了一回，取纸笔题诗，才写得四句，报说："门前客到！"老泉阁笔而起。小妹闲步到父亲书房之内，看见桌上有诗四句：

天巧玲珑玉一邱，迎眸烂熳总清幽。

白云疑向枝间出，明月应从此处留。

小妹览毕，知是咏绣球花所作，认得父亲笔迹，遂不待思索，续成后四句云：

瓣瓣拆开蝴蝶翅，团团围就水晶球。

假饶借得香风送，何羡梅花在陇头。

小妹题诗依旧放在桌上，款步归房。老泉送客出门，复转书房，方欲续完前韵，只见八句已足，读之词意俱美。疑是女儿小妹之笔，呼而问之，写作果出其手。老泉叹道："可惜是个女子！若是个男儿，可不又是制科中一个有名人物！"自此愈加珍爱其女，恣其读书博学，不复以女工督之。看看长成一十六岁，立心要妙选天下才子，与之为配。急切难得。

忽一日，宰相王荆公着堂候官请老泉到府与之叙话。原来王荆公，讳安石，字介甫。未及第时，大有贤名。平时常不洗面，不脱衣，身上虱子无数。老泉恶其不近人情，异日必为奸臣，曾作《辨奸论》以讥之，荆公怀恨在心。后来见他大苏、小苏连登制科，遂舍怨而修好。老泉亦因荆公拜相，恐妨二子进取之路，也不免曲意相交。正是：

古人结交在意气，今人结交为势利。

从来势利不同心，何如意气交情深。

是日，老泉赴荆公之召，无非商量些今古，议论了一番时事，遂取酒对酌，不觉忘怀酩酊。荆公偶然夸奖小儿王雱，读书只一遍，便能背诵。老泉带酒答道："谁家儿子读两遍！"荆公道："到是老夫失言，不该班门弄斧。"老泉道："不惟小儿只一遍，就是小女也只一遍。"荆公大惊道："只知令郎大才，却不知有令爱。眉山秀气，尽属公家矣！"老泉自悔失言，连忙告退。荆公命童子取出一卷文字，递与老泉道："此乃小儿王雱窗课，相烦点定。"老泉纳于袖中，唯唯而出。

回家睡至半夜，酒醒，想起前事："不合自夸女孩儿之才。今介甫将儿子窗课属吾点定，必为求亲之事。这头亲事，非吾所愿，却又无计推辞。"沉吟到晓，梳洗已毕，取出王雱所作，次第看之，真乃篇篇锦绣，字字珠玑，又不觉动了个爱才之意："但不知女儿缘分如何？我如今将这文卷与女儿观之，看他爱也不爱。"遂隐下姓名，分付丫鬟道："这卷文字，乃是个少年名士所呈，求我点定。我不得闲暇，转送与小姐，教他批阅，阅完时，速来回话。”丫鬟将文字呈上小姐，传达太老爷分付之语。小妹滴露研朱，从头批点，须臾而毕，叹道：“好文字！此必聪明才子所作。但秀气泄尽，华而不实，恐非久长之器。”遂于卷面批云：

新奇藻丽，是其所长；含蓄雍容，是其所短。取巍科则有馀，享大年则不足。

后来王雱十九岁中了头名状元，未几夭亡。可见小妹知人之明，这是后话。

却说小妹写罢批语，叫丫鬟将文卷纳还父亲。老泉一见大惊：“这批语如何回覆得介甫！必然取怪。”一时污损了卷面，无可奈何，却好堂候官到门：“奉相公钧旨，取昨日文卷，面见太爷，还有话禀。”老泉此时，手足无措，只得将卷面割去，重新换过，加上好批语，亲手交与堂候官收讫。堂候官道：“相公还分付得有一言，动问：贵府小姐曾许人否？倘未许人，相府愿谐秦晋。”老泉道：“相府议亲，老夫岂敢不从。只是小女貌丑，恐不足当金屋之选。相烦好言达上，但访问自知，并非老夫推托。”堂候官领命，回覆荆公。荆公看见卷面换了，已有三分不悦。又恐怕苏小姐容貌真个不扬，不中儿子之意，密地差人打听。原来苏东坡学士，常与小姐互相嘲戏。东坡是一嘴胡子，小妹嘲云：

口角几回无觅处，忽闻毛里有声传。

小妹额颅凸起，东坡答嘲云：

未出庭前三五步，额头先到画堂前。

小妹又嘲东坡下颏之长云：

去年一点相思泪，至今流不到腮边。

东坡因小妹双眼微眍，复答云：

几回拭脸深难到，留却汪汪两道泉。

访事的得了此言，回覆荆公，说：“苏小姐才调委实高绝，若论容貌，也只平常。”荆公遂将姻事阁起不题。

然虽如此，却因相府求亲一事，将小妹才名播满了京城。以后闻得相府亲事不谐，慕而来求者，不计其数。老泉都教呈上文字，把与女孩儿自阅。也有一笔涂倒的，也有点不上两三句的。就中只有一卷，文字做得好。看他卷面写有姓名，叫做秦观。小妹批四句云：

今日聪明秀才，他年风流学士。
可惜二苏同时，不然横行一世。

这批语明说秦观的文才，在大苏小苏之间，除却二苏，没人及得。老泉看了，已知女儿选中了此人，分付门上：“但是秦观秀才来时，快请相见。馀的都与我辞去。”

谁知众人呈卷的，都在讨信，只有秦观不到。却是为何？那秦观秀才字少游，他是扬州府高邮人。腹饱万言，眼空一世。生平敬服的，只有苏家兄弟，以下的都不在意。今日慕小妹之才，虽然衔玉求售，又怕损了自己的名誉，不肯随行逐队，寻消问息。老泉见秦观不到，反央人去秦家寓所致意。少游心中暗喜，又想道："小妹才名得于传闻，未曾面试，又闻得他容貌不扬，额颅凸出，眼睛凹进，不知是何等鬼脸？如何得见他一面，方才放心。"打听得三月初一日，要在岳庙烧香，趁此机会，改换衣装，觑个分晓。正是：

眼见方为的，传闻未必真。

若信传闻语，枉尽世间人。

从来大人家女眷入庙进香，不是早，定是夜。为甚么？早则人未来，夜则人已散。秦少游到三月初一日五更时分，就起来梳洗，打扮个游方道人模样：头裹青布唐巾，耳后露两个石碾的假玉环儿，身穿皂布道袍，腰系黄绦，足穿净袜草履，项上挂一串拇指大的数珠，手中托一个金漆钵盂，侵早就到东岳庙前伺候。

天色黎明，苏小姐轿子已到。少游走开一步，让他轿子入庙，歇于左廊之下。小妹出轿上殿，少游已看见了。虽不是妖娆美丽，却也清雅幽闲，全无俗韵："但不知他才调真正如何？"约莫焚香已毕，少游却循廊而上，在殿左相遇。少游打个问讯云：

小姐有福有寿，愿发慈悲。

小妹应声答云：

道人何德何能，敢求布施！

少游又问讯云：

愿小姐身如药树，百病不生。

小妹一头走，一头答应：

随道人口吐莲花，半文无舍。

少游直跟到轿前，又问讯云：

小娘子一天欢喜，如何撒手宝山？

小妹随口又答云：

风道人恁地贪痴，那得随身金穴！

小妹一头说，一头上轿。少游转身时，口中喃出一句道："'风道人'得对'小娘子'，万千之幸！"小妹上了轿，全不在意。跟随的老院子，却听得了，怪这道人放肆，方欲回身寻闹，只见廊下走出一个垂髫的俊童，对着那道人叫道："相公这里来更衣。"那道人便前走，童儿后随。老院子将童儿肩上悄地捻了一把，低声问道："前面是那个相公？"童儿道："是高邮秦少游相公。"老院子便不言语。回来时，就与老婆说知了。这句话就传入内里，小妹才晓得那化缘的道人是秦少游假妆的，付之一笑。嘱付丫鬟们休得多口。

话分两头。且说秦少游那日饱看了小妹容貌不丑，况且应答如响，其才自不必言。择了吉日，亲往求亲，老泉应允，少不得下财纳币。此是二月初旬的事。少游急欲完婚，小妹不肯。他看定秦观文字，必然中选。试期已近，欲要象简乌纱，洞房花烛，少游只得依他。到三月初三礼部大试之期，秦观一举成名，中了制科。到苏府来拜丈人，就禀复完婚一事。因寓中无人，欲就苏府花烛。老泉笑道："今日挂榜，脱白挂绿，便是上吉之日，何必另选日子。只今晚便在小寓成亲，岂不美哉！"东坡学士从傍赞成。是夜与小妹双双拜堂，成就了百年姻眷。正是：

聪明女得聪明婿，大登科后小登科。

其夜月明如昼。少游在前厅筵宴已毕，方欲进房，只见房门紧闭，庭中摆着小小一张桌儿，桌上排列纸墨笔砚，三个封儿，三个盏儿，一个是玉盏，一个是银盏，一个是瓦盏。青衣小鬟守立旁边。少游道："相烦传语小姐，新郎已到，何不开门？"丫鬟道："奉小姐之命，有三个题目在此，三试俱中式，方准进房。这三个纸封儿便是题目在内。"少游指着三个盏道："这又是甚的意思？"丫鬟道："那玉盏是盛酒的，那银盏是盛茶的，那瓦盏是盛寡水的。三试俱中，玉盏内美酒三杯，请进香房。两试中了，一试不中，银盏内清茶解渴，直待来宵再试。一试中了，两试不中，瓦盏内呷口淡水，罚在外厢读书三个月。"少游微微冷笑道："别个秀才来应举时，就要告命题容易了，下官曾应过制科，青钱万选，莫说三个题目，就是三百个，我何惧哉！"丫鬟道："俺小姐不比寻常盲试官，之乎者也应个故事而已。他的题目好难哩！第一题，是绝句一首，要新郎也做一首，合了出题之意，方为中式。第二题四句诗，藏着四个古人，猜得一个也不差，方为中式。到第三题，就容易了，止要做个七字对儿，对得好便得饮美酒进香房了。"

少游道："请第一题。"丫鬟取第一个纸封拆开，请新郎自看。少游看时，封着花笺一幅，写诗四句道：

铜铁投洪冶，蝼蚁上粉墙。
阴阳无二义，天地我中央。

少游想道："这个题目，别人做定猜不着。则我曾假扮做云游道人，在岳庙化缘，去相那苏小姐。此四句乃含着'化缘道人'四字，明明嘲我。"遂于月下取笔写诗一首于题后云：

化工何意把春催？缘到名园花自开。
道是东风原有主，人人不敢上花台。

丫鬟见诗完，将第一幅花笺褶做三叠，从窗隙中塞进，高叫道："新郎交卷，第一场完。"小妹览诗，每句顶上一字，合之乃"化缘道人"四字，微微而笑。

少游又开第二封看之，也是花笺一幅，题诗四句：

强爷胜祖有施为，凿壁偷光夜读书。

缝线路中常忆母，老翁终日倚门间。

少游见了，略不凝思，一一注明。第一句是孙权，第二句是孔明，第三句是子思，第四句是太公望。丫鬟又从窗隙递进。少游口虽不语，心下想道：“两个题目，眼见难我不倒，第三题是个对儿，我五六岁时便会对句，不足为难。”再拆开第三幅花笺，内出对云：

闭门推出窗前月，

初看时觉道容易，仔细思来，这对出得尽巧。若对得平常了，不见本事。左思右想，不得其对。听得谯楼三鼓将阑，构思不就，愈加慌迫。

却说东坡此时尚未曾睡，且来打听妹夫消息。望见少游在庭中团团而步，口里只管吟哦“闭门推出窗前月”七个字，右手做推窗之势。东坡想道：“此必小妹以此对难之，少游为其所困矣！我不解围，谁为撮合？”急切思之，亦未有好对。庭中有花缸一只，满满的贮着一缸清水，少游步了一回，偶然倚缸看水。东坡望见，触动了他灵机，道：“有了！”欲待教他对了，诚恐小妹知觉，连累妹夫体面，不好看相。东坡远远站着咳嗽一声，就地下取小小砖片，投向缸中。那水为砖片所激，跃起几点，扑在少游面上。水中天光月影，纷纷淆乱。少游当下晓悟，遂援笔对云：

投石冲开水底天。

丫鬟交了第三遍试卷，只听呀的一声，房门大开，内又走出一个侍儿，手捧银壶，将美酒斟于玉盏之内，献上新郎，口称：“才子请满饮三杯，权当花红赏劳。”少游此时意气扬扬，连进三盏，、丫鬟拥入香房。这一夜，佳人才子，好不称意。正是：

欢娱嫌夜短，寂寞恨更长。

自此夫妻和美，不在话下。

后少游宦游浙中，东坡学士在京，小妹思想哥哥，到京省视。东坡有个禅友，叫做佛印禅师，尝劝东坡急流勇退。一日寄长歌一篇，东坡看时，却也写得怪异，每二字一连，共一百三十对字。你道写的是甚字？

野野　鸟鸟　啼啼　时时　有有　思思　春春　气气　桃桃

花花　发发　满满　枝枝　莺莺　雀雀　相相　呼呼　唤唤

岩岩　畔畔　花花　红红　似似　锦锦　屏屏　堪堪　看看

山山　秀秀　丽丽　山山　前前　烟烟　雾雾　起起　清清

浮浮　浪浪　促促　潺潺　湲湲　水水　景景　幽幽　深深

处处　好好　追追　游游　傍傍　水水　花花　似似　雪雪

梨梨　花花　光光　皎皎　洁洁　玲玲　珑珑　似似
坠坠　银银　花花　折折　最最　好好　柔柔　茸茸
溪溪　畔畔　草草　青青　双双　蝴蝴　蝶蝶　飞飞
来来　到到　落落　花花　林林　里里　鸟鸟　啼啼
叫叫　不不　休休　为为　忆忆　春春　光光　好好
杨杨　柳柳　枝枝　头头　春春　色色　秀秀　时时
常常　共共　饮饮　春春　浓浓　酒酒　似似　醉醉
闲闲　行行　春春　色色　里里　相相　逢逢　竞竞
忆忆　游游　山山　水水　心心　息息　悠悠　归归
去去　来来　休休　役役

东坡看了两三遍，一时念将不出，只是沉吟。小妹取过，一览了然，便道："哥哥，此歌有何难解！待妹子念与你听。"即时朗诵云：

野鸟啼，野鸟啼时时有思。有思春气桃花发，春气桃花发满枝。满枝莺雀相呼唤，莺雀相呼唤岩畔。岩畔花红似锦屏，花红似锦屏堪看。堪看山，山秀丽，秀丽山前烟雾起。山前烟雾起清浮，清浮浪促潺湲水。浪促潺湲水景幽，景幽深处好，深处好追游。追游傍水花，傍水花似雪。似雪梨花光皎洁，梨花光皎洁玲珑。玲珑似坠银花折，似坠银花折最好。最好柔茸溪畔草，柔茸溪畔草青青。双双蝴蝶飞来到，蝴蝶飞来到落花。落花林里鸟啼叫，林里鸟啼叫不休。不休为忆春光好，为忆春光好杨柳。杨柳枝枝春色秀，春色秀时常共饮。时常共饮春浓酒，春浓酒似醉。似醉闲行春色里，闲行春色里相逢。相逢竞忆游山水，竞忆游山水心息。心息悠悠归去来，归去来休休役役。

东坡听念，大惊道："吾妹敏悟，吾所不及！若为男子，官位必远胜于我矣！"遂将佛印原写长歌，并小妹所定句读，都写出来，做一封儿寄与少游。因述自己再读不解，小妹一览而知之故。少游初看佛印所书，亦不能解。后读小妹之句，如梦初觉，深加愧叹。答以短歌云：

未及梵僧歌，词重而意复。
字字如联珠，行行如贯玉。
想汝惟一览，顾我劳三复。
裁诗思远寄，因以真类触。
汝其审思之，可表予心曲。

短歌后制成叠字诗一首，却又写得古怪：

别离时闻漏转
忆　　　　　　静
期归阻久伊思

少游书信到时，正值东坡与小妹在湖上看采莲。东坡先拆书看了，递与小妹，问道："汝能解否?"小妹道："此诗乃仿佛印禅师之体也。"即念云：

静思伊久阻归期，久阻归期忆别离。
忆别离时闻漏转，时闻漏转静思伊。

东坡叹道："吾妹真绝世聪明人也！今日采莲胜会，可即事各和一首，寄与少游，使知你我今日之游。"东坡诗成，小妹亦就。小妹诗云：

阕新歌声嗽玉
一 津杨绿在人莲 采

东坡诗云：

力微醒时已暮
酒 飞如马花去归 赏

照少游诗念出，小妹叠字诗，道是：

采莲人在绿杨津，在绿杨津一阕新。
一阕新歌声嗽玉，歌声嗽玉采莲人。

东坡叠字诗，道是：

赏花归去马如飞，去马如飞酒力微。
酒力微醒时已暮，醒时已暮赏花归。

二诗寄去，少游读罢，叹赏不已。其夫妇酬和之诗甚多，不能详述。

后来少游以才名被征为翰林学士，与二苏同官。一时郎舅三人，并居史职，古所希有。于是宣仁太后亦闻苏小妹之才，每每遣内官赐以绢帛或饮馔之类，索他题咏。每得一篇，宫中传诵，声播京都。其后小妹先少游而卒，少游思念不置，终身不复娶云。有诗为证：

文章自古说三苏，小妹聪明胜丈夫。
三难新郎真异事，一门秀气世间无。

第十二卷
佛印师四调琴娘

文章落处天须泣，此老已亡吾道穷。
才业谩夸生仲达，功名犹继死姚崇。
人间便觉无清气，海内安能见古风。
平日万篇何所在？六丁收拾上瑶宫。

这八句诗是谁做的？是宋理宗皇帝朝一个官人，姓刘名克庄，道号后村先生做的。

单说那神宗皇帝朝有个翰林学士，姓苏名轼，字子瞻，道号东坡居士，本贯是西川眉州眉山县人氏。这学士平日结识一个道友，叫做佛印禅师。你道这禅师如何出身？他是江西饶州府浮梁县人氏，姓谢名端卿，表字觉老，幼习儒书，通古今之蕴；旁通二氏，负博洽之声。一日应举到京，东坡学士闻其才名，每与谈论，甚相敬爱。屡同诗酒之游，遂为莫逆之友。

忽一日，神宗皇帝因天时亢旱，准了司天台奏章，特于大相国寺建设一百八分大斋，征取名僧，宣扬经典，祈求甘雨，以救万民。命翰林学士苏轼制就吁天文疏，就命轼充行礼官，主斋。三日前，便要到寺中斋宿。先有内官到寺看阅斋坛，传言御驾不日亲临。方丈中铺设御座，一切规模，务要十分齐整，把个大相国寺打扫得一尘不染，妆点得万锦攒花。府尹预先差官四围把守，不许闲人入寺，恐防不时触突了圣驾。这都不在话下。

却说谢端卿在东坡学士座间闻知此事，问道："小弟欲兄长挈带入寺，一瞻御容，不知可否？"东坡那时只合一句回绝了他，何等干净。只为东坡要得端卿相伴，遂对他说道："足下要去，亦有何难？只消扮作侍者模样，在斋坛上承直。圣驾临幸时，便得饱看。"谢端卿那时若不肯扮做侍者，也就罢了，只为一时稚气，遂欣然不辞。先去借办行头，装扮的停停当当，跟随东坡学士入相国寺来。东坡已自分付了主僧，只等报一声圣驾到来，端卿就顶侍者名色上殿执役。闲时陪东坡在净室闲讲。

且说起斋之日，主僧五鼓鸣钟聚众。其时香烟缭绕，灯烛辉煌，幡幢五彩飘扬，乐器八音嘹亮，法事之盛，自不必说。东坡学士起了香头，拜了佛像，退坐于僧房之内。早斋方罢，忽传御驾已到。东坡学士执掌丝纶，日觐天颜，到也不以为事，慌得谢端卿面上红热，心头突突地跳。矜持了一回，按定心神，来到大雄宝殿，杂于侍者之中，无过是添香剪烛，供食铺灯。

不一时，神宗皇帝驾到。东坡学士同众僧摆班跪迎，进入大殿。内官捧有内府龙香，神宗御手拈香已毕，铺设净褥，行三拜礼。主僧引驾到于方丈，神宗登了御座。众人叩见了毕，神宗夸东坡学士所作文疏之美。东坡学士再拜，口称不敢。主僧取旨献茶，捧茶盘的却是谢端卿。

原来端卿因大殿行礼之时，拥拥簇簇，不得仔细瞻仰，特地充作捧茶盘的侍者，直捱到龙座御膝之前。偷眼看圣容时，果然龙凤之姿，天日之表，天威咫尺，毛骨俱悚，不敢恣意观瞻，慌忙退步。却被神宗龙目看见了。只为端卿生得方面大耳，秀目浓眉，身躯伟岸，与其他侍者不同，所以天颜刮目。当下开金口，启玉言，指着端卿问道："此侍者何方人氏？在寺几年了？"主僧先不曾问得备细，一时不能对答。还是谢端卿有量，叩头奏道：

“臣姓谢名端卿，江西饶州府人，新来寺中出家。幸瞻天表，不胜欣幸。”神宗见他应对明敏，龙情大喜，又问：“卿颇通经典否?”端卿奏道：“臣自少读书，内典也颇知。”神宗道：“卿既通内典，赐卿法名了元，号佛印，就于御前披剃为僧。”那谢端卿的学问，与东坡肩上肩下，他为应举到京，指望一举成名，建功立业，如何肯做和尚？常言道“王言如天语”，违背圣旨，罪该万死。今日玉音分付，如何敢说我是假充的侍者，不愿为僧？心下十万分不乐，一时出于无奈，只得叩头谢恩。

当下主僧引端卿重来正殿，参见了如来，然后引至御前，如法披剃。钦赐紫罗袈裟一领，随驾礼部官取羊皮度牒一道，中书房填写佛印法名及生身籍贯，奉旨被剃年月，付端卿受领。端卿披了袈裟，紫气腾腾，分明是一尊肉身罗汉，手捧度牒，重复叩头谢恩。神宗道：“卿既为僧，即委卿协理斋事。异日精严戒律，便可作本寺住持，勿得玷辱宗门，有负朕意！”说罢起驾。东坡和众僧于寺门之外跪送过了，依原来做斋事，不在话下。

从此阁起端卿名字，只称佛印，众人都称为印公。为他是钦赐剃度，好生敬重。原来故宋时最以剃度为重，每度牒一张，要费得千贯钱财方得到手。今日端卿不费分文，得了度牒为僧，若是个真侍者，岂不是千古奇逢，万分欢喜？只为佛印弄假成真，非出本心，一时勉强出家，有好几时气闷不过。后来只在相国寺翻经转藏，精通佛理，把功名富贵之想，化作清净无为之业。他原是明悟禅师转世，根气不同，所以出儒入墨，如洪炉点雪。东坡学士他是个用世之人，识见各别。他道：“谢端卿本为上京赴举，我带他到大相国寺，教他假充侍者，瞻仰天颜，遂尔披剃为僧，却不是我连累了他！他今在空门枯淡，必有恨我之意。虽然他戒律精严，只恐体面上矜持，心中不能无动。”每每于语言之间，微微挑逗。谁知佛印心冷如冰，口坚如铁，全不见丝毫走作。东坡只是不信。后来东坡为吟诗触犯了时相，连遭谪贬。直到哲宗皇帝元祐年间，复召为翰林学士。其时佛印游方转来，仍在大相国寺挂锡，年力尚壮。东坡一见，想起初年披剃之事，遂劝佛印：“若肯还俗出仕，下官当力荐清职。”佛印那里肯依！东坡遂嘲之曰：“不毒不秃，不秃不毒。转毒转秃，转秃转毒。”佛印笑而不答。

那一日，仲春天气，学士正在府中闲坐，只见院子来报：“佛印禅师在门首。”学士听得，教请入来。须臾之间，佛印入到堂上。见学士叙礼毕，教院子点将茶来。茶罢，学士便令院子于后园中洒扫亭轩，邀佛印同到园中，去一座相近后堂的亭子坐定。院子安排酒果肴馔之类。排完，使院子斟酒，二人对酌。酒至三巡，学士道：“筵中无乐，不成欢笑。下官家中有一乐童，令歌数曲，以助筵前之乐。”道罢，便令院子传言入堂内去。不多时，佛印蓦然耳内听得有人唱词，真个唱得好！

声清韵美，纷纷尘落雕梁；字正腔真，拂拂风生绮席。若上苑流莺巧啭，似丹山彩凤和鸣。词歌白雪阳春，曲唱清风明月。

佛印听至曲终，道："奇哉！韩娥之吟，秦青之词。虽不遏住行云，也解梁尘扑簌。"东坡道："吾师何不留一佳作？"佛印道："请乞纸笔。"学士遂令院子取将文房四宝，放在面前。佛印口中不道，心下自言："唱却十分唱得好了，却不知人物生得如何？"遂拈起笔来，做一词，词名《西江月》：

窄地重重帘幙，临风小小亭轩。绿窗朱户映婵娟，忽听歌讴宛转。　　即是耳根有分，因何眼界无缘？分明咫尺遇神仙，隔个绣帘不见！

佛印写罢，学士大笑曰："吾师之词，所恨不见。"令院子向前把那帘子只一卷，卷起一半。佛印打一看时，只见那女孩儿半截露出那一双弯弯小脚儿。佛印口中不道，心下思量："虽是卷帘已半，奈帘钩低下，终不见他生得如何。"学士道："吾师既是见了，何惜一词？"佛印见说，便拈起笔来，又做一词，词名《品字令》：

觑着脚，想腰肢如削。歌罢遏云声，怎得向掌中托。　　醉眼不如归去，强把身心虚霍。几回欲待去掀帘，犹恐主人恶。

佛印意不尽，又做四句诗道：

只闻檀板与歌讴，不见如花似玉眸。
焉得好风从地起，倒垂帘卷上金钩。

佛印吟诗罢，东坡大笑。教左右卷上绣帘，唤出那女孩儿，从里面走出来，看着佛印，道了个深深万福。那女孩儿端端正正，整容敛袂，立于亭前。佛印把眼一觑，不但唱得好，真个生得好。但见：

娥眉淡扫，莲脸微匀。轻盈真物外之仙，雅淡有天然之态。衣染鲛绡，手持象板，呈露笋指尖长；足步金莲，行动凤鞋弓小。临溪双洛浦，对月两嫦娥。好好好，好如天上女；强强强，强似月中仙。

东坡唤院子斟酒，叫那女孩儿"近前来与吾师把盏。"学士道："此女小字琴娘，自幼在于府中，善知音乐，能抚七弦之琴，会晓六艺之事。吾师今日既见，何惜佳作？"佛印当时已自八分带酒，言称告回。琴娘曰："禅师且坐，再饮几杯。"

佛印见学士所说，便拿起笔来，又写一词，词名《蝶恋花》：

执板娇娘留客住，初整金钗，十指尖尖露。歌断一声天外去，清音已遏行云住。　　耳有姻缘能听事，眼有姻缘，便得当前觑。眼耳姻缘都已是，姻缘别有知何处？

佛印写罢，东坡见了大喜，便唤琴娘就唱此词劝酒，再饮数杯。佛印大醉，不知词中语失。

天色已晚，学士遂令院子扶入书院内，安排和尚睡了。学士心中暗想："我一向要劝这和尚还俗出仕，他未肯统口。趁他今日有调戏琴娘之意，若得他与这个妮子上得手时，便是出家不了。那时拿定他破绽，定要他还俗，何怕他不从？好计，好计！"即唤琴娘到于面前道："你省得那和尚做的词中意？后两句道：'眼耳姻缘都已是，姻缘别有知何处？'这和尚不是好人，其中有爱慕你之心。你可今夜到书院内相伴和尚就寝。须要了事，可讨执照来。我明日赏你三千贯，作房奁之资。我与你主张，教你出嫁良人。如不了事，明日唤管家婆来，把你决竹篦二十，逐出府门。"

琴娘听罢，唬得颤做一团，道："领东人钧旨。"离了房中，轻移莲步，怀着羞脸，径来到书院内。佛印已自大醉，昏迷不省，睡在凉床之上，壁上灯尚明。琴娘无计奈何，坐在和尚身边，用尖尖玉手去摇那和尚时，一似蜻蜓摇石柱，蝼蚁撼太山。和尚鼻息如雷，那里摇得觉。

话休絮烦。自初更摇起，只要守和尚省觉，直守到五更，也不省。那琴娘心中好慌，不觉两眼泪下，自思量道："倘或今夜不了得事，明日乞二十竹篦，逐出府门，却是怎地好？"争奈和尚大醉，不了得事。琴娘弹眼泪，却好弹在佛印脸上。

只见那佛印飒然惊觉，闪开眼来，壁上灯尚明。去那灯光之下，只见一个如花似玉女子，坐在身边。佛印大惊道："你是谁家女子？深夜至此，有何理说？"琴娘见问，且惊且喜，揣着羞脸，道个万福道："贱妾乃日间唱曲之琴娘也，听得禅师词中有爱慕贱妾之心，故夤夜前来，无人知觉，欲与吾师效云雨之欢，万乞勿拒则个！"

佛印听说罢，大惊曰："娘子差矣！贫僧夜来感蒙学士见爱，置酒管待，乘醉乱道，此词岂有他意？娘子可速回。倘有外人见之，无丝有线，吾之清德一旦休矣。"琴娘听罢，那里肯去。佛印见琴娘只管尤殢不肯去，便道："是了，是了，此必是学士教你苦难我来！吾修行数年，止以诗酒自娱，岂有尘心俗意。你若实对我说，我有救你之心。如是不从，别无区处。"琴娘见佛印如此说罢，眼中垂泪道："此果是学士使我来。如是吾师肯从贱妾云雨之欢，明日赏钱三千贯，出嫁良人；如吾师不从，明日唤管家婆决竹篦二十，逐出府门。望吾师周全救我！"道罢，深深便拜。

佛印听罢，呵呵大笑，便道："你休烦恼！我救你。"遂去书袋内，取出一幅纸，有见成文房四宝在桌上，佛印捻起笔来，做了一只词，名《浪淘沙》：

昨夜遇神仙，也是姻缘。分明醉里亦如然。睡觉来时浑是梦，却在身边。　此事怎生言？岂敢相怜！不曾抚动一条弦。传与东坡苏学士，触处封全。

佛印写了，意不尽，又做了四句诗：

传与巫山窈窕娘，休将魂梦恼襄王。

禅心已作沾泥絮，不逐东风上下狂。

当下琴娘得了此词，径回堂中呈上学士。学士看罢，大喜，自到书院中，见佛印盘膝坐在椅上。东坡道：“善哉，善哉！真禅僧也！”亦赏琴娘三百贯钱，择嫁良人。

东坡自此将佛印愈加敬重，遂为入幕之宾。虽妻妾在傍，并不回避。佛印时时把佛理晓悟东坡，东坡渐渐信心。后来东坡临终不乱，相传已证正果。至今人犹唤为坡仙，多得佛印点化之力。有诗为证：

东坡不能化佛印，佛印反得化东坡。

若非佛力无边大，那得慈航渡爱河！

第十三卷
勘皮靴单证二郎神

柳色初浓，馀寒似水，纤雨如尘。一阵东风，縠纹微皱，碧波粼粼。　仙娥花月精神，奏凤管鸾箫斗新。万岁声中，九霞杯内，长醉芳春。

这首词调寄《柳梢青》，乃故宋时一个学士所作。单表北宋太祖开基，传至第八代天子，庙号徽宗，便是神霄玉府虚净宣和羽士道君皇帝。这朝天子，乃是江南李氏后主转生。父皇神宗天子，一日在内殿看玩历代帝王图像，见李后主风神体态，有蝉脱秽浊、神游八极之表，再三赏叹。后来便梦见李后主投身入宫，遂诞生道君皇帝。少时封为端王。从小风流俊雅，无所不能。后因哥哥哲宗天子上仙，群臣扶立端王为天子。即位之后，海内乂安，朝廷无事。

道君皇帝颇留意苑囿。宣和元年，遂即京城东北隅，大兴工役，凿池筑囿，号寿山银岳，命宦官梁师成董其事。又命朱勔取三吴二浙三川两广珍异花木、瑰奇竹石以进，号曰“花石纲”。竭府库之积聚，萃天下之伎巧，凡数载而始成。又号为万岁山。奇花美木，珍禽异兽，充满其中。飞楼杰阁，雄伟瑰丽，不可胜言。内有玉华殿、保和殿、瑶林殿，大宁阁、天真阁、妙有阁、层峦阁，琳霄亭、骞凤垂云亭，说不尽许多景致。时许侍臣蔡京、王黼、高俅、童贯、杨戬、梁师成纵步游赏，时号“宣和六贼”。有诗为证：

琼瑶错落密成林，竹桧交加尔有阴。
恩许尘凡时纵步，不知身在五云深。

单说保和殿西南，有一座玉真轩，乃是官家第一个宠幸安妃娘娘妆阁，极是造得华丽。金铺屈曲，玉槛玲珑，映彻辉煌，心目俱夺。时侍臣蔡京等，赐宴至此，留题殿壁。有诗为证：

保和新殿丽秋辉，诏许尘凡到绮闱。
雅宴酒酣添逸兴，玉真轩内看安妃。

不说安妃娘娘宠冠六宫。单说内中有一位夫人，姓韩名玉翘，妙选入宫，年方及笄。玉佩敲磬，罗裙曳云，体欺皓雪之容光，脸夺芙蓉之娇艳。只因安妃娘娘三千宠爱偏在一身，韩夫人不沾雨露之恩。时值春光明媚，景色撩人，未免恨起红茵，寒生翠被。月到瑶阶，愁莫听其凤管；虫吟粉壁，怨不寐于鸳衾。既厌晓妆，渐融春思，长吁短叹，看看惹下一场病来。有词为证：

任东风老去，吹不断泪盈盈。记春浅春深，春寒春暖，春雨春晴，都断送佳人命。落花无定挽春心。芳草犹迷舞蝶，绿杨空语流莺。　　玄霜着意捣初成，回首失云英。但如醉如痴，如狂如舞，如梦如惊。香魂至今迷恋，问真仙消息最分明。几夜相逢何处，清风明月蓬瀛。

渐渐香消玉减，柳颦花困。太医院诊脉，吃下药去，如水浇石一般。

忽一日，道君皇帝在于便殿，敕唤殿前太尉杨戬前来，天语传宣道：“此位内家，原是卿所进奉。今着卿领去，到府中将息病体。待得痊安，再许进宫未迟。仍着光禄寺每日送膳，太医院伺候用药。略有起色，即便奏来。”当下杨戬叩头领命，即着官身私身搬运韩夫人宫中箱笼妆奁，一应动用什物器皿，用暖舆抬了韩夫人，随身带得养娘二人，侍儿二人。一行人簇拥着，都到杨太尉府中。太尉先去对自己夫人说知，出厅迎接。便将一宅分为两院，收拾西园与韩夫人居住，门上用锁封着，只许太医及内家人役往来。太尉夫妻二人，日往候安一次。闲时就封闭了门。门傍留一转桶，传递饮食、消息。正是：

映阶碧草自春色，隔叶黄鹂空好音。

将及两月，渐觉容颜如旧，饮食稍加。太尉夫妻好生欢喜，办下酒席，一当起病，一当送行。当日酒至五巡，食供两套，太尉夫妇开言道：“且喜得夫人贵体无事，万千之喜。旦晚奏过官里，选日入宫，未知夫人意下如何?”韩夫人叉手告太尉、夫人道：“氏儿不幸，惹下一天愁绪，卧病两月，才觉小可。再要于此宽住几时，伏乞太尉、夫人方便，且未要奏知官里。只是在此打搅，深为不便。氏儿别有重报，不敢有忘。”太尉、夫人只得应允。

过了两月，却是韩夫人设酒还席，叫下一名说评话的先生，说了几回书。节次说及唐朝宣宗宫内，也是一个韩夫人，为因不沾雨露之恩，思量无计奈何，偶向红叶上题诗一首，流出御沟。诗曰：

流水何太急？深宫尽日闲。

殷勤谢红叶，好去到人间。

却得外面一个应试官人，名唤于佑，拾了红叶，就和诗一首，也从御沟中流将进去。后来那官人一举成名，天子体知此事，却把韩夫人嫁与于佑，夫妻百年偕老而终。这里韩夫人听到此处，蓦上心来，忽地叹一口气，口中不语，心下寻思："若得奴家如此侥幸，也不枉了为人一世！"当下席散，收拾回房。睡至半夜，便觉头痛眼热，四肢无力，遍身不疼不痒，无明业火熬煎，依然病倒。这一场病，比前更加沉重。正是：

屋漏更遭连夜雨，船迟偏遇打头风。

太尉夫人早来候安，对韩夫人说道："早是不曾奏过官里宣取入宫。夫人既到此地，且是放开怀抱，安心调理。且未要把入宫一节，记挂在心。"韩夫人谢道："感承夫人好意，只是氏儿病入膏肓，眼见得上天远，入地便近，不能报答夫人厚恩，来生当效犬马之报。"说罢，一丝两气，好伤感人。太尉夫人甚不过意，便道："夫人休如此说。自古吉人天相，眼下凶星退度，自然贵体无事。但说起来，吃药既不见效，枉淘坏了身子。不知夫人平日在宫，可有甚愿心未经答谢？或者神明见责，也不可知。"韩夫人说道："氏儿入宫以来，每日愁绪萦丝，有甚心情许下愿心？但今日病势如此，既然吃药无功，不知此处有何神圣，祈祷极灵，氏儿便对天许下愿心，若得平安无事，自当拜还。"太尉夫人说道："告夫人得知：此间北极佑圣真君，与那清源妙道二郎神，极是灵应。夫人何不设了香案，亲口许下保安愿心？待得平安，奴家情愿陪夫人去赛神答礼。未知夫人意下何如？"韩夫人点头应允，侍儿们即取香案过来。只是不能起身，就在枕上，以手加额，祷告道："氏儿韩氏，早年入宫，未蒙圣眷，惹下业缘病症，寄居杨府。若得神灵庇护，保佑氏儿身体康健，情愿绣下长幡二首，外加礼物，亲诣庙廷顶礼酬谢。"当下太尉夫人也拈香在手，替韩夫人祷告一回，作别，不提。

可霎作怪，自从许下愿心，韩夫人渐渐平安无事。将息至一月之后，端然好了。太尉夫人不胜之喜，又设酒起病。太尉夫人对韩夫人说道："果然是神道有灵，胜如服药万倍。却是不可昧心，负了所许之物。"韩夫人道："氏儿怎敢负心！目下绣了长幡，还要屈夫人同去了还心愿。未知夫人意下何如？"太尉夫人答道："当得奉陪。"当日席散，韩夫人取出若干物事，制办赛神礼物，绣下四首长幡。自古道得好：火到猪头烂，钱到公事办。凭你世间稀奇作怪的东西，有了钱，那一件做不出来。不消几日，绣就长幡，用根竹竿叉起，果然是光彩夺目。选了吉日良时，打点信香礼物，官身私身，簇拥着两个夫人，先到北极佑圣真君庙中。

庙官知是杨府钧眷，慌忙迎接至殿上，宣读疏文，挂起长幡。韩夫人叩齿礼拜。拜毕，左右两廊游遍。庙官献茶。夫人分付当道的赏了些银两，上了轿簇拥回来。一宿晚景不提。明早又起身，到二郎神庙中。却惹出一段蹊跷作怪的事来。正是：

情知语是钩和线，从前钓出是非来。

话休烦絮。当下一行人到得庙中。庙官接见，宣疏拈香礼毕。却好太尉夫人走过一壁厢，韩夫人向前轻轻将指头挑起销金黄罗帐幔来，定睛一看。不看时万事全休，看了时，吃那一惊不小！但见：

头裹金花幞头，身穿赭衣绣袍，腰系蓝田玉带，足登飞凤乌靴。虽然土木形骸，却也丰神俊雅，明眸皓齿。但少一口气儿，说出话来。

当下韩夫人一见，目眩心摇，不觉口里悠悠扬扬，漏出一句俏语低声的话来：“若是氏儿前程远大，只愿将来嫁得一个丈夫，恰似尊神模样一般，也足称生平之愿。”说犹未了，恰好太尉夫人走过来，说道：“夫人，你却在此祷告甚么？”韩夫人慌忙转口道：“氏儿并不曾说甚么。”太尉夫人再也不来盘问。游玩至晚归家，各自安歇，不题。正是：

要知心腹事，但听口中言。

却说韩夫人到了房中，卸去冠服，挽就乌云，穿上便服，手托香腮，默默无言。心心念念，只是想着二郎神模样。蓦然计上心来，分付侍儿们端正香案，到花园中人静处，对天祷告：“若是氏儿前程远大，将来嫁得一个丈夫，好像二郎尊神模样，煞强似入宫之时，受千般凄苦，万种愁思。”说罢，不觉纷纷珠泪滚下腮边。拜了又祝，祝了又拜，分明是痴想妄想。不道有这般巧事！韩夫人再三祷告已毕，正待收拾回房，只听得万花深处，一声响亮，见一尊神道，立在夫人面前。但见：

龙眉凤目，皓齿鲜唇，飘飘有出尘之姿，冉冉有惊人之貌。若非阆苑瀛洲客，便是餐霞吸露人。

仔细看时，正比庙中所塑二郎神模样，不差分毫来去。手执一张弹弓，又像张仙送子一般。韩夫人又惊又喜。惊的是天神降临，未知是祸是福；喜的是神道欢容笑口，又见他说出话来。便向前端端正正道个万福，启朱唇，露玉齿，告道：“既蒙尊神下降，请到房中，容氏儿展敬。”

当时二郎神笑吟吟同夫人入房，安然坐下。夫人起居已毕，侍立在前。二郎神道：“早蒙夫人厚礼。今者小神偶然闲步碧落之间，听得夫人祷告至诚。小神知得夫人仙风道骨，原是瑶池一会中人。只因夫人凡心未静，玉帝暂谪下尘寰，又向皇宫内苑，享尽人间富贵荣华。谪限满时，还归紫府，证果非凡。”韩夫人见说，欢喜无任，又拜祷道：“尊神在上：氏儿不愿入宫。若是氏儿前程远大，将来嫁得一个良人，一似尊神模样，偕老百年，也不辜负了春花秋月，说甚么富贵荣华！”二郎神微微笑道：“此亦何难？只恐夫人立志不坚。姻缘分定，自然千里相逢。”说毕起身，跨上槛窗。一声响亮，神道去了。

韩夫人不见便罢，既然见了这般模样，真是如醉如痴，和衣上床睡了。正是：

欢娱嫌夜短，寂寞恨更长。

番来覆去，一片春心，按纳不住。自言自语，想一回，定一回：“适间尊神降临，四目相视，好不情长！怎地又瞥然而去。想是聪明正直为神，不比尘凡心性，是我错用心机了！”又想一回道：“是适间尊神丰姿态度，语笑雍容，宛然是生人一般。难说见了氏儿这般容貌，全不动情？还是我一时见不到处，放了他去？算来还该着意温存，便是铁石人儿，也告得转。今番错过，未知何日重逢！”好生摆脱不下。眼巴巴盼到天明，再做理会。及至天明，又睡着去了。直到傍午，方才起来。

当日无情无绪，巴不到晚，又去设了香案，到花园中祷告如前：“若得再见尊神一面，便是三生有幸。”说话之间，忽然一声响亮，夜来二郎神又立在面前。韩夫人喜不自胜，将一天愁闷，已冰消瓦解了。即便向前施礼，对景忘怀：“烦请尊神入房，氏儿别有衷情告诉。”二郎神喜孜孜堆下笑来，便携夫人手，共入兰房。夫人起居已毕。二郎神正中坐下，夫人侍立在前。二郎神道：“夫人分有仙骨，便坐不妨。”夫人便斜身对二郎神坐下。即命侍儿安排酒果，在房中一杯两盏，看看说出衷肠话来。道不得个：

春为茶博士，酒是色媒人。

当下韩夫人解佩出湘妃之玉，开唇露汉署之香：“若是尊神不嫌秽亵，暂息天上征轮，少叙人间恩爱。”二郎神欣然应允，携手上床，云雨绸缪。夫人倾身陪奉，忘其所以。盘桓至五更。二郎神起身，嘱付夫人保重，再来相看。起身穿了衣服，执了弹弓，跨上槛窗，一声响亮，便无踪影。韩夫人死心塌地，道是神仙下临，心中甚喜。只恐太尉夫人催他入宫，只有五分病，装做七分病，间常不甚十分欢笑。每到晚来，精神炫耀，喜气生春。神道来时，三杯已过，上床云雨，至晓便去，非止一日。

忽一日，天气稍凉，道君皇帝分散合宫秋衣，偶思韩夫人，就差内侍捧了旨意，敕赐罗衣一袭，玉带一围，到于杨太尉府中。韩夫人排了香案，谢恩礼毕。内侍便道：“且喜娘娘贵体无事。圣上思忆娘娘，故遣赐罗衣玉带，就问娘娘病势已痊，须早早进宫。”韩夫人管待使臣，便道：“相烦内侍则个。氏儿病体只去得五分，全赖内侍转奏，宽限进宫，实为恩便。”内侍应道：“这个有何妨碍？圣上那里也不少娘娘一个人。入宫时，只说娘娘尚未全好，还须耐心保重便了。”韩夫人谢了，内侍作别不题。

到得晚间，二郎神到来，对韩夫人说道：“且喜圣上宠眷未衰，所赐罗衣玉带，便可借观。”夫人道：“尊神何以知之？”二郎神道：“小神坐观天下，立见四方，谅此区区小事，岂有不知之理？”夫人听说，便一发将出来看。二郎神道：“大凡世间宝物，不可独享。小神缺少围腰玉带。若是夫人肯舍施时，便完成善果。”夫人便道：“氏儿一身已属尊神，缘分非浅。若要玉带，但凭尊神将去。”二郎神谢了，上床欢会。未至五更起身，手执弹弓，拿了玉带，跨上槛窗，一声响亮依然去了。却不道是：

若要人不知，除非己莫为。

韩夫人与太尉居止，虽是一宅分为两院，却因是内家内人，早晚愈加提防。府堂深稳，料然无闲杂人辄敢擅入。但近日来常见西园彻夜有火，唧唧哝哝，似有人声息。又见韩夫人精神旺相，喜容可掬。太尉再三踌躇，便对自己夫人说道：“你见韩夫人有些破绽出来么？”太尉夫人说道：“我也有些疑影。只是府中门禁甚严，决无此事，所以坦然不疑。今者太尉既如此说，有何难哉。且到晚间，着精细家人，从屋上扒去，打探消息，便有分晓，也不要错怪了人。”太尉便道：“言之有理。”当下便唤两个精细家人，分付他如此如此，教他：“不要从门内进去，只把摘花梯子，倚在墙外，待人静时，直扒去韩夫人卧房，看他动静，即来报知。此事非同小可的勾当，须要小心在意。”二人领命去了。太尉立等他回报。

不消两个时辰，二人打看得韩夫人房内这般这般，便教太尉屏去左右，方才将所见韩夫人房内坐着一人说话饮酒，“夫人房内声声称是尊神，小人也仔细想来，府中墙垣又高，防闲又密，就有歹人，插翅也飞不进。或者真个是神道也未见得。”太尉听说，吃那一惊不小，叫道：“怪哉！果然有这等事！你二人休得说谎。此事非同小可。”二人答道：“小人并无半句虚谬。”太尉便道：“此事只许你知我知，不可泄漏了消息。”二人领命去了。太尉转身对夫人一一说知：“虽然如此，只是我眼见为真。我明晚须亲自去打探一番，便看神道怎生模样。”

捱至次日晚间，太尉复唤过昨夜打探二人来，分付道：“你两人着一个同我过去，着一人在此伺候，休教一人知道。”分付已毕，太尉便同一人过去，捏脚捏手，轻轻走到韩夫人窗前，向窗眼内把眼一张，果然是房中坐着一尊神道，与二人说不差。便待声张起来，又恐难得脱身，只得忍气吞声，依旧过来，分付二人休要与人胡说。转入房中，对夫人说知就里：“此必是韩夫人少年情性，把不住心猿意马，便遇着邪神魍魉，在此淫污天眷，决不是凡人的勾当。便须请法官调治。你须先去对韩夫人说出缘由，待我自去请法官便了。”

夫人领命，明早起身，到西园来，韩夫人接见。坐定，茶汤已过，太尉夫人屏去左右，对面论心，便道：“有一句话要对夫人说知。夫人每夜房中，却是与何人说话，唧唧哝哝，有些风声，吹到我耳朵里。只是此事非同小可，夫人须一一说知，只不要隐瞒则个。”韩夫人听说，满面通红，便道：“氏儿夜间房中并没有人说话。只氏儿与养娘们闲消遣，却有甚人到来这里！”太尉夫人听说，便把太尉夜来所见模样，一一说过。韩夫人唬得目睁口呆，罔知所措。太尉夫人再三安慰道：“夫人休要吃惊！太尉已去请法官到来作用，便见他是人是鬼。只是夫人到晚间，务要陪个小心，休要害怕。”说罢，太尉夫人自去。韩夫人到捏着两把汗。

看看至晚，二郎神却早来了。但是他来时，那弹弓紧紧不离左右。却说这里太尉请下灵济宫林真人手下的徒弟，有名的王法官，已在前厅作法。比至黄昏，有人来报：“神道来了。”法官披衣仗剑，昂然而入，直至韩夫人房前，大踏步进去，大喝一声：“你是何妖邪，却敢淫污天眷！不要走，吃吾一剑！”二郎神不慌不忙，便道：“不得无礼！”但见：

左手如托泰山，右手如抱婴孩，弓开如满月，弹发似流星。

当下一弹，正中王法官额角上，流出鲜血来，霍地望后便倒，宝剑丢在一边。众人慌忙向前扶起，往前厅去了。那神道也跨上槛窗，一声响亮，早已不见。当时却是怎地结果？正是：

说开天地怕，道破鬼神惊。

却说韩夫人见二郎神打退了法官，一发道是真仙下降，愈加放心，再也不慌。且说太尉已知法官不济，只得到赔些将息钱，送他出门。又去请得五岳观潘道士来。那潘道士专一行持五雷天心正法，再不苟且，又且足智多谋，一闻太尉呼唤，便来相见。太尉免不得将前事一一说知。潘道士便道：“先着人引领小道到西园看他出没去处，便知是人是鬼。”太尉道：“说得有理。”当时，潘道士别了太尉，先到西园韩夫人卧房，上上下下，看了一会。又请出韩夫人来拜见了，看了他的气色，转身对太尉说：“太尉在上，小道看来，韩夫人面上，部位气色，并无鬼祟相侵，只是一个会妖法的人做作。小道自有处置，也不用书符咒水、打鼓摇铃，待他来时，小道瓮中捉鳖，手到拿来。只怕他识破局面，再也不来，却是无可奈何。”太尉道：“若得他再也不来，便是干净了。我师且留在此，闲话片时则个。”

说话的，若是这厮识局知趣，见机而作，恰是断线鹞子一般，再也不来，落得先前受用了一番，且又完名全节，再去别处利市，有何不美，却不道是：“得意之事，不可再作，得便宜处，不可再往。”

却说那二郎神毕竟不知是人是鬼。却只是他尝了甜头，不达时务，到那日晚间，依然又来。韩夫人说道："夜来氏儿一些不知，冒犯尊神。且喜尊神无事，切休见责。"二郎神道。"我是上界真仙，只为与夫人仙缘有分，早晚要度夫人脱胎换骨，白日飞升。叵耐这蠢物！便有千军万马，怎地近得我！"韩夫人愈加钦敬，欢好倍常。

却说早有人报知太尉。太尉便对潘道士说知。潘道士禀知太尉，低低分付一个养娘，教他只以服事为名，先去偷了弹弓，教他无计可施。养娘去了。潘道士结束得身上紧簇，也不披法衣，也不仗宝剑，讨了一根齐眉短棍，只教两个从人，远远把火照着，分付道："若是你们怕他弹子来时，预先躲过，让我自去，看他弹子近得我么？"二人都暗笑道："看他说嘴！少不得也中他一弹。"却说养娘先去，以服事为名，挨挨擦擦，渐近神道身边。正与韩夫人交杯换盏，不提防他偷了弹弓，藏过一壁厢。这里从人引领潘道士到得门前，便道："此间便是。"丢下法官，三步做两步躲开去了。

却说潘道士掀开帘子，纵目一观，见那神道安坐在上。大喝一声，舞起棍来，匹头匹脑，一径打去。二郎神急急取那弹弓时，再也不见，只叫得一声"中计"！连忙退去，跨上槛窗。说时迟，那时快，潘道士一棍打着二郎神后腿，却打落一件物事来。那二郎神一声响亮，依然向万花深处去了。潘道士便拾起这件物事来，向灯光下一看，却是一只四缝乌皮皂靴，且将去禀覆太尉道："小道看来，定然是个妖人做作，不干二郎神之事。却是怎地拿他便好？"太尉道："有劳吾师，且自请回。我这里别有措置，自行体访。"当下酬谢了潘道士去了。结过一边。

太尉自打轿到蔡太师府中，直至书院里，告诉道：如此如此，这般这般。"终不成恁地便罢了！也须吃那厮耻笑，不成模样！"太师道："有何难哉！即今着落开封府滕大尹领这靴去作眼，差眼明手快的公人，务要体访下落，正法施行。"太尉道："谢太师指教。"太师道："你且坐下。"即命府中张干办火速去请开封府滕大尹到来。起居拜毕，屏去人从，太师与太尉齐声说道："帝辇之下，怎容得这等人在此做作！大尹须小心在意，不可怠慢。此是非同小可的勾当。且休要打草惊蛇，吃他走了。"大尹听说，唬得面色如土，连忙答道："这事都在下官身上。"领了皮靴，作别回衙，即便升厅，叫那当日缉捕使臣王观察过来，喝退左右，将上项事细说了一遍："与你三日限，要捉这个杨府中做不是的人来见我。休要大惊小怪，仔细体察，重重有赏；不然，罪责不小。"说罢，退厅。王观察领了这靴，将至使臣房里，唤集许多做公人，叹了一口气，只见：

眉头搭上双锁锁，腹内新添万斛愁。

却有一个三都捉事使臣姓冉名贵，唤做冉大，极有机变。不知替王观察捉了几多疑难公事。王观察极是爱他。当日冉贵见观察眉头不展，面带忧容，再也不来答扰，只管南天北地，七十三八十四说开了去。王观察见他们全不在意，便向怀中取出那皮靴向桌上一丢，便道："我们苦杀是做公人！世上有这等糊涂官府。这皮靴又不会说话，却限我三日之内，要捉这个穿皮靴在杨府中做不是的人来。你们众人道是好笑么？"众人轮流将皮靴看了一会。到冉贵面前，冉贵也不采，只说："难，难，难！官府真个糊涂。观察，怪不得你烦恼。"

那王观察不听便罢，听了之时，说道："冉大，你也只管说道难，这桩事便恁地干休罢了？却不难为了区区小子，如何回得大尹的说话？你们众人都在这房里撰过钱来使的，却说是难，难，难！"众人也都道："贼情公事还有些捉摸。既然晓得他是妖人，怎地近得他！若是近得他，前日潘道士也捉勾多时了。他也无计奈何，只打得他一只靴下来。不想我们晦气，撞着这没头脑的官司，却是真个没捉处。"

当下王观察先前只有五分烦恼，听得这篇言语，句句说得有道理，更添上十分烦恼。只见那冉贵不慌不忙，对观察道："观察且休要输了锐气。料他也只是一个人，没有三头六臂，只要寻他些破绽出来，便有分晓。"即将这皮靴番来覆去，不落手看了一回。众人都笑起来，说道："冉大，又来了，这只靴又不是一件稀奇作怪、眼中少见的东西，止无过皮儿染皂的，线儿扣缝的，蓝布吊里的，加上楦头，喷口水儿，弄得紧棚棚好看的。"冉贵却也不来兜揽，向灯下细细看那靴时，却是四条缝，缝得甚是紧密。看至靴尖，那一条缝略有些走线。冉贵偶然将小指头拨一拨，拨断了两股线，那皮就有些撬起来。向灯下照照里面时，却是蓝布托里。仔细一看，只见蓝布上有一条白纸条儿，便伸两个指头进去一扯，扯出纸条。仔细看时，不看时万事全休，看了时，却如半夜里拾金宝的一般。那王观察一见也便喜从天降，笑逐颜开。众人争上前看时，那纸条上面却写着："宣和三年三月五日铺户任一郎造。"观察对冉大道："今岁是宣和四年。眼见得做这靴时，不上二年光景。只捉了任一郎，这事便有七分。"冉贵道："如今且不要惊了他。待到天明，着两个人去，只说大尹叫他做生活，将来一索捆番，不怕他不招。"观察道："道你终是有些见识！"

当下众人吃了一夜酒，一个也不敢散。看看天晓，飞也似差两个人捉任一郎。不消两个时辰，将任一郎赚到使臣房里，翻转了面皮，一索捆番："这厮大胆，做得好事！"把那任一郎唬了一跳，告道："有事便好好说。却是我得何罪，便来捆我？"王观察道："还有甚说！这靴儿可不是你店中出来的？"任一郎接着靴，仔细看了一番，告观察："这靴儿委是男女做的。却有一个缘故：我家开下铺时，或是官员府中定制的，或是使客往来带出去的，家里都有一本坐簿，上面明写着某年某月某府中差某干办来定制做造。就是皮靴里面，也有一条纸条儿，字号与坐簿上一般的。观察不信，只消割开这靴，取出纸条儿来看，便知端的。”

王观察见他说着海底眼，便道：“这厮老实，放了他好好与他讲。”当下放了任一郎，便道：“一郎休怪，这是上司差遣，不得不如此。”就将纸条儿与他看。任一郎看了道：“观察，不打紧。休说是一两年间做的，就是四五年前做的，坐薄还在家中，却着人同去取来对看，便有分晓。”当时又差两个人，跟了任一郎，脚不点地，到家中取了簿子，到得使臣房里。王观察亲自从头检看，看至三年三月五日，与纸条儿上字号对照相同。看时，吃了一惊，做声不得。却是蔡太师府中张干办来定制的。王观察便带了任一郎，取了皂靴，执了坐簿，火速到府厅回话。此是大尹立等的勾当，即便出至公堂。王观察将上项事说了一遍，又将簿子呈上，将这纸条儿亲自与大尹对照相同。大尹吃了一惊：“原来如此。”当下半疑不信，沉吟了一会，开口道：“恁地时，不干任一郎事，且放他去。”任一郎磕头谢了，自去。大尹又唤转来分付道：“放便放你，却不许说向外人知道。有人问你时，只把闲话支吾开去，你可小心记着！”任一郎答应道：“小人理会得。”欢天喜地的去了。

大尹带了王观察、冉贵二人，藏了靴儿簿子，一径打轿到杨太尉府中来。正直太尉朝罢回来，门吏报覆，出厅相见。大尹便道：“此间不是说话处。”太尉便引至西偏小书院里，屏去人从，止留王观察、冉贵二人，到书房中伺候。大尹便将从前事历历说了一遍，如此如此：“却是如何处置？下官未敢擅便。”太尉看了，呆了半晌，想道：“太师国家大臣，富贵极矣，必无此事。但这只靴是他府中出来的，一定是太师亲近之人，做下此等不良之事。”商量一会，欲待将这靴到太师府中面质一番，诚恐干碍体面，取怪不便；欲待阁起不题，奈事非同小可，曾经过两次法官，又着落缉捕使臣，拿下任一郎问过，事已张扬。一时糊涂过去，他日事发，难推不知。倘圣上发怒，罪责非小。左思右想，只得分付王观察、冉贵自去。也叫人看轿，着人将靴儿簿子，藏在身边，同大尹径奔一处来。正是：

踏破铁鞋无觅处，得来全不费工夫。

当下太尉、大尹径往蔡太师府中。门首伺候报覆多时，太师叫唤入来书院中相见。起居茶汤已毕，太师曰：“这公事有些下落么？”太尉道：“这贼已有主名了，却是干碍太师面皮，不敢擅去捉他。”太师道：“此事非同小可，我却如何护短得？”太尉道：“太师便不护短，未免吃个小小惊恐。”太师道：“你且说是谁？直恁地疑难！”太尉道：“乞屏去从人，方敢胡言。”

太师即时将从人赶开。太尉便开了文匣，将坐簿呈上与太师检看过了，便道：“此事须太师爷自家主裁，却不干外人之事。”太师连声道：“怪哉，怪哉！”太尉道：“此系紧要公务，休得见怪下官。”太师道：“不是怪你，却是怪这只靴来历不明。”太尉道：“簿上明写着府中张干办定做，并非谎言。”太师道：“此靴虽是张千定造，交纳过了，与他无涉。说起来，我府中冠服衣靴履袜等件，各自派一个养娘分掌。或是府中自制造的，或是往来馈送，一出一入的，一一开载明白，逐月缴清报数，并不紊乱。待我吊查底簿，便见明白。”即便着人去查那一个管靴的养娘，唤他出来。

当下将养娘唤至，手中执着一本簿子。太师问道：“这是我府中的靴儿，如何得到他人手中？即便查来。”当下养娘逐一查检，看得这靴是去年三月中，自着人制造的，到府不多几时，却有一个门生，叫做杨时，便是龟山先生，与太师极相厚的。升了近京一个知县，前来拜别。因他是道学先生，衣敝履穿，不甚齐整。太师命取圆领一袭，银带一围，京靴一双，川扇四柄，送他作嘎程。这靴正是太师送与杨知县的，果然前件开写明白。太师即便与太尉大尹看了。二人谢罪道：“恁地又不干太师府中之事！适间言语冲撞，只因公事相逼，万望太师海涵！”太师笑道：“这是你们分内的事，职守当然，也怪你不得。只是杨龟山如何肯恁地做作？其中还有缘故。如今他任所去此不远。我潜地唤他来问个分晓。你二人且去，休说与人知道。”二人领命，作别回府不题。

太师即差干办火速去取杨知县来。往返两日，便到京中，到太师跟前。茶汤已毕，太师道：“知县为民父母，却恁地这般做作；这是迷天之罪。”将上项事一一说过。杨知县欠身禀道：“师相在上。某去年承师相厚恩，未及出京，在邸中忽患眼痛。左右传说，此间有个清源庙道二郎神，极是昐蚃有灵，便许下愿心，待眼痛痊安，即往拈香答礼。后来好了，到庙中烧香，却见二郎神冠服件件整齐，只脚下乌靴绽了，不甚相称。下官即将这靴舍与二郎神供养去讫。只此是真实语。知县生平不欺暗室，既读孔、孟之书，怎敢行盗跖之事？望太师详察。”太师从来晓得杨龟山是个大儒，怎肯胡做。听了这篇言语，便道；“我也晓得你的名声。只是要你来时问个根由，他们才肯心服。”管待酒食，作别了知县自去，分付休对外人泄漏。知县作别自去。正是：

日前不做亏心事，半夜敲门不吃惊。

太师便请过杨太尉、滕大尹过来，说开就里，便道：“恁地又不干杨知县事，还着开封府用心搜捉便了。”当下大尹做声不得，仍旧领了靴儿，作别回府，唤过王观察来分付道：“始初有些影响，如今都成画饼。你还领这靴去，宽限五日，务要捉得贼人回话。”当下王观察领这差使，好生愁闷，便到使臣房里，对冉贵道：“你看我晦气！千好万好，全仗你跟究出任一郎来。既是太师府中事体，我只道官官相护，就了其事。却如何从新又要这个人来，却不道是生菜铺中没买他处！我想起来，既是杨知县舍与二郎神，只怕真个是神道一时风流兴发，也不见得。怎生地讨个证据回覆大尹？”冉贵道：“观察不说，我也晓得不干任一郎事，也不干蔡太师、杨知县事。若说二郎神所为，难道神道做这等亏心行当不成？一定是庙中左近妖人所为。还到庙前庙后，打探些风声出来。捉得着，观察休欢喜；捉不着，观察也休烦恼。”观察道：“说得是。”即便将靴儿与冉贵收了。

冉贵却装了一条杂货担儿，手执着一个玲珑珰琅的东西，叫做个惊闺，一路摇着，径奔二郎神庙中来。歇了担儿，拈了香，低低祝告道：“神明鉴察，早早保佑冉贵捉了杨府做不是的，也替神道洗清了是非。”拜罢，连讨了三个签，都是上上大吉。冉贵谢了出门，挑上担儿，庙前庙后，转了一遭，两只眼东观西望，再也不闭。看看走至一处，独扇门儿，门傍却是半窗，门上挂一顶半新半旧斑竹帘儿，半开半掩，只听得叫声：“货卖过来！”冉贵听得叫，回头看时，却是一个后生妇人，便道：“告小娘子，叫小人有甚事？”妇人道：“你是收买杂货的，却有一件东西在此，胡乱卖几文与小厮买嘴吃。你用得也用不得？”冉贵道：“告小娘子，小人这个担儿，有名的叫做百纳仓，无有不收的。你且把出来看。”妇人便叫小厮拖出来与公公看。当下小厮拖出什么东西来？正是：

鹿迷秦相应难辨，蝶梦庄周未可知。

当下拖出来的，却正是一只四缝皮靴，与那前日潘道士打下来的一般无二。冉贵暗暗喜不自胜，便告小娘子：“此是不成对的东西，不值甚钱。小娘子实要许多？只是不要把话来说远了。”妇人道：“胡乱卖几文钱，小厮们买嘴吃，只凭你说罢了。只是要公道些。”冉贵便去便袋里摸一贯半钱来，便交与妇人道：“只恁地肯卖便收去了。不肯时，勉强不得。正是一物不成，两物见在。”妇人说：“甚么大事，再添些罢。”冉贵道：“添不得。”挑了担儿就走。小厮就哭起来，妇人只得又叫回冉贵来便道：“多少添些，不打甚紧。”冉贵又去摸出二十文钱来道：“罢，罢，贵了，贵了！”取了靴儿，往担内一丢，挑了便走，心中暗喜：“这事已有五分了！且莫要声张，还要细访这妇人来历，方才有下手处。”是晚，将担子寄与天津桥一个相识人家，转到使臣房里。王观察来问时，只说还没有消息。

到次日，吃了早饭，再到天津桥相识人家，取了担子，依先挑到那妇人门首。只见他门儿锁着，那妇人不在家里了。冉贵眉头一皱，计上心来。歇了担子，捱门儿看去。只见一个老汉坐着个矮凳儿，在门首将稻草打绳。冉贵陪个小心，问道：“伯伯，借问一声。那左首住的小娘子，今日往那里去了？”老汉住了手，抬头看了冉贵一看，便道：“你问他怎么！”冉贵道：“小子是卖杂货的。昨日将钱换那小娘子旧靴一只，一时间看不仔细，换得亏本了，特地寻他退还讨钱。”老汉道：“劝你吃亏些罢！那雌儿不是好惹的。他是二郎庙里庙官孙神通的亲表子。那孙神通一身妖法，好不利害！这旧靴一定是神道替下来，孙神通把与表子换些钱买果儿吃的。今日那雌儿往外婆家去了。他与庙官结识，非止一日。不知甚么缘故，有两三个月忽然生疏，近日又渐渐来往了。你若与他倒钱，定是不肯，惹毒了他，对孤老说了，就把妖术禁你，你却奈何他不得！”冉贵道：“原来恁地，多谢伯伯指教。”

冉贵别了老汉，覆身挑了担子，嘻嘻的喜容可掬，走回使臣房里来。王观察迎着问道：“今番想得了利市了？”冉贵道：“果然，你且取出前日那只靴来我看。”王观察将靴取出。冉贵将自己换来这只靴比照一下，毫厘不差。王观察忙问道：“你这靴那里来的？”冉贵不慌不忙，数一数二，细细分剖出来：“我说不干神道之事，眼见得是孙神通做下的不是！更不须疑！”王观察欢喜的没入脚处，连忙烧了利市，执杯谢了冉贵：“如今怎地去捉？只怕漏了风声，那厮走了，不是要处！”冉贵道：“有何难哉！明日备了三牲礼物，只说去赛神还愿。到了庙中，庙主自然出来迎接。那时掷盏为号，即便捉了，不费一些气力。”观察道：“言之有理。也还该禀知大尹，方去捉人。”当下王观察禀过大尹，大尹也喜道：“这是你们的勾当。只要小心在意，休教有失。我闻得妖人善能隐形遁法，可带些法物去，却是猪血、狗血、大蒜、臭屎，把他一灌，再也出豁不得。”

王观察领命，便去备了法物。过了一夜，明晨早到庙中，暗地着人带了四般法物，远远伺候，捉了人时，便前来接应。分付已了，王观察却和冉贵换了衣服，众人簇拥将来，到殿上拈香。庙官孙神通出来接见。宣读疏文未至四五句，冉贵在傍斟酒，把酒盏望下一掷，众人一齐动手，捉了庙官。正是：

浑似皂雕追紫燕，真如猛虎啖羊羔。

再把四般法物劈头一淋。庙官知道如此作用，随你泼天的神通，再也动弹不得。一步一棍，打到开封府中来。

府尹听得捉了妖人，即便升厅，大怒喝道：“叵耐这厮！帝辇之下，辄敢大胆，兴妖作怪，淫污天眷，奸骗宝物，有何理说！”当下孙神通初时抵赖，后来加起刑法来，料道脱身不得，只得从前一一招了，招称：“自小在江湖上学得妖法，后在二郎庙出家，用钱夤缘作了庙官。为因当日在庙中听见韩夫人祷告，要嫁得个丈夫，一似二郎神模样。不合辄起奸心，假扮二郎神模样，淫污天眷，骗得玉带一条。只此是实。”

大尹叫取大枷枷了，推向狱中，教禁子好生在意收管，须要请旨定夺。当下叠成文案，先去禀明了杨太尉。太尉即同到蔡太师府中商量，奏知道君皇帝，倒了圣旨下来：“这厮不合淫污天眷，奸骗宝物，准律凌迟处死，妻子没入官。追出原骗玉带，尚未出笏，仍归内府。韩夫人不合辄起邪心，永不许入内，就着杨太尉做主，另行改嫁良民为婚。”当下韩氏好一场惶恐，却也了却相思债，得遂平生之愿。后来嫁得一个在京开官店的远方客人，说过不带回去的。那客人两头往来，尽老百年而终。这是后话。开封府就取出庙官孙神通来，当堂读了明断，贴起一片芦席，明写犯由，判了一个“剐”字，推出市心，加刑示众。正是：

从前作过事，没兴一齐来。

当日看的真是挨肩叠背。监斩官读了犯由，刽子叫起恶杀都来，一齐动手，剐了孙神通，好场热闹。原系京师老郎传流，至今编入野史。正是：

但存夫子三分礼，不犯萧何六尺条。
自古奸淫应横死，神通纵有不相饶。

第十四卷
闹樊楼多情周胜仙

太平时节日偏长，处处笙歌入醉乡。
闻说鸾舆且临幸，大家拭目待君王。

这四句诗乃咏御驾临幸之事。从来天子建都之处，人杰地灵，自然名山胜水，凑着赏心乐事。如唐朝，便有个曲江池；宋朝，便有个金明池，都有四时美景，倾城士女王孙、佳人才子，往来游玩。天子也不时驾临，与民同乐。

如今且说那大宋徽宗朝东京金明池边，有座酒楼，唤作樊楼。这酒楼有个开酒肆的范大郎，兄弟范二郎，未曾有妻室。时值春末夏初，金明池游人赏玩作乐。那范二郎因去游赏，见佳人才子如蚁。行到了茶坊里来，看见一个女孩儿，方年二九，生得花容月貌。这范二郎立地多时，细看那女子，生得：

色色易迷难拆。隐深闺，藏柳陌。足步金莲，腰肢一捻，嫩脸映桃红，香肌晕玉白。娇姿恨惹狂童，情态愁牵艳客。芙蓉帐里作鸾凰，云雨此时何处觅？

原来情色都不由你。那女子在茶坊里，四目相视，俱各有情。这女孩儿心里暗暗地喜欢，自思量道：“若还我嫁得一似这般子弟，可知好哩。今日当面挫过，再来那里去讨？”正思量道：“如何着个道理和他说话？问他曾娶妻也不曾？”那跟来女子和奶子，都不知许多事。

你道好巧！只听得外面水盏响，女孩儿眉头一纵，计上心来，便叫：“卖水的，倾一盏甜蜜蜜的糖水来。”那人倾一盏糖水在铜盂儿里，递与那女子。那女子接得在手，才上口一呷，便把那个铜盂儿望空打一丢，便叫：“好好！你却来暗算我！你道我是兀谁？”那范二听得道：“我且听那女子说。”那女孩儿道：“我是曹门里周大郎的女儿，我的小名叫作胜仙小娘子，年一十八岁，不曾吃人暗算。你今却来算我！我是不曾嫁的女孩儿。”这范二自思量道：“这言语跷蹊，分明是说与我听。”这卖水的道：“告小娘子，小人怎敢暗算！”女孩儿道：“如何不是暗算我？盏子里有条草。”卖水的道：“也不为利害。”女孩儿道：“你待算我喉咙，却恨我爹爹不在家里。我爹若在家，与你打官司。”奶子在傍边道：“却也叵耐这厮！”茶博士见里面闹吵，走入来道：“卖水的，你去把那水好好挑出来。”

对面范二郎道：“他既暗递与我，我如何不回他？”随即也叫：“卖水的，倾一盏甜蜜蜜糖水来。”卖水的便倾一盏糖水在手，递与范二郎。二郎接着盏子，吃一口水，也把盏子望空一丢，大叫起来道：“好好，你这个人真个要暗算人！你道我是兀谁？我哥哥是樊楼开酒店的，唤作范大郎，我便唤作范二郎，年登一十九岁，未曾吃人暗算。我射得好弩，打得好弹，兼我不曾娶浑家。”卖水的道：“你不是风！是甚意思，说与我知道？指望我与你做媒？你便告到官司，我是卖水，怎敢暗算人！”范二郎道：“你如何不暗算？我的盂儿里，也有一根草叶。”女孩儿听得，，心里好喜欢。茶博士入来，推那卖水的出去。女孩儿起身来道：“俺们回去休。”看着那卖水的道：“你敢随我去？”这子弟思量道：“这话分明是教我随他去。”只因这一去，惹出一场没头脑官司。正是：

言可省时休便说，步宜留处莫胡行。

女孩儿约莫去得远了，范二郎也出茶坊，远远地望着女孩儿去。只见那女子转步，那范二郎好喜欢，直到女子住处。女孩儿入门去，又推起帘子出来望。范二郎心中越喜欢。女孩儿自入去了。范二郎在门前一似失心风的人，盘旋走来走去，直到晚方才归家。

且说女孩儿自那日归家，点心也不吃，饭也不吃，觉得身体不快。做娘的慌问迎儿道：“小娘子不曾吃甚生冷？”迎儿道：“告妈妈，不曾吃甚。”娘见女儿几日只在床上不起，走到床边问道：“我儿害甚的病？”女孩儿道：“我觉有些浑身痛，头疼，有一两声咳嗽。”周妈妈欲请医人来看女儿，争奈员外出去未归，又无男子汉在家，不敢去请。迎儿道：“隔一家有个王婆，何不请来看小娘子？他唤作王百会，与人收生，作针线，作媒人，又会与人看脉，知人病轻重。邻里家有些些事都浼他。”周妈妈便令迎儿去请得王婆来。见了妈妈，妈妈说女儿从金明池走了一遍，回来就病倒的因由。王婆道："妈妈不须说得，待老媳妇与小娘子看脉自知。"周妈妈道："好好！"

迎儿引将王婆进女儿房里。小娘子正睡哩，开眼叫声"少礼"。王婆道："稳便！老媳妇与小娘子看脉则个。"小娘子伸出手臂来，教王婆看了脉，道："娘子害的是头疼浑身痛，觉得恹恹地恶心。"小娘子道："是也。"王婆道："是否？"小娘子道："又有两声咳嗽。"王婆不听得万事皆休，听了道："这病跷蹊。如何出去走了一遭，回来却便害这般病！"王婆看着迎儿、奶子道："你们且出去，我自问小娘子则个。"迎儿和奶子自出去。

王婆对着女孩儿道："老媳妇却理会得这病。"女孩儿道："婆婆，你如何理会得？"王婆道："你的病唤作心病。"女孩儿道："如何是心病？"王婆道："小娘子，莫不见了甚么人，欢喜了，却害出这病来？是也不是？"女孩儿低着头儿叫："没。"王婆道："小娘子，实对我说。我与你做个道理，救了你性命。"那女孩儿听得说话投机，便说出上件事来，"那子弟唤作范二郎。"王婆听了道："莫不是樊楼开酒店的范二郎？"

那女孩儿道："便是。"王婆道："小娘子休要烦恼，别人时老身便不认得，若说范二郎，老身认得他的哥哥嫂嫂，不可得的好人。范二郎好个伶俐子弟，他哥哥见教我与他说亲。小娘子，我教你嫁范二郎，你要也不要？"女孩儿笑道："可知好哩！只怕我妈妈不肯。"王婆道："小娘子放心，老身自有个道理，不须烦恼。"女孩儿道："若得恁地时，重谢婆婆。"

王婆出房来，叫妈妈道："老媳妇知得小娘子病了。"妈妈道："我儿害甚么病？"王婆道："要老身说，且告三杯酒吃了却说。"妈妈道："迎儿，安排酒来请王婆。"妈妈一头请他吃酒，一头问婆婆："我女儿害甚么病？"王婆把小娘子说的话一一说了一遍。妈妈道："如今却是如何？"王婆道："只得把小娘子嫁与范二郎。若还不肯嫁与他，这小娘子病难医。"

妈妈道："我大郎不在家，须使不得。"王婆道："告妈妈，不若与小娘子下了定，等大郎归后，却做亲，且眼下救小娘子性命。"妈妈允了道："好好，怎地作个道理？"王婆道："老媳妇就去说，回来便有消息。"

王婆离了周妈妈家，取路径到樊楼，来见范大郎，正在柜身里坐。王婆叫声万福。大郎还了礼道："王婆婆，你来得正好。我却待使人来请你。"王婆道："不知大郎唤老媳妇作甚么？"大郎道："二郎前日出去归来，晚饭也不吃，道：'身体不快。'我问他那里去来？他道：'我去看金明池。'直至今日不起，害在床上，饮食不进。我待来请你看脉。"范大娘子出来与王婆相见了，大娘子道："请婆婆看叔叔则个。"王婆道："大郎，大娘子，不要入来，老身自问二郎，这病是甚的样起？"范大郎道："好好！婆婆自去看，我不陪你了。"

茶坊

王婆走到二郎房里，见二郎睡在床上，叫声："二郎，老媳妇在这里。"范二郎闪开眼道："王婆婆，多时不见，我性命休也。"王婆道："害甚病便休？"二郎道："觉头疼恶心，有一两声咳嗽。"王婆笑将起来。二郎道："我有病，你却笑我！"王婆道："我不笑别的，我得知你的病了。不害别病，你害曹门里周大郎女儿，是也不是？"二郎被王婆道着了，跳起来道："你如何得知？"王婆道："他家教我来说亲事。"范二郎不听得说万事皆休，听得说好喜欢。正是：

人逢喜信精神爽，话合心机意趣投。

当下同王婆厮赶着出来，见哥哥嫂嫂。哥哥见兄弟出来，道："你害病却便出来？"二郎道："告哥哥，无事了也。"哥嫂好快活。王婆对范大郎道："曹门里周大郎家，特使我来说二郎亲事。"大郎欢喜。话休絮烦。两下说成了，下了定礼，都无别事。范二郎闲时不着家，从下了定，便不出门，与哥哥照管店里。且说那女孩儿闲时不作针线，从下了定，也肯作活。两个心安意乐，只等周大郎归来做亲。

三月间下定，直等到十一月间，等得周大郎归。少不得邻里亲戚洗尘，不在话下。到次日，周妈妈与周大郎说知上件事。周大郎道："定了未？"妈妈道："定了也。"周大郎听说，双眼圆睁，看着妈妈骂道："打脊老贱人！得谁言语，擅便说亲！他高杀也只是个开酒店的。我女儿怕没大户人家对亲，却许着他！你倒了志气，干出这等事，也不怕人笑话。"正恁的骂妈妈，只见迎儿叫："妈妈，且进来救小娘子。"妈妈道："作甚？"迎儿道："小娘子在屏风后，不知怎地气倒在地。"慌得妈妈一步一跌，走向前来，看那女孩儿倒在地下，未知性命如何，先见四肢不举。

从来四肢百病，惟气最重。原来女孩儿在屏风后听得做爷的骂娘，不肯教他嫁范二郎，一口气塞上来，气倒在地。妈妈慌忙来救。被周大郎扯住，不得他救，骂道："打脊贼娘！辱门败户的小贱人，死便教他死，救他则甚？"迎儿见妈妈被大郎扯住，自去向前，却被大郎一个漏风掌打在一壁厢，即时气倒妈妈。迎儿向前救得妈妈苏醒，妈妈大哭起来。邻舍听得周妈妈哭，都走来看。张嫂、鲍嫂、毛嫂、刁嫂，挤上一屋子。原来周大郎平昔为人不近道理，这妈妈甚是和气，邻舍都喜他。周大郎看见多人，便道："家间私事，不必相劝！"邻舍见如此说，都归去了。

妈妈看女儿时，四肢冰冷。妈妈抱着女儿哭。本是不死，因没人救，却死了。周妈妈骂周大郎："你直恁地毒害！想必你不舍得三五千贯房奁，故意把我女儿坏了性命！"周大郎听得，大怒道："你道我不舍得三五千贯房奁，这等奚落我！"周大郎走将出去。周妈妈如何不烦恼：一个观音也似女儿，又伶俐，又好针线，诸般都好，如何教他不烦恼！离不得周大郎买具棺木，八个人抬来。周妈妈见棺材进门，哭得好苦！周大郎看着妈妈道：“你道我割舍不得三五千贯房奁，你那女儿房里，但有的细软，都搬在棺材里！”只就当时，教仵作人等入了殓，即时使人分付管坟园张一郎、兄弟二郎：“你两个便与我砌坑子。”分付了毕，话休絮烦，功德水陆也不作，停留也不停留，只就来日便出丧，周妈妈教留几日，那里拗得过来。早出了丧，埋葬已了，各人自归。

可怜三尺无情土，盖却多情年少人。

话分两头。且说当日一个后生的，年三十馀岁，姓朱名真，是个暗行人，日常惯与仵作的做帮手，也会与人打坑子。那女孩儿入殓及砌坑，都用着他。这日葬了女儿回来，对着娘道：“一天好事投奔我，我来日就富贵了。”娘道：“我儿有甚好事？”那后生道：“好笑，今日曹门里周大郎女儿死了，夫妻两个争竞道：‘女孩儿是爷气死了。’斗别气，约莫有三五千贯房奁，都安在棺材里。有恁地富贵，如何不去取之？”那作娘的道：“这个事却不是要的事。又不是八棒十三的罪过，又兼你爷有样子。二十年前时，你爷去掘一家坟园，揭开棺材盖，尸首觑着你爷笑起来。你爷吃了那一惊，归来过得四五日，你爷便死了。孩儿，切不可去，不是要的事！”朱真道：“娘，你不得劝我。”去床底下拖出一件物事来把与娘看。娘道：“休把出去罢！原先你爷曾把出去，使得一番便休了。”朱真道：“各人命运不同。我今年算了几次命，都说我该发财，你不要阻挡我。”

你道拖出的是甚物事？原来是一个皮袋，里面盛着些挑刀斧头，一个皮灯盏，和那盛油的罐儿，又有一领蓑衣。娘都看了，道：“这蓑衣要他作甚？”朱真道：“半夜使得着。”当日是十一月中旬，却恨雪下得大。那厮将蓑衣穿起，却又带一片，是十来条竹皮编成的一行，带在蓑衣后面。原来雪里有脚迹，走一步，后面竹片扒得平，不见脚迹。当晚约莫也是二更左侧，分付娘道：“我回来时，敲门响，你便开门。”虽则京城闹热，城外空阔去处，依然冷静。况且二更时分，雪又下得大，兀谁出来。

朱真离了家，回身看后面时，没有脚迹。迤逦到周大郎坟边，到萧墙矮处，把脚跨过去。你道好巧，原来管坟的养只狗子。那狗子见个生人跳过墙来，从草窠里爬出来便叫。朱真日间备下一个油糕，里面藏了些药在内。见狗子来叫，便将油糕丢将去。那狗子见丢甚物过来，闻一闻，见香便吃了。只叫得一声，狗子倒了。朱真却走近坟边。那看坟的张二郎叫道：“哥哥，狗子叫得一声，便不叫了，却不作怪！莫不有甚做不是的在这里？起去看一看。”哥哥道：“那作不是的来偷我甚么？”兄弟道：“却才狗子大叫一声便不叫了，莫不有贼？你不起去，我自起去看一看。”

那兄弟爬起来，披了衣服，执着枪在手里，出门来看。朱真听得有人声，悄悄地把蓑衣解下，捉脚步走到一株杨柳树边。那树好大，遮得正好。却把斗笠掩着身子和腰，蹭在地下，蓑衣也放在一边。望见里面开门，张二走出门外，好冷，叫声道："畜生，做甚么叫？"那张二是睡梦里起来，被雪雹风吹，吃一惊，连忙把门关了，走入房去，叫："哥哥，真个没人。"连忙脱了衣服，把被匹头兜了，道："哥哥，好冷！"哥哥道："我说没人！"约莫也是三更前后，两个说了半晌，不听得则声了。

朱真道："不将辛苦意，难近世间财。"抬起身来，再把斗笠戴了，着了蓑衣，捉脚步到坟边，把刀拨开雪地。俱是日间安排下脚手，下刀挑开石板下去，到侧边端正了，除下头上斗笠，脱了蓑衣在一壁厢，去皮袋里取两个长钉子，在砖缝里放上一个皮灯盏，竹筒里取出火种吹着了，油罐儿取油，点起那灯，把刀挑开命钉，把那盖天板丢在一壁，叫："小娘子莫怪，暂借你些个富贵，却与你作功德。"道罢，去女孩儿头上便除头面。有许多金珠首饰，尽皆取下了。只有女孩儿身上衣服，却难脱。那厮好会，去腰间解下手巾，去那女孩儿脖项上阁起，一头系在自脖项上，将那女孩儿衣服脱得赤条条地，小衣也不着。那厮可霎叵耐处，见那女孩儿白净身体，那厮淫心顿起，按捺不住，奸了女孩儿。你道好怪！只见女孩儿睁开眼，双手把朱真抱住。怎地出豁？正是：

曾观《前定录》，万事不由人。

原来那女儿一心牵挂着范二郎，见爷的骂娘，斗别气死了。死不多日，今番得了阳和之气，一灵儿又醒将转来。朱真吃了一惊。见那女孩儿叫声："哥哥，你是兀谁？"朱真那厮好急智，便道："姐姐，我特来救你。"女孩儿抬起身来，便理会得了：一来见身上衣服脱在一壁，二来见斧头刀仗在身边，如何不理会得？朱真欲待要杀了，却又舍不得。那女孩儿道："哥哥，你救我去见樊楼酒店范二郎，重重相谢你。"朱真心中自思，别人兀自坏钱取浑家，不能得恁地一个好女儿。救将归去，却是兀谁得知。朱真道："且不要慌，我带你家去，教你见范二郎则个。"女孩儿道："若见得范二郎，我便随你去。"

当下朱真把些衣服与女孩儿着了，收拾了金银珠翠物事衣服包了，把灯吹灭，倾那油入那油罐儿里，收了行头，揭起斗笠，送那女子上来。朱真也爬上来，把石头来盖得没缝，又捧些雪铺上。却教女孩儿上脊背来，把蓑衣着了，一手挽着皮袋，一手绾着金珠物事，把斗笠戴了，迤逦取路，到自家门前，把手去门上敲了两三下。那娘的知是儿子回来，放开了门。朱真进家中，娘的吃一惊道："我儿，如何尸首都驮回来？"朱真道："娘不要高声。"放下物件行头，将女孩儿入到自己卧房里面。朱真提起一把明晃晃的刀来，觑着女孩儿道："我有一件事和你商量。你若依得我时，我便将你去见范二郎。你若依不得我时，你见我这刀么？砍你做两段。”女孩儿慌道：“告哥哥，不知教我依甚的事？”朱真道：“第一，教你在房里不要则声；第二，不要出房门。依得我时，两三日内，说与范二郎。若不依我，杀了你。”女孩儿道：“依得，依得。”朱真分付罢，出房去与娘说了一遍。

话休絮烦。夜间离不得伴那厮睡。一日两日，不得女孩儿出房门。那女孩儿问道：“你曾见范二郎么？”朱真道：“见来。范二郎为你害在家里，等病好了，却来取你。”自十一月二十日，头至次年正月十五日。当日晚朱真对着娘道：“我每年只听得鳌山好看，不曾去看，今日去看则个，到五更前后，便归。”朱真分付了，自入城去看灯。

你道好巧！约莫也是更尽前后，朱真的老娘在家，只听得叫“有火”！急开门看时，是隔四五家酒店里火起，慌杀娘的，急走入来收拾。女孩儿听得，自思道：“这里不走，更待何时！”走出门首，叫婆婆来收拾。娘的不知是计，入房收拾。

女孩儿从热闹里便走，却不认得路，见走过的人，问道：“曹门里在那里？”人指道：“前面便是。”迤逦入了门，又问人：“樊楼酒店在那里？”人说道：“只在前面。”女孩儿好慌。若还前面遇见朱真，也没许多话。女孩儿迤逦走到樊楼酒店，见酒博士在门前招呼。女孩儿深深地道个万福。酒傅士还了喏道：“小娘子没甚事？”女孩儿道：“这里莫是樊楼？”酒博士道：“这里便是。”女孩儿道：“借问则个，范二郎在那里么？”酒博士思量道：“你看二郎！直引得光景上门。”酒博士道：“在酒店里的便是。”女孩儿移身直到柜边，叫道：“二郎万福！”范二郎不听得都休，听得叫，慌忙走下柜来，近前看时，吃了一惊，连声叫：“灭，灭！”女孩儿道：“二哥，我是人，你道是鬼？”范二郎如何肯信？一头叫：“灭，灭！”一只手扶着凳子。却恨凳子上有许多汤桶儿，慌忙用手提起一只汤桶儿来，觑着女子脸上丢将过去。你道好巧！丢那女孩儿太阳上打着，大叫一声，匹然倒地。慌杀酒保，连忙走来看时，只见女孩儿倒在地下。性命如何？正是：

小园昨夜东风恶，吹折江梅就地横。

酒博士见那女孩儿时，血浸着死了。范二郎口里兀自叫：“灭，灭！”范大郎见外头闹吵，急走出来看了，只听得兄弟叫：“灭，灭！”大郎问兄弟：“如何做此事？”良久方醒。问：“做甚打死他？”二郎道：“哥哥，他是鬼！曹门里贩海周大郎的女儿。”大郎道：“他若是鬼，须没血出，如何计结？”去酒店门前哄动有二三十人看，即时地方便入来捉范二郎。范大郎对众人道：“他是曹门里周大郎的女儿，十一月已自死了。我兄弟只道他是鬼，不想是人，打杀了他。我如今也不知他是人是鬼。你们要捉我兄弟去，容我请他爷来看尸则个。”众人道：“既是恁地，你快去请他来。”

范大郎急奔到曹门里周大郎门前，见个奶子问道："你是兀谁？"范大郎道："樊楼酒店范大郎在这里，有些急事，说声则个。"奶子即时入去请。不多时，周大郎出来，相见罢。范大郎说了上件事，道："敢烦认尸则个，生死不忘。"周大郎也不肯信。范大郎闲时不是说谎的人。周大郎同范大郎到酒店前看见也呆了，道："我女儿已死了，如何得再活？有这等事！"那地方不容范大郎分说，当夜将一行人拘锁，到次早解入南衙开封府。包大尹看了解状，也理会不下，权将范二郎送狱司监候。一面相尸，一面下文书行使臣房审实。作公的一面差人去坟上掘起看时，只有空棺材。问管坟的张一、张二，说道："十一月间，雪下时，夜间听得狗子叫。次早开门看，只见狗子死在雪里，更不知别项因依。"把文书呈大尹。大尹焦躁，限三日要捉上件贼人。展个两三限，并无下落。好似：

金瓶落井全无信，铁枪磨针尚少功。

且说范二郎在狱司间想："此事好怪！若说是人，他已死过了，见有入殓的仵作及坟墓在彼可证；若说是鬼，打时有血，死后有尸，棺材又是空的。"展转寻思，委决不下，又想道："可惜好个花枝般的女儿！若是鬼，倒也罢了；若不是鬼，可不枉害了他性命！"夜里番来覆去，想一会，疑一会，转睡不着。直想到茶坊里初会时光景，便道："我那日好不着迷哩！四目相视，急切不能上手。不论是鬼不是鬼，我且慢慢里商量，直恁性急，坏了他性命，好不罪过！如今陷于缧绁，这事又不得明白，如何是了？悔之无及！"转悔转想，转想转悔。捱了两个更次，不觉睡去。梦见女子胜仙，浓妆而至。范二郎大惊道："小娘子原来不死。"小娘子道："打得偏些，虽然闷倒，不曾伤命。奴两遍死去，都只为官人。今日知道官人在此，特特相寻，与官人了其心愿，休得见拒，亦是冥数当然。"范二郎忘其所以，就和他云雨起来。枕席之间，欢情无限。事毕，珍重而别。醒来方知是梦。越添了许多想悔。次夜亦复如此。到第三夜，又来，比前愈加眷恋，临去告诉道："奴阳寿未绝。今被五道将军收用。奴一心只忆着官人，泣诉其情，蒙五道将军可怜，给假三日。如今限期满了，若再迟延，必遭呵斥。奴从此与官人永别。官人之事，奴已拜从五道将军，但耐心，一月之后，必然无事。"范二郎自觉伤感，啼哭起来。醒了，记起梦中之言，似信不信。刚刚一月三十个日头，只见狱卒奉大尹钧旨，取出范二郎赴狱司勘问。

原来开封府有一个常卖董贵，当日绾着一个篮儿，出城门外去，只见一个婆子在门前叫常卖，把着一件物事递与董贵。是甚的？是一条珠子结成的栀子花。那一夜朱真归家，失下这朵珠花。婆婆私下检得在手，不理会得直几钱，要卖一两贯钱作私房。董贵道："要几钱？"婆子道："胡乱。"董贵道："还你两贯。"婆子道："好。"董贵还了钱，径将来使臣房里，见了观察，说道恁地。即时观察把这朵栀子花径来曹门里，教周大郎、周妈妈看，认得是女儿临死带去的。即时差人捉婆子。婆子说：“儿子朱真不在。”当时搜捉朱真不见，却在桑家瓦里看要，被作公的捉了，解上开封府。包大尹送狱司勘问上件事情，朱真抵赖不得，一一招伏。当案薛孔目初拟朱真劫坟当斩，范二郎免死，刺配牢城营，未曾呈案。其夜梦见一神如五道将军之状，怒责薛孔目曰：“范二郎有何罪过，拟他刺配！快与他出脱了。”薛孔目醒来，大惊，改拟范二郎打鬼，与人命不同，事属怪异，宜径行释放。包大尹看了，都依拟。范二郎欢天喜地回家。后来娶妻，不忘周胜仙之情，岁时到五道将军庙中烧纸祭奠。有诗为证：

情郎情女等情痴，只为情奇事亦奇。

若把无情有情比，无情翻似得便宜。

第十五卷
赫大卿遗恨鸳鸯绦

皮包血肉骨包身，强作娇妍诳惑人。

千古英雄皆坐此，百年同共一坑尘。

这首诗乃昔日性如子所作，单戒那淫色自戕的。论来好色与好淫不同。假如古诗云：“一笑倾人城，再笑倾人国。岂不顾倾城与倾国，佳人难再得！”此谓之好色。若是不择美恶，以多为胜，如俗语所云：“石灰布袋，到处留迹。”其色何在？但可谓之好淫而已。然虽如此，在色中又有多般：假如张敞画眉，相如病渴，虽为儒者所讥，然夫妇之情，人伦之本，此谓之正色。又如娇妾美婢，倚翠偎红，金钗十二行，锦障五十里，樱桃杨柳，歌舞擅场，碧月紫云，风流姱艳；虽非一马一鞍，毕竟有花有叶，此谓之傍色。又如锦营献笑，花阵团欢，露水分司，身到偶然留影，风云随例，颜开那惜缠头，旅馆长途，堪消寂寞，花前月下，亦助襟怀；虽市门之游，豪客不废，然女闾之遗，正人耻言，不得不谓之邪色。至如上蒸下报，同人道于兽禽，钻穴逾墙，役心机于鬼蜮，偷暂时之欢乐，为万世之罪人，明有人诛，幽蒙鬼责，这谓之乱色。

又有一种不是正色，不是傍色，虽然比不得乱色，却又比不得邪色。填塞了虚空圈套，污秽却清净门风，惨同神面刮金，恶胜佛头浇粪，远则地府填单，近则阳间业报。奉劝世人，切须谨慎！正是：

不看僧面看佛面，休把淫心杂道心。

说这本朝宣德年间，江西临江府新淦县，有个监生，姓赫名应祥，字大卿，为人风流俊美，落拓不羁，专好的是声色二事。遇着花街柳巷，舞榭歌台，便恋留不舍，就当做家里一般，把老大一个家业，也弄去了十之三四。浑家陆氏，见他恁般花费，苦口谏劝。赫大卿倒道老婆不贤，时常反目。因这上，陆氏立誓不管，领着三岁一个孩子喜儿，自在一间净室里持斋念佛，由他放荡。

一日，正值清明佳节，赫大卿穿着一身华丽衣服，独自一个到郊外踏青游玩。有宋张咏诗为证：

春游千万家，美人颜如花。三三两两映花立，飘飘似欲乘烟霞。

赫大卿只拣妇女丛聚之处，或前或后，往来摇摆，卖弄风流，希图要逢着个有缘分的佳人。不想一无所遇，好不败兴。自觉无聊，走向一个酒馆中，沽饮三杯。上了酒楼，拣沿街一副座头坐下。酒保送上酒肴，自斟自饮，倚窗观看游人。不觉三杯两盏，吃勾半酣，起身下楼，算还酒钱，离了酒馆，一步步任意走去。

此时已是未牌时分。行不多时，渐渐酒涌上来，口干舌燥，思量得盏茶来解渴便好。正无处求觅，忽抬头见前面林子中，幡影摇曳，磬韵悠扬，料道是个僧寮道院，心中欢喜，即忙趋向前去。

抹过林子，显出一个大庵院来。赫大卿打一看时，周遭都是粉墙包裹，门前十来株倒垂杨柳，中间向阳两扇八字墙门，上面高挂金字扁额，写着“非空庵”三字。赫大卿点头道：“常闻得人说，城外非空庵中有标致尼姑，只恨没有工夫，未曾见得。不想今日趁了这便。”即整顿衣冠，走进庵门。转东一条鹅卵石街，两边榆柳成行，甚是幽雅。行不多步，又进一重墙门，便是小小三间房子，供着韦驮尊者。庭中松柏参天，树上鸟声嘈杂。从佛背后转进，又是一条横街。

大卿径望东首行去，见一座雕花门楼，双扉紧闭。上前轻轻扣了三四下，就有个垂髫女童，呀的开门。那女童身穿缁衣，腰系丝绦，打扮得十分齐整，见了赫大卿，连忙问讯。大卿还了礼，跨步进去看时，一带三间佛堂，虽不甚大，到也高敞。中间三尊大佛，相貌庄严，金光灿烂。大卿向佛作了揖，对女童道：“烦报令师，说有客相访。”女童道：“相公请坐，待我进去传说。”

须臾间，一个少年尼姑出来，向大卿稽首。大卿急忙还礼，用那双开不开，合不合，惯输情，专卖俏，软眯睽的俊眼，仔细一觑。这尼姑年纪不上二十，面庞白皙如玉，天然艳冶，韵格非凡。大卿看见恁般标致，喜得神魂飘荡，一个揖作了下去，却像初出锅的糍粑，软做一塌，头也伸不起来。礼罢，分宾主坐下，想道："今日撞了一日，并不曾遇得个可意人儿，不想这所在到藏着如此妙人。须用些水磨工夫撩拨他，不怕不上我的钩儿。"

大卿正在腹中打点草稿，谁知那尼姑亦有此心。从来尼姑庵也有个规矩，但凡客官到来，都是老尼迎接答话。那少年的，如闺女一般，深居简出，非细相熟的主顾，或是亲戚，方才得见。若是老尼出外，或是病卧，竟自辞客。就有非常势要的，立心要来认那小徒，也少不得三请四唤，等得你个不耐烦，方才出来。这个尼姑为何挺身而出？有个缘故。他原是个真念佛，假修行，爱风月，嫌冷静，怨恨出家的主儿。偶然先在门隙里，张见了大卿这一表人材，到有几分看上了，所以挺身而出。当下两只眼光，就如针儿遇着磁石，紧紧的摄在大卿身上，笑嘻嘻的问道："相公尊姓贵表？府上何处？至小庵有甚见谕？"大卿道："小生姓赫名大卿，就在城中居住。今日到郊外踏青，偶步至此。久慕仙姑清德，顺便拜访。"尼姑谢道："小尼僻居荒野，无德无能，谬承枉顾，蓬荜生辉。此处来往人杂，请里面轩中待茶。"大卿见说请到里面吃茶，料有几分光景，好不欢喜，即起身随入。

行过几处房屋，又转过一条回廊，方是三间净室，收拾得好不精雅。外面一带，都是扶栏，庭中植梧桐二树，修竹数竿，百般花卉，纷纭辉映，但觉香气袭人。正中间供白描大士像一轴，古铜炉中，香烟馥馥，下设蒲团一坐。左一间放着朱红厨柜四个，都有封锁，想是收藏经典在内。右一间用围屏围着，进入看时，横设一张桐柏长书桌，左设花藤小椅，右边靠壁一张斑竹榻儿，壁上悬一张断纹古琴。书桌上笔砚精良，纤尘不染。侧边有经卷数帙。随手拈一卷翻看，金书小楷，字体摹仿赵松雪，后注年月，下书"弟子空照熏沐写"。

大卿问："空照是何人？"答道："就是小尼贱名。"大卿反复玩赏，夸之不已。两个隔着桌子对面而坐。女童点茶到来。空照双手捧过一盏，递与大卿，自取一盏相陪。那手十指尖纤，洁白可爱。大卿接过，啜在口中，真个好茶！有吕洞宾茶诗为证：

玉蕊旗枪称绝品，僧家造法极工夫。
兔毛瓯浅香云白，虾眼汤翻细浪休。
断送睡魔离几席，增添清气入肌肤。
幽丛自落溪岩外，不肯移根入上都。

大卿问道："仙庵共有几位？"空照道："师徒四众。家师年老，近日病废在床，当家就是小尼。"指着女童道："这便是小徒，他还有师弟在房里诵经。"赫大卿道："仙姑出家几年了？"空照道："自七岁丧父，送入空门，今已十二年矣。"赫大卿道："青春十九，正在妙龄，怎生受此寂静？"空照道："相公休得取笑！出家胜俗家数倍哩。"赫大卿道："那见得出家的胜似俗家？”空照道：“我们出家人，并无闲事缠扰，又无儿女牵绊，终日诵经念佛，受用一炉香，一壶茶，倦来眠纸帐，闲暇理丝桐，好不安闲自在。”大卿道：“闲暇理丝桐，弹琴时也得个知音的人儿在傍喝采方好。这还罢了，则这倦来眠纸帐，万一梦魇起来，没人推醒，好不怕哩！”空照已知大卿下钓，含笑而应道：“梦魇杀了人也不要相公偿命。”大卿也笑道：“别的魇杀了一万个，全不在小生心上，像仙姑恁般高品，岂不可惜！”两下你一句，我一声，渐渐说到分际。大卿道：“有好茶再求另泼一壶来吃。”空照已会意了，便教女童去廊下烹茶。

大卿道：“仙姑卧房何处？是什么纸帐？也得小生认一认。”空照此时欲心已炽，按纳不住，口里虽说道：“认他怎么？”却早已立起身来。大卿上前拥抱，先做了个“吕”字。空照往后就走，大卿接脚跟上。空照轻轻的推开后壁，后面又有一层房屋，正是空照卧处，摆设更自济楚。大卿也无心观看，两个相抱而入，遂成云雨之欢。有《小尼姑》曲儿为证：

> 小尼姑，在庵中，手拍着桌儿怨命。平空里吊下个俊俏官人，坐谈有几句话，声口儿相应。你贪我不舍，一拍上就圆成。虽然不是结发的夫妻，也难得他一个字儿叫做肯。

二人正在酣美之处，不提防女童推门进来，连忙起身。女童放下茶儿，掩口微笑而去。

看看天晚，点起灯烛，空照自去收拾酒果蔬菜，摆做一桌，与赫大卿对面坐下，又恐两个女童泄漏机关，也教来坐在旁边相陪。空照道：“庵中都是吃斋，不知贵客到来，未曾备办荤味，甚是有慢。”赫大卿道：“承贤师徒错爱，已是过分。若如此说，反令小生不安矣。”当下四人杯来盏去，吃到半酣，大卿起身捱至空照身边，把手勾着颈儿，将酒饮过半杯，递到空照口边。空照将口来承，一饮而尽。两个女童见他肉麻，起身回避。空照一把扯道：“既同在此，料不容你脱白。”二人挣脱不开，将袖儿掩在面上。大卿上前抱住，扯开袖子，就做了个嘴儿。二女童年在当时，情窦已开，见师父容情，落得快活。四人搂做一团，缠做一块，吃得个大醉，一床而卧，相偎相抱，如漆如胶。赫大卿放出平生本事，竭力奉承。尼姑俱是初得甜头，恨不得把身子并做一个。

到次早，空照叫过香公，赏他三钱银子，买嘱他莫要泄漏，又将钱钞教去买办鱼肉酒果之类。那香公平昔间，捱着这几碗黄齑淡饭，没甚肥水到口，眼也是盲的，耳也是聋的，身子是软的，脚儿是慢的。此时得了这三钱银子，又见要买酒肉，便觉眼明手快，身子如虎一般健，走跳如飞。那消一个时辰，都已买完。安排起来，款待大卿，不在话下。

却说非空庵原有两个房头，东院乃是空照，西院的是静真，也是个风流女师，手下止有一个女童，一个香公。那香公因见东院连日买办酒肉，报与静真。静真猜算空照定有些不三不四的勾当，教女童看守房户，起身来到东院门口。恰好遇见香公，左手提着一个大酒壶，右手拿个篮儿，开门出来。两下打个照面，即问道："院主往那里去？"静真道："特来与师弟闲话。"香公道："既如此，待我先去通报。"静真一手扯住道："我都晓得了，不消你去打照会。"香公被道着心事，一个脸儿登时涨红，不敢答应，只得随在后边，将院门闭上，跟至净室门口，高叫道："西房院主在此拜访。"空照闻言，慌了手脚，没做理会，教大卿闪在屏后，起身迎住静真。静真上前一把扯着空照衣袖，说道："好阿，出家人干得好事，败坏山门，我与你到里正处去讲。"扯着便走。唬得个空照脸儿就如七八样的颜色染的，一搭儿红，一搭儿青，心头恰像千百个铁槌打的，一回儿上，一回儿下，半句也对不出，半步也行不动。静真见他这个模样，呵呵笑道："师弟不消着急！我是耍你。但既有佳宾，如何瞒着我独自受用？还不快请来相见？"空照听了这话，方才放心，遂令大卿与静真相见。

大卿看静真姿容秀美，丰采动人，年纪有二十五六上下，虽然长于空照，风情比他更胜，乃问道："师兄上院何处？"静真道："小尼即此庵西院，咫尺便是。"大卿道："小生不知，失于奉谒。"两下闲叙半晌。静真见大卿举止风流，谈吐开爽，凝眸留盼，恋恋不舍，叹道："天下有此美士，师弟何幸，独擅其美！"空照道："师兄不须眼热！倘不见外，自当同乐。"静真道："若得如此，佩德不浅。今晚奉候小坐，万祈勿外。"说罢，即起身作别，回至西院，准备酒肴伺候。

不多时，空照同赫大卿携手而来。女童在门口迎候。赫大卿进院看时，房廊花径，亦甚委曲。三间净室，比东院更觉精雅。但见：

> 潇洒亭轩，清虚户牖。画展江南烟景，香焚真腊沉檀。庭前修竹，风摇一派珮环声；帘外奇花，日照千层锦绣色。松阴入槛琴书润，山色侵轩枕簟凉。

静真见大卿已至，心中欢喜，不复叙礼，即便就坐。茶罢，摆上果酒肴馔。空照推静真坐在赫大卿身边，自己对面相陪，又扯女童打横而坐。四人三杯两盏，饮勾多时。赫大卿把静真抱置膝上，又教空照坐至身边，两手勾着颈项儿，百般旖旎。旁边女童面红耳热，也觉动情。直饮到黄昏时分，空照起身道："好做新郎，明日早来贺喜。"讨个灯儿，送出门口自去。女童叫香公关门闭户，进来收拾家火，将汤净过手脚。赫大卿抱着静真上床，解脱衣裳，钻入被中，酥胸紧贴，玉体相偎。赫大卿乘着酒兴，尽生平才学，恣意搬演，把静真弄得魄丧魂消，骨酥体软，四肢不收，委然席上。睡至巳牌时分，方才起来。自此之后，两院都买嘱了香公，轮流取乐。

赫大卿淫欲无度，乐极忘归。将近两月，大卿自觉身子困倦，支持不来，思想回家。怎奈尼姑正是少年得趣之时，那肯放舍。赫大卿再三哀告道："多承雅爱，实不忍别。但我到此两月有馀，家中不知下落，定然着忙。待我回去，安慰妻孥，再来陪奉。不过四五日之事，卿等何必见疑？"空照道："既如此，今晚备一酌为饯，明早任君回去。但不可失信，作无行之人。"赫大卿设誓道："若忘卿等恩德，犹如此日！"空照即到西院，报与静真。静真想了一回道："他设誓虽是真心，但去了必不能再至。"空照道："却是为何？"静真道："是这样一个风流美貌男子，谁人不爱！况他生平花柳多情，乐地不少，逢着便留恋几时。虽欲要来，势不可得。"空照道："依你说还是怎样？"静真道："依我却有个绝妙策儿在此，教他无绳自缚，死心塌地守着我们。"空照连忙问计。静真伸出手叠着两个指头，说将出来。有分教赫大卿：

生于锦绣丛中，死在牡丹花下。

当下静真道："今夜若说饯行，多劝几杯，把来灌醉了，将他头发剃净，自然难回家去。况且面庞又像女人，也照我们妆束，就是达摩祖师亲来，也相不出他是个男子。落得永远快活，且又不担干系，岂非一举两便？"空照道："师兄高见，非我可及。"到了晚上，静真教女童看守房户，自己到东院见了赫大卿道："正好欢娱，因甚顿生别念？何薄情至此！"大卿道："非是寡情，止因离家已久，妻孥未免悬望，故此暂别数日，即来陪侍。岂敢久抛，忘卿恩爱？"静真道："师弟已允，我怎好免强？但君不失所期，方为信人。"大卿道："这个不须多嘱。"少顷，摆上酒肴，四尼一男，团团而坐。静真道："今夜置此酒，乃离别之筵，须大家痛醉。"空照道："这个自然！"当下更番劝酬，直饮至三鼓，把赫大卿灌得烂醉如泥，不省人事。静真起身，将他巾帻脱下，空照取出剃刀，把头发剃得一茎不存，然后扶至房中去睡，各自分别就寝。

赫大卿一觉，直至天明，方才苏醒。旁边伴的却是空照。翻转身来，觉道精头皮在枕上抹过。连忙把手摸时，却是一个精光葫芦。吃了一惊，急忙坐起，连叫道："这怎么说？"空照惊醒转来，见他大惊小怪，也坐起来道："郎君不要着恼！因见你执意要回，我师徒不忍分离，又无策可留，因此行这苦计，把你也要扮做尼姑，图个久远快活。"一头说，一头即倒在怀中，撒娇撒痴，淫声浪语，迷得个赫大卿毫无张主，乃道："虽承你们好意，只是下手太狠！如今教我怎生见人？"空照道："待养长了头发，见也未迟。"赫大卿无可奈何，只得依他，做尼姑打扮，住在庵中，昼夜淫乐。空照、静真已自不肯放空，又加添两个女童：

或时做联床会，或时做乱点军。那壁厢贪淫的肯行谦让？这壁厢买好的敢惜精神？两柄快斧不勾劈一块枯柴，一个疲兵怎能当四员健将。灯将灭而复明，纵是强阳之火；漏已尽而犹滴，那有润泽之时。任教铁汉也消熔，这个残生难过活。

大卿病已在身，没人体恤。起初时还三好两歉，尼姑还认是躲避差役。次后见他久眠床褥，方才着急。意欲送回家去，却又头上没了头发，怕他家盘问出来，告到官司，败坏庵院，住身不牢；若留在此，又恐一差两误，这尸首无处出脱，被地方晓得，弄出事来，性命不保。又不敢请觅医人看治。止教香公去说病讨药。犹如浇在石上，那有一些用处。空照、静真两个，煎汤送药，日夜服侍，指望他还有痊好的日子。谁知病势转加，淹淹待毙。空照对静真商议道："赫郎病体，万无生理，此事却怎么处？"静真想了一想道："不打紧！如今先教香公去买下几担石灰。等他走了路，也不要寻外人收拾，我们自己与他穿着衣服，依般尼姑打扮。棺材也不必去买，且将老师父寿材来盛了。我与你同着香公女童相帮抬到后园空处，掘个深穴，将石灰倾入，埋藏在内，神不知，鬼不觉，那个晓得！"不道二人商议。

且说赫大卿这日睡在空照房里，忽地想起家中，眼前并无一个亲人，泪如雨下。空照与他拭泪，安慰道："郎君不须烦恼！少不得有好的日子。"赫大卿道："我与二卿邂逅相逢，指望永远相好。谁想缘分浅薄，中道而别，深为可恨。但起手原是与卿相处，今有一句要紧话儿，托卿与我周旋，万乞不要违我。"空照道："郎君如有所嘱，必不敢违。"赫大卿将手在枕边取出一条鸳鸯绦来。——如何唤做鸳鸯绦？原来这绦半条是鹦哥绿，半条是鹅儿黄，两样颜色合成，所以谓之鸳鸯绦。——当下大卿将绦付与空照，含泪而言道："我自到此，家中分毫不知。今将永别，可将此绦为信，报知吾妻，教他快来见我一面，死亦瞑目。"

空照接绦在手，忙使女童请静真到厢房内，将绦与他看了，商议报信一节。静真道："你我出家之人，私藏男子，已犯明条，况又弄得淹淹欲死。他浑家到此，怎肯干休？必然声张起来。你我如何收拾？"空照到底是个嫩货，心中犹豫不忍。静真劈手夺取绦来，望着天花板上一丢，眼见得这绦有好几时不得出世哩。空照道："你撇了这绦儿，教我如何去回覆赫郎？"静真道："你只说已差香公将绦送去了，他娘子自不肯来，难道问我个违限不成？"空照依言回覆了大卿。大卿连日一连问了几次，只认浑家怀恨，不来看他，心中愈加凄惨，呜呜而泣。又捱了几日，大限已到，呜呼哀哉。

地下忽添贪色鬼，人间不见假尼姑。

二尼见他气绝，不敢高声啼哭，饮泣而已。一面烧起香汤，将他身子揩抹干净，取出一套新衣，穿着停当。教起两个香公，将酒饭与他吃饱，点起灯烛，到后园一株大柏树旁边，用铁锹掘了个大穴，倾入石灰，然后抬出老尼姑的寿材，放在穴内。铺设好了，也不管时日利也不利，到房中把尸首翻在一扇板门之上。众尼相帮香公，扛至后园，盛殓在内。掩上材盖，将就钉了。又倾上好些石灰，把泥堆上，匀摊与平地一般，并无一毫形迹。可怜赫大卿自清明日缠上了这尼姑，到此三月有馀，断送了性命，妻孥不能一见，撇下许多家业，埋于荒园之中，深为可惜！有小词为证：

贪花的，这一番你走错了路。千不合，万不合，不该缠那小尼姑。小尼姑是真色鬼，怕你缠他不过。头皮儿都擂光了，连性命也呜呼！埋在寂寞的荒园，这也是贪花的结果。

话分两头。且说赫大卿浑家陆氏，自从清明那日赫大卿游春去了，四五日不见回家，只道又在那个娼家留恋，不在心上。已后十来日不回，叫家人各家去挨问，都道清明之后，从不曾见。陆氏心上着忙。看看一月有馀，不见踪迹，陆氏在家日夜啼哭，写下招子，各处粘贴，并无下落。合家好不着急！

那年秋间久雨，赫家房子倒坏甚多。因不见了家主，无心葺理。直至十一月间，方唤几个匠人修造。一日，陆氏自走出来，计点工程，一眼觑着个匠人，腰间系一条鸳鸯绦儿，依稀认得是丈夫束腰之物，吃了一惊。连忙唤丫鬟教那匠人解下来看。这匠人叫做蒯三，泥水木作，件件精熟，有名的三料匠。赫家是个顶门主顾，故此家中大小无不认得。当下见掌家娘子要看，连忙解下，交于丫鬟。丫鬟又递与陆氏。陆氏接在手中，反覆仔细一认，分毫不差。只因这条绦儿，有分教：

贪淫浪子名重播，稔色尼姑祸忽临。

原来当初买这绦儿，一样两条，夫妻各系其一。今日见了那绦，物是人非，不觉扑簌簌流下泪来，即叫蒯三问道：“这绦你从何处得来的？”蒯三道：“在城外一个尼姑庵里拾的。”陆氏道：“那庵叫什么庵？尼姑唤甚名字？”蒯三道：“这庵有名的非空庵。有东西两院，东房叫做空照，西房叫做静真，还有几个不曾剃发的女童。”陆氏又问：“那尼姑有多少年纪了？”蒯三道：“都只好二十来岁，到也有十分颜色。”

陆氏听了，心中揣度：“丈夫一定恋着那两个尼姑，隐他庵中了。我如今多着几个人，将了这绦，叫蒯三同去做个证见，满庵一搜，自然出来的。”方才转步，忽又想道：“焉知不是我丈夫掉下来的？莫要枉杀了出家人，我再问他个备细。”陆氏又叫住蒯三问道：“你这绦儿时拾的？”蒯三道：“不上半月。”

陆氏又想道：“原来半月之前，丈夫还在庵中。事有可疑！”又问道：“你在何处拾的？”蒯三道：“在东院厢房内，天花板上拾的。也是大雨中淋漏了屋，教我去翻瓦，故此拾得。不敢动问大娘子，为何见了此绦，只管盘问？”陆氏道：“这绦是我大官人的。自从春间出去，一向并无踪迹。今日见了这绦，少不得绦在那里，人在那里。如今就要同你去与尼姑讨人。寻着大官人回来，照依招子上重重谢你。”蒯三听罢，吃了一惊：“那里说起！却在我身上要人！”便道：“绦便是我拾得，实不知你们大官人事体。”陆氏道：“你在庵中共做几日工作？”蒯三道：“西院共有十来日，至今工钱尚还我不清哩。”陆氏道：“可曾见我大官人在他庵里么？”蒯三道：“这个不敢说谎，生活便做了这几日，任我们穿房入户，却从不曾见大官人的影儿。”

陆氏想道：“若人不在庵中，就有此绦，也难凭据。”左思右算，想了一回，乃道：“这绦在庵中，必定有因。或者藏于别处，也未可知。适才蒯三说庵中还少工钱，我如今赏他一两银子，教他以讨银为名，不时去打探，少不得露出些圭角来。那时着在尼姑身上，自然有个下落。”即唤过蒯三，分付如此如此，恁般恁般：“先赏你一两银子。若得了实信，另有重谢。”那匠人先说有一两银子，后边还有重谢，满口应承，任凭差遣。陆氏回到房中，将白银一两付与，蒯三作谢回家。

到了次日，蒯三捱到饭后，慢慢的走到非空庵门口，只见西院的香公坐在门槛上，向着日色脱开衣服捉虱子。蒯三上前叫声香公。那老儿抬起头来，认得是蒯匠，便道：“连日不见，怎么有工夫闲走？院主正要寻你做些小生活，来得凑巧。”蒯匠见说，正合其意。便道：“不知院主要做甚么？”香公道：“说便恁般说，连我也不知。同进去问，便晓得。”把衣服束好，一同进来。弯弯曲曲，直到里边净室中。静真坐在那里写经。香公道：“院主，蒯待诏在此。”静真把笔放下道：“刚要着香公来叫你做生活，恰来得正好。”蒯三道：“不知院主要做甚样生活？”静真道：“佛前那张供桌，原是祖传下来的，年深月久，漆都落了。一向要换，没有个施主。前日蒙钱奶奶发心舍下几根木子，今要照依东院一般做张佛柜，选着明日是个吉期，便要动手。必得你亲手制造；那样没用副手，一个也成不得的。工钱索性一并罢。”蒯三道：“恁样，明日准来。”口中便说，两只眼四下瞧看。静室内空空的，料没个所在隐藏。即便转身，一路出来，东张西望，想道：“这绦在东院拾的，还该到那边去打探。”

走出院门，别了香公，径到东院。见院门半开半掩，把眼张看，并不见个人儿。轻轻的捱将进去，捏手捏脚逐步步走入。见锁着的空房，便从门缝中张望，并无声息。却走到厨房门首，只听得里边笑声，便立定了脚，把眼向窗中一觑，见两个女童搅做一团顽耍。须臾间，小的跌倒在地，大的便扛起双足，跨上身去，学男人行事，捧着亲嘴。小的便喊。大的道：“孔儿也被人弄大了，还要叫喊！”蒯三正看得得意，忽地一个喷嚏，惊得那两个女童连忙跳起，问道：“那个？”蒯三走近前去，道：“是我。院主可在家么？”

口中便说，心内却想着两个举动，忍笑不住，格的笑了一声。女童觉道被他看见，脸都红了，道："蒯待诏，有甚说话?"蒯三道："没有甚话，要问院主借工钱用用。"女童道："师父不在家里，改日来罢。"

蒯三见回了，不好进去，只得覆身出院。两个女童把门关上，口内骂道："这蛮子好像做贼的，声息不见，已到厨下了，恁样可恶!"蒯三明明听得，未见实迹，不好发作，一路思想："'孔儿被人弄大了'，这句话虽不甚明白，却也有些跷蹊。且到明日再来探听。"

至次日早上，带着家伙，径到西院，将木子量划尺寸，运动斧锯裁截。手中虽做家伙，一心察听赫大卿消息。约莫未牌时分，静真走出观看。两下说了一回闲话。忽然抬头见香灯中火灭，便教女童去取火。女童去不多时，将出一个灯盏火儿，放在桌上，便去解绳，放那灯香。不想绳子放得忒松了，那盏灯望下直溜。事有凑巧，物有偶然，香灯刚落下来，恰好静真立在其下，不歪不斜，正打在他的头上。扑的一声，那盏灯碎做两片，这油从头直浇到底。静真心中大怒，也不顾身上油污，赶上前一把揪住女童头发，乱打乱踢，口中骂着："骚精淫妇娼根，被人入昏了，全不照管，污我一身衣服!"

蒯三撇下手中斧凿，忙来解劝开了。静真怒气未息，一头走，一头骂，往里边更换衣服去了。那女童打的头发散做一背，哀哀而哭，见他进去，口中喃喃的道："打翻了油便恁般打骂!你活活弄死了人，该问甚么罪哩?"蒯三听得这话，即忙来问。正是：

情知语似钩和线，从头钓出是非来。

原来这女童年纪也在当时，初起见赫大卿与静真百般戏弄，心中也欲得尝尝滋味。怎奈静真情性利害，比空照大不相同，极要拈酸吃醋。只为空照是首事之人，姑容了他。汉子到了自己房头，囫囵吃在肚子，还嫌不够，怎肯放些须空隙与人!女童含忍了多时，衔恨在心，今日气怒间，一时把真话说出，不想正凑了蒯三之趣。当下蒯三问道："他怎么弄死了人?"女童道："与东房这些淫妇，日夜轮流快活，将一个赫监生断送了。"蒯三道："如今在那里?"女童道："东房后园大柏树下埋的不是?"蒯三还要问时，香公走将出来，便大家住口。女童自哭向里边去了。

蒯三思量这话，与昨日东院女童的正是暗合，眼见得这事有九分了。不到晚，只推有事，收拾家伙，一口气跑至赫家，请出陆氏娘子，将上项事一一说知。陆氏见说丈夫死了，放声大哭。连夜请亲族中商议停当，就留蒯三在家宿歇。到次早，唤集童仆，共有二十来人，带了锄头铁锹斧头之类，陆氏把孩子教养娘看管，乘坐轿子，蜂拥而来。

那庵离城不过三里之地，顷刻就到了。陆氏下了轿子，留一半人在门口把住，其馀的担着锄头铁锹，随陆氏进去。蒯三在前引路，径来到东院扣门。

那时庵门虽开，尼姑们方才起身。香公听得扣门，出来开，见有女客，只道是烧香的，进去报与空照知道。那蒯三认得里面路径，引着众人，一直望里边径闯，劈面遇着空照。空照见蒯三引着女客，便道："原来是蒯待诏的宅眷。"上前相迎。蒯三、陆氏也不答应，将他挤在半边，众人一溜烟向园中去了。空照见势头勇猛，不知有甚缘故，随脚也赶到园中。见众人不到别处，径至大柏树下，运起锄头铁耙，四下乱撬。空照知事已发觉，惊得面如土色，连忙覆身进来，对着女童道："不好了！赫郎事发了！快些随我来逃命！"两个女童都也唬得目睁口呆，跟着空照罄身而走。方到佛堂前，香公来报说："庵门口不知为甚，许多人守住，不容我出去。"空照连声叫："苦也！且往西院去再处。"四人飞走到西院，敲开院门，分付香公闭上："倘有人来扣，且勿要开。"赶到里边。

那时静真还未起身，门上闭着。空照一片声乱打。静真听得空照声音，急忙起来，穿着衣服，走出问道："师弟为甚这般忙乱？"空照道："赫郎事体，不知那个漏了消息。蒯木匠这天杀的，同了许多人径赶进后园，如今在那里发掘了。我欲要逃走，香公说门前已有人把守，出去不得，特来与你商议。"静真听说，吃这一惊，却也不小，说道："蒯匠昨日也在这里做生活，如何今日便引人来？却又知得恁般详细。必定是我庵中有人走漏消息，这奴狗方才去报新闻，不然，何由晓得我们的隐事？"那女童在旁闻得，懊悔昨日失言，好生惊惶。东院女童道："蒯匠有心，想非一日了。前日便悄悄直到我家厨下来打听消耗，被我们发作出门。但不知那个泄漏的？"空照道："这事且慢理论。只是如今却怎么处？"静真道："更无别法，只有一个走字。"空照道："门前有人把守。"静真道："且看后门。"先教香公打探，回说并无一人。空照大喜，一面教香公把外边门户一路关锁，自己到房中取了些银两，其馀尽皆弃下。连香公共是七人，一齐出了后门，也把锁儿锁了。空照道："如今走在那里去躲好？"静真道："大路上走，必然被人遇见，须从僻路而去，往极乐庵暂避。此处人烟稀少，无人知觉。了缘与你我情分又好，料不推辞。待事平定，再作区处。"空照连声道是，不管地上高低，望着小径，落荒而走，投极乐庵躲避，不在话下。

且说陆氏同蒯三众人，在柏树下一齐着力，锄开面上土泥，露出石灰，都道是了。那石灰经了水，并做一块，急切不能得碎。弄了大一回，方才看见材盖。陆氏便放声啼哭。众人用铁锹垦去两边石灰，那材盖却不能开。外边把门的等得心焦，都奔进来观看，正见弄得不了不当，一齐上前相帮，掘将下去，把棺木弄清，提起斧头，砍开棺盖。打开看时，不是男子，却是一个尼姑。众人见了，都慌做一堆，也不去细认，俱面面相觑，急把材盖掩好。

说话的，我且问你：赫大卿死未周年，虽然没有头发，夫妻之间，难道就认不出了？看官有所不知。那赫大卿初出门时，红红白白，是个俊俏子弟，在庵中得了怯症，久卧床褥，死时只剩得一把枯骨。就是引镜自照，也认不出当初本身了。况且骤然见了个光头，怎的不认做尼姑？

当下陆氏到埋怨蒯三起来，道："特地教你探听，怎么不问个的确，却来虚报？如今弄这把戏，如何是好？"蒯三道："昨日小尼明明说的，如何是虚报？"众人道："见今是个尼姑了，还强辩到那里去！"蒯三道："莫不掘错了？再在那边垦下去看。"内中有个老年亲戚道："不可，不可！律上说，开棺见尸者斩。况发掘坟墓，也该是个斩罪。目今我们已先犯着了，倘再掘起一个尼姑，到去顶两个斩罪不成？不如快去告官，拘昨日说的小尼来问，方才扯个两平。若被尼姑先告，到是老大利害。"众人齐声道是。急忙引着陆氏就走，连锄头家伙到弃下了。从里边直至庵门口，并无一个尼姑。那老者又道："不好了！这些尼姑，不是去叫地方，一定先去告状了，快走，快走！"唬得众人一个个心下慌张，巴不能脱离了此处。教陆氏上了轿子，飞也似乱跑，望新淦县前来禀官。进得城时，亲戚们就躲去了一半。

正是话分两头，却是陆氏带来人众内，有个雇工人，叫做毛泼皮，只道棺中还有甚东西，闪在一边，让众人去后，揭开材盖，掀起衣服，上下一翻，更无别物。也是数合当然，不知怎地一扯，那裤子直褪下来，露出那件话儿。毛泼皮看了笑道："原来不是尼姑，却是和尚。"依旧将材盖好，走出来四处张望。见没有人，就踅到一个房里，正是空照的净室。只拣细软取了几件，揣在怀里，离了非空庵。急急追到县前，正值知县相公在外拜客，陆氏和众人在那里伺候。毛泼皮上前道："不要着忙。我放不下，又转去相看。虽不是大官人，却也不是尼姑，到是个和尚。"众人都欢喜道："如此还好！只不知这和尚，是甚寺里，却被那尼姑谋死？"

你道天下有恁般巧事！正说间，旁边走出一个老和尚来，问道："有甚和尚谋死在那个尼姑庵里？怎么一个模样？"众人道："是城外非空庵东院，一个长长的黄瘦小和尚，像死不多时哩。"老和尚见说，便道："如此说来，一定是我的徒弟了。"众人问道："你徒弟如何却死在那里？"老和尚道："老僧是万法寺住持觉圆，有个徒弟叫做去非，今年二十六岁，专一不学长俊，老僧管他不下。自今八月间出去，至今不见回来。他的父母又极护短，不说儿子不学好，反告小僧谋死，今日在此候审。若得死的果然是他，也出脱了老僧。"毛泼皮道："老师父，你若肯请我，引你去看如何？"老和尚道："若得如此，可知好么！"

正待走动，只见一个老儿，同着一个婆子，赶上来，把老和尚接连两个巴掌，骂道："你这贼秃！把我儿子谋死在那里？"老和尚道："不要嚷，你儿子如今有着落了。"那老儿道："如今在那里？"老和尚道："你儿子与非空庵尼姑串好，不知怎样死了，埋在他后园。”指着毛泼皮道：“这位便是证见。”扯着他便走。那老儿同婆子一齐跟来，直到非空庵。那时庵傍人家尽皆晓得，若老若幼，俱来观看。毛泼皮引着老和尚，直至里边。只见一间房里，有人叫响。毛泼皮推门进去看时，却是一个将死的老尼姑，睡在床上叫喊：“肚里饿了，如何不将饭来我吃？”毛泼皮也不管他，依旧把门拽上了，同老和尚到后园柏树下，扯开材盖。那婆子同老儿擦磨老眼仔细认看，依稀有些相像，便放声大哭。看的人都拥做一堆。问起根由，毛泼皮指手划脚，剖说那事。老和尚见他认了，只要出脱自己，不管真假，一把扯道：“去，去，去，你儿子有了，快去禀官，拿尼姑去审问明白，再哭未迟。”那老儿只得住了，把材盖好，离了非空庵，飞奔进城。到县前时，恰好知县相公方回。

那拘老和尚的差人，不见了原被告，四处寻觅，奔了个满头汗。赫家众人见毛泼皮老和尚到了，都来问道：“可真是你徒弟么？”老和尚道：“千真万真!’’众人道：“既如此，并做一事，进去禀罢。”差人带一干人齐到里边跪下。到先是赫家人上去禀说家主不见缘由，并见蒯匠丝绦，及庵中小尼所说，开棺却是和尚尸首，前后事一一细禀。然后老和尚上前禀说，是他徒弟，三月前蓦然出去，不想死在尼姑庵里，被伊父母讦告：“今日已见明白，与小僧无干，望乞超豁。”知县相公问那老儿道：“果是你的儿子么？不要错了。”老儿禀道：“正是小人的儿子，怎么得错!”知县相公即差四个公差到庵中拿尼姑赴审。

差人领了言语，飞也似赶到庵里，只见看的人，便拥进拥出，那见尼姑的影儿？直寻到一间房里，单单一个老尼在床，将死快了。内中有一个道：“或者躲在西院。”急到西院门口，见门闭着，敲了一回，无人答应。公差心中焦躁，俱从后园墙上爬将过去。见前后门户，尽皆落锁。一路打开搜看，并不见个人迹。差人各溜过几件细软东西，到拿地方同去回官。

知县相公在堂等候，差人禀道：“非空庵尼姑都逃躲不知去向，拿地方在此回话。”知县问地方道：“你可晓得尼姑躲在何处？”地方道：“这个小人们那里晓得!”知县喝道：“尼姑在地方上偷养和尚，谋死人命。这等不法勾当，都隐匿不报。如今事露，却又纵容躲过，假推不知。既如此，要地方何用？”喝教拿下去打。地方再三苦告，方才饶得。限在三日内，准要一干人犯。召保在外，听候获到审问。又发两张封皮，将庵门封锁不题。

且说空照、静真同着女童香公来到极乐庵中。那庵门紧紧闭着，敲了一大回，方才香公开门出来。众人不管三七二十一，一齐拥入，流水叫香公把门闭上。庵主了缘早已在门傍相迎，见他们一窝子都来，且是慌慌张张，料想有甚事故。请在佛堂中坐下，一面教香公去点茶，遂开言问其来意。静真扯在半边，将上项事细说一遍，要借庵中躲避。了缘听罢，老大吃惊，沉吟了一回，方道："二位师兄有难来投，本当相留。但此事非同小可！往远处逃遁，或可避祸。我这里墙卑室浅，耳目又近。倘被人知觉，莫说师兄走不脱，只怕连我也涉在浑水内，如何躲得！"

你道了缘因何不肯起来？他也是个广开方便门的善知识，正勾搭万法寺小和尚去非做了光头夫妻，藏在寺中三个多月。虽然也扮作尼姑，常恐露出事来，故此门户十分紧急。今日静真也为那桩事败露来躲避，恐怕被人缉着，岂不连他的事也出丑，因这上不肯相留。空照师徒见了缘推托，都面面相觑，没做理会。到底静真有些贼智，晓得了缘平昔贪财，便去袖中摸出银子，拣上二三两，递与了缘道："师兄之言，虽是有理。但事起仓卒，不曾算得个去路，急切投奔何处？望师兄念向日情分，暂容躲避两三日。待势头稍缓，然后再往别处。这些少银两，送与师兄为盘缠之用。"果然了缘见着银子，就忘了利害，乃道："若只住两三日，便不妨碍，如何要师兄银子！"静真道："在此搅扰，已是不当，岂可又费师兄。"了缘假意谦让一回，把银收过，引入里边去藏躲。

且说小和尚去非，闻得香公说是非空庵师徒五众，且又生得标致，忙走出来观看。两下却好打个照面，各打了问讯。静真仔细一看，却不认得，问了缘道："此间师兄，上院何处？怎么不曾相会？"了缘扯个谎道："这是近日新出家的师弟，故此师兄还认不得。"那小和尚见静真师徒姿色胜似了缘，心下好不欢喜，想道："我好造化，那里说起！天赐这几个妙人到此，少不得都刮上他，轮流儿取乐快活！"当下了缘备办些素斋款待。静真、空照心中有事，耳热眼跳，坐立不宁，那里吃得下饮食？到了申牌时分，向了缘道："不知庵中事体若何？欲要央你们香公去打听个消息，方好计较长策。"了缘即教香公前去。

那香公是个老实头，不知利害，一径奔到非空庵前，东张西望。那时地方人等正领着知县钧旨，封锁庵门，也不管老尼死活，反锁在内，两条封皮，交叉封好。方待转身，见那老头探头探脑，幌来幌去，情知是个细作，齐上前喝道："官府正要拿你，来得恰好！"一个拿起索子，向颈上便套。唬得香公身酥脚软，连声道："他们借我庵中躲避，央来打听的，其实不干我事。"众人道："原晓得你是打听的。快说是那个庵里？"香公道："是极乐庵里。"

众人得了实信，又叫几个帮手，押着香公齐到极乐庵，将前后门把好，然后叩门。里边晓得香公回了，了缘急急出来开门。众人一拥而入，迎头就把了缘拿住，押进里面搜捉，不曾走了一个。那小和尚着了忙，躲在床底下，也被搜出。了缘向众人道："他们不过借我庵中暂避，其实做的事体，与我分毫无干，情愿送些酒钱与列位，怎地做个方便，饶了我庵里罢。"众人道：

“这使不得！知县相公好不利害哩！倘然问在何处拿的，教我们怎生回答？有干无干，我们总是不知，你自到县里去分辨。”了缘道：“这也容易。但我的徒弟乃新出家的，这个可以免得，望列位做个人情。”众人贪着银子，却也肯了。内中又有个道：“成不得！既是与他没相干，何消这等着忙，直躲入床底下去？一定也有些跷蹊。我们休担这样干纪。”众人齐声道是。都把索子扣了，连男带女，共是十人，好像端午的粽子，做一串儿牵出庵门，将门封锁好了，解入新淦县来。一路上了缘埋怨静真连累，静真半字不敢回答。正是：

老龟蒸不烂，移祸于空桑。

此时天色傍晚，知县已是退衙，地方人又带回家去宿歇。了缘悄悄与小和尚说道：“明日到堂上，你只认做新出家的徒弟，切莫要多讲。待我去分说，料然无事。”到次日，知县早衙，地方解进去禀道：“非空庵尼姑俱躲在极乐庵中，今已缉获，连极乐庵尼姑通拿在此。”知县教跪在月台东首，即差人唤集老和尚、赫大卿家人、蒯三并小和尚父母来审。那消片刻，俱已唤到。令跪在月台西首。小和尚偷眼看见，惊异道：“怎么我师父也涉在他们讼中？连爹妈都在此，一发好怪！”心下虽然暗想，却不敢叫唤，又恐师父认出，到把头儿别转，伏在地上。那老儿同婆子，也不管官府在上，指着尼姑，带哭带骂道：“没廉耻的狗淫妇！如何把我儿子谋死？好好还我活的便罢！”小和尚听得老儿与静真讨人，愈加怪异，想道：“我好端端活在此，那里说起，却与他们索命？”静真、空照还认是赫大卿的父母，那敢则声。

知县见那老儿喧嚷，呵喝住了，唤空照、静真上前问道：“你既已出家，如何不守戒律，偷养和尚，却又将他谋死？从实招来，免受刑罚。”静真、空照自己罪犯已重，心慌胆怯，那五脏六腑犹如一团乱麻，没有个头绪。这时见知县不问赫大卿的事情，去问什么和尚之事，一发摸不着个头路。静真那张嘴头子，平时极是能言快语，到这回恰如生漆护牢，鱼胶粘住，挣不出一个字儿。知县连问四五次，刚刚挣出一句道：“小尼并不曾谋死那个和尚。”知县喝道：“见今谋死了万法寺和尚去非，埋在后园，还敢抵赖！快夹起来！”两边皂隶答应如雷，向前动手。了缘见知县把尸首认做去非，追究下落，打着他心头之事，老大惊骇，身子不摇自动，想道：“这是那里说起！他们乃赫监生的尸首，却到不问，反牵扯我身上的事来，真也奇怪！”心中没想一头处，将眼偷看小和尚。小和尚已知父母错认了，也看着了缘，面面相觑。

且说静真、空照俱是娇滴滴的身子，嫩生生的皮肉，如何经得这般刑罚，夹棍刚刚套上，便晕迷了去，叫道：“爷爷不消用刑，容小尼从实招认。”知县止住左右，听他供招。二尼异口齐声说道：“爷爷，后园埋的不是和尚，乃是赫监生的尸首。”赫家人闻说原是家主尸首，同蒯三俱跪上去，听其情款。知县道："既是赫监生，如何却是光头？"二尼乃将赫大卿到寺游玩，勾搭成奸，及设计剃发，扮作尼姑，病死埋葬，前后之事，细细招出。知县见所言与赫家昨日说话相合，已知是个真情，又问道："赫监生事已实了，那和尚还藏在何处？一发招来！"二尼哭道："这个其实不知，就打死也不敢虚认。"

知县又唤女童、香公逐一细问，其说相同，知得小和尚这事与他无干。又唤了缘、小和尚上去问道："你藏匿静真同空照等在庵，一定与他是同谋的了，也夹起来！"了缘此时见静真等供招明白，小和尚之事，已不缠牵在内，肠子宽了，从从容容的禀道："爷爷不必加刑，容小尼细说。静真等昨到小尼庵中，假说被人扎诈，权住一两日，故此误留。其他奸情之事，委实分毫不知。"又指着小和尚道："这徒弟乃新出家的，与静真等一发从不相认。况此等无耻勾当，败坏佛门体面，即使未曾发出，小尼若稍知声息，亦当出首，岂肯事露之后，还敢藏匿？望爷爷详情超豁。"

知县见他说得有理，笑道："话到讲得好。只莫要心不应口。"遂令跪过一边，喝叫皂隶，将空照、静真各责五十，东房女童各责三十，两个香公各打二十，都打的皮开肉绽，鲜血淋漓。打罢，知县举笔定罪：

> 静真、空照设计恣淫，伤人性命，依律拟斩。东房二女童，减等，杖八十，官卖。两个香公，知情不举，俱问杖罪。非空庵藏奸之薮，拆毁入官。了缘师徒虽不知情，但隐匿奸党，杖罪纳赎。西房女童，判令归俗。赫大卿自作之孽，已死勿论。尸棺着令家属领归埋葬。

判毕，各令画供。

那老儿见尸首已不是他儿子，想起昨日这场啼哭，好生没趣，愈加忿恨，跪上去禀知县，依旧与老和尚要人。老和尚又说徒弟偷盗寺中东西，藏匿在家，反来图赖。两下争执，连知县也委决不下。意为老和尚谋死，却不见形迹，难以入罪；将为果躲在家，这老儿怎敢又与他讨人？想了一回，乃道："你儿子生死没个实据，怎好问得！且押出去，细访个的确证见来回话。"当下空照、静真、两个女童都下狱中。了缘、小和尚并两个香公，押出召保。老和尚与那老儿夫妻，原差押着，访问去非下落。其馀人犯，俱释放宁家。

大凡衙门，有个东进西出的规矩。这时一干人俱从西边丹墀下走出去。那了缘因哄过了知县，不曾出丑，与小和尚两下暗地欢喜。小和尚还恐有人认得，把头直低向胸前，落在众人背后。也是合当败露。刚出西脚门，那老儿又揪住老和尚骂道："老贼秃！谋死了我儿子，却又把别人的尸首来哄我么？"夹嘴连腮，只管乱打。老和尚正打得连声叫屈，没处躲避，不想有十数个徒弟徒孙们，在那里看出官，见师父被打，齐赶向前推翻了那老儿，挥拳便打。小和尚见父亲吃亏，心中着急，正忘了自己是个假尼姑，竟上前劝道："列位师兄不要动手。"众和尚举眼观看，却便是去非，忙即放了那老儿，一把扯住小和尚叫道："师父，好了！去非在此！"押保差人还不知就里，乃道："这是极乐庵里尼姑，押出去召保的，你们休错认了。"众和尚道："哦！原来他假扮尼姑在极乐庵里快活，却害师父受累！"众人方才明白是个和尚，一齐都笑起来。傍边只急得了缘叫苦连声，面皮青染。老和尚分开众人，揪过来，一连四五个耳聒子，骂道："天杀的奴狗材！你便快活，害得我好苦！且去见老爷来！"拖着便走。

那老儿见了儿子已在，又做了假尼姑，料道到官必然责罚，向着老和尚连连叩头道："老师父，是我无理得罪了！情愿下情陪礼。乞念师徒分上，饶了我孩儿，莫见官罢！"老和尚因受了他许多荼毒，那里肯听？扭着小和尚直至堂上。差人押着了缘，也随进来。知县看见问道："那老和尚为何又结扭尼姑进来？"老和尚道："爷爷，这不是真尼姑，就是小的徒弟去非假扮的。"知县闻言，也忍笑不住道："如何有此异事？"喝教小和尚从实供来。去非自知隐瞒不过，只得一一招承。知县录了口词，将僧尼各责四十，去非依律问徒，了缘官卖为奴，极乐庵亦行拆毁。老和尚并那老儿，无罪释放。又讨连具枷枷了，各搽半边黑脸，满城迎游示众。那老儿婆子，因儿子做了这不法勾当，哑口无言，惟有满面鼻涕眼泪，扶着枷梢，跟出衙门。那时哄动了满城男女，扶老挈幼，俱来观看。有好事的，作个歌儿道：

可怜老和尚，不见了小和尚；原来女和尚，私藏了男和尚。分明雄和尚，错认了雌和尚。为个假和尚，带累了真和尚。断过死和尚，又明白了活和尚。满堂只叫打和尚，满街争看迎和尚。只为贪那裤裆中硬崛崛一个莽和尚，弄坏了庵院里娇滴滴许多骚和尚。

且说赫家人同蒯三急奔到家，报知主母。陆氏闻言，险些哭死，连夜备办衣衾棺椁，禀明知县，开了庵门，亲自到庵，重新入殓，迎到祖茔，择日安葬。那时庵中老尼，已是饿死在床。地方报官盛殓，自不必说。这陆氏因丈夫生前不肯学好，好色身亡，把孩子严加教诲。后来明经出仕，官为别驾之职。有诗为证：

野草闲花恣意贪，化为蜂蝶死犹甘。
名庵并入游仙梦，是色非空作笑谈。

第十六卷
陆五汉硬留合色鞋

得便宜处笑嘻嘻，不遂心时暗自悲。
谁识天公颠倒用，得便宜处失便宜。

近时有一人，姓强，平日好占便宜，倚强凌弱，里中都惧怕他，敖出一个诨名，叫做强得利。一日，偶出街市行走，看见前边一个单身客人，在地下检了一个兜肚儿，提起颇重，想来其中有物，慌忙赶上前拦住客人，说道：“这兜肚是我腰间脱下来的，好好还我。”客人道：“我在前面走，你在后面来，如何到是你腰间脱下来的？好不通理！”强得利见客人不从，就擘手去抢，早扯住兜肚上一根带子。两下你不松，我不放，街坊人都走拢来，问其缘故。二人各争执是自己的兜肚儿。

众人不能剖判。其中一个老者开言道：“你二人口说无凭，且说兜肚中什么东西，合得着便是他的。”强得利道：“谁耐烦与你猜谜道白！我只认得自己的兜肚，还我便休；若不还时，与你并个死活。”只这句话，众人已知不是强得利的兜肚了。多有惧怕强得利的，有心帮衬他，便上前解劝道：“客人，你不识此位强大哥么？是本地有名的豪杰。这兜肚，你是地下检的，料非己物，就把来结识了这位大哥，也是理所当然。”客人被劝不过，便道：“这兜肚果然不是小人的。只是财可义取，不可力夺。既然列位好言相劝，小人情愿将兜肚打开，看是何物。若果有些采头，分作三股：小人与强大哥各得一股，那一股送与列位们做个利市，店中共饮三杯，以当酬劳。”那老者道：“客官最说得是。强大哥且放手，都交付与老汉手里。”

老者取兜肚打开看时，中间一个大布包，包中又有三四层纸，裹着光光两锭雪花样的大银，每锭有十两重。强得利见了这两锭银子，爱不可言，就使欺心起来，便道：“论起三股分开，可惜錾坏了这两个锞儿。我身边有几两散碎银子，要去买生日的，把来送与客人，留下这锞儿与我罢。”一头说，一头在腰里摸将出来三四个零碎包儿，凑起还称不上四两银子，连众人吃酒东道都在其内。客人如何肯收？两下又争嚷起来，又有人点拨客人道：“这位强大哥不是好惹的！你多少得些采去罢。”老者也劝道：“客官，这四两银子，都把与你，我们众人这一股不要了。那一日不吃酒，省了这东道奉承你二位罢。”口里说时，那两锭银子在老者手中，已被强得利擘手抢去了。那客人没奈何，只得留了这四两银子。

强得利道："虽然我身边没有碎银，前街有个酒店，是我舅子开的。有劳众位多时，少不得同去一坐。"众人笑道："恁地时，连客官也去吃三杯。今后就做个相识。"一行十四五人，同走到前街朱三郎酒店里大楼上坐下。强得利一来白白里得了这两锭大银，心中欢喜，二来感谢众人帮衬，三来讨了客人的便宜，又赖了众人一股利市，心上也未免有些不安。况且是自己舅子开张的酒店，越要卖弄，好酒好食，只顾教搬来，吃得个不亦乐乎。众人个个醉饱，方才撒手。共吃了三两多银子。强得利教记在自家帐上。众人出门作别，各自散讫。客人干净得了四两银子，也自归家去了。

过了两日，强得利要买牲口，舅子店里又来取酒钱，家中别无银两，只得把那两锭雪白样的大银，在一个倾银铺里去倾销，指望加出些银水。那银匠接银在手，翻覆看了一回，手内颠上几颠，问道："这银子那里来的?"强得利道："是交易上来的。"银匠道："大郎被人哄了。这是铁胎假银，外边是细丝，只薄薄一层皮儿，里头都是铅铁。"强得利不信，只要錾开。银匠道："錾坏时，大郎莫怪。"银匠动了手，乒乒乓乓錾开一个口子，那银皮裂开，里面露出假货。强得利看了，自也不信：一生不曾做这折本的交易，自作自受，埋怨不得别人，坐在柜桌边，呆呆的对着这两锭银子只顾看。引下许多人进店，都来认那铁胎银的，说长说短。

强得利心中越气，正待寻事发作，只见门外两个公差走入，大喝一声，不由分说，将链子扣了强得利的颈，连这两锭银子，都解到一个去处来。原来本县库上钱粮收了几锭假银，知县相公暗差做公的在外缉访。这兜肚里银子，不知是何人掉下的，那锭样正与库上的相同，因此被做公的拿了，解上县堂。知县相公一见了这锭样，认定是造假银的光棍，不容分诉，一上打了三十毛板，将强得利送入监里，要他赔补库上这几锭银子。三日一比较。强得利无可奈何，只得将田产变价上库，又央人情在知县相公处说明这两锭银子的来历。

知县相公听了分上，饶了他罪名，释放宁家，共破费了百外银子。一个小小家当，弄得七零八落，被里中做下几句口号，传做笑话，道是：

> 强得利，强得利，做事全不济。得了两锭寡铁，破了百金家计。公堂上毛板是我打来，酒店上东道别人吃去。似此折本生涯，下次莫要淘气。从今改强为弱，得利唤做失利。再来唬里欺邻，只怕缩不上鼻涕。

这段话叫做"强得利贪财失采"。正是：得便宜处失便宜。如今再讲一个故事，叫做"陆五汉硬留合色鞋"，也是为讨别人的便宜，后来弄出天大的祸来。正是：

爽口食多应损胃，快心事过必为殃。

话说国朝弘治年间，浙江杭州府城，有一少年子弟，姓张名荩，积祖是大富之家。幼年也曾上学攻书，只因父母早丧，没人拘管，把书本抛开，专与那些浮浪子弟往来，学就一身吹弹蹴 ，惯在风月场中卖弄，烟花阵里钻研。因他生得风流俊俏，多情知趣，又有钱钞使费，小娘们多有爱他的，奉得神魂颠倒，连家里也不思想。妻子累谏不止，只索由他。

一日，正值春间，西湖上桃花盛开。隔夜请了两个名妓，一个唤做娇娇，一个叫着倩倩，又约了一般几个子弟，教人唤下湖船，要去游玩。自已打扮起来，头戴一顶时样绉纱巾，身穿着银红吴绫道袍，里边绣花白绫袄儿，脚下白绫袜，大红鞋，手中执一柄书域扇子。后面跟一个垂髫标致小厮，叫做清琴，是他的宠童。左臂上挂着一件披风，右手拿着一张弦子，一管紫箫，都是蜀锦制成囊儿盛裹。离了家中，望钱塘门摇摆而来。却打从十官子巷中经过，忽然抬头，看见一家临街楼上，有个女子揭开帘儿，泼那梳妆残水。那女子生得甚是娇艳。怎见得？有《清江引》为证：

谁家女儿，委实的好，赛过西施貌。面如白粉团，鬓似乌云绕。若得他近身时，魂灵儿都掉了。

张荩一见，身子就酥了半边，便立住脚，不肯转身，假意咳嗽一声。那女子泼了水，正待下帘，忽听得咳嗽声响，望下观看，一眼瞧见个美貌少年，人物风流，打扮乔画，也凝眸流盼。两面对觑，四目相视，那女子不觉微微而笑。张荩一发魂不附体。只是上下相隔，不能通话。正看间，门里忽走出个中年人来，张荩慌忙回避。等那人去远，又复走转看时，女子已下帘进去。站立一回，不见踪影。教清琴记了门面，明日再来打探。临行时，还回头几次。那西湖上，平常是他的脚边路，偏这日见了那女子，行一步，懒一步，就如走几百里山路一般，甚是厌烦。

出了钱塘门，来到湖船上。那时两个妓女和着一班子弟，都已先到。见张荩上船，俱走出船头相迎。张荩下了船，清琴把衣服、弦子、箫儿放下。艄子开船，向湖心中去。那一日天色晴明，堤上桃花含笑，柳叶舒眉，往来踏青士女，携酒挈榼，纷纷如蚁。有诗为证：

出外青山楼外楼，西湖歌舞几时休？
暖风熏得游人醉，错把杭州作汴州。

且说张荩船中这班子弟们，一个个吹弹歌唱，施逞技艺。偏有张荩一意牵挂那楼上女子，无心欢笑，托腮呆想。他也不像游春，到似伤秋光景。众人都道："张大爷平昔不是恁般，今日为何如此不乐？必定有甚缘故。"张荩含糊答应，不言所以。众人又道："大爷不要败兴，且开怀吃酒，有甚事等我众弟兄与你去解纷。"又对娇娇、倩倩道："想是大爷怪你们不来帮衬，故

此着恼，还不快奉杯酒儿下礼?”娇娇、倩倩，真个筛过酒来相劝。

张荩被众人鬼浑，勉强酬酢，心不在焉，未到晚，就先起身，众人亦不强留。上了岸，进钱塘门，原打十官子巷经过。到女子门首，复咳嗽一声，不见楼上动静。走出巷口，又踅转来，一连数次，都无音响。清琴道：“大爷，明日再来罢。若只管往来，被人疑惑。”张荩依言，只得回家。明日到他家左近访问，是何等人家。有人说：“他家有名叫做潘杀星潘用，夫妻两个，止生一女，年才十六，唤做寿儿。那老儿与一官宦人家薄薄里有些瓜葛，冒着他的势头，专在地方上唬诈人的钱财，骗人酒食。地方上无一家不怕他，无一个不恨他。是个赖皮刁钻主儿。”张荩听了，记在肚里，慢慢的在他门首踱过。恰好那女子开帘远望，两下又复相见。彼此以目送情，转加亲热。自此之后，张荩不时往来其下探听，以咳嗽为号。有时看见，有时不见。眉来眼去，两情甚浓，只是无门得到楼上。

一夜，正是三月十五，皓月当天，浑如白昼。张荩在家坐立不住，吃了夜饭，趁着月色，独步到潘用门首，并无一个人来往。见那女子正卷起帘儿，倚窗望月。张荩在下看见，轻轻咳嗽一声。上面女子会意，彼此微笑。张荩袖中摸出一条红绫汗巾，结个同心方胜，团做一块，望上掷来。那女子双手来接，恰好正中。就月底下仔细看了一看，把来袖过，就脱下一只鞋儿投下。张荩双手承受，看时是一只合色鞋儿。将指头量摸，刚刚一折，把来系在汗巾头上，纳在袖里，望上唱个肥喏。女子还了个万福。正在热闹处，那女子被父母呼唤，只得将窗儿闭上，自下楼去。张荩也兴尽而返。

归到家里，自在书房中宿歇，又解下这只鞋儿，在灯前细玩，果是金莲一瓣，且又做得甚精细。怎见得?也有《清江引》为证：

> 觑鞋儿三寸，轻罗软窄，胜蕖花片。若还绣满花，只费分毫线。
> 怪他香喷喷不沾泥，只在楼上转。

张荩看了一回，依旧包在汗巾头上，心中想道：“须寻个人儿通信与他，怎生设法上得楼去方好。若只如此空砑光，眼饱肚饥，有何用处!”左思右算，除非如此，方能到手。明日午前，袖了些银子，走至潘家门首，望楼上不见可人，便远远的借个人家坐下，看有甚人来往。

事有凑巧，坐不多时，只见一个卖婆，手提着个小竹撞，进他家去。约有一个时辰，依原提着竹撞出来，从旧路而去。张荩急赶上一步，看时不是别人，却是惯走大家卖花粉的陆婆，就在十官子巷口居住。那婆子以卖花粉为名，专一做媒作保，做马泊六，正是他的专门，故此家中甚是活动。儿子陆五汉在门前杀猪卖酒，平昔酗酒撒泼，是个凶徒，连那婆子时常要教训几拳的。婆子怕打，每事到都依着他，不敢一毫违拗。当下张荩叫声陆妈妈。陆婆回头认得，便道：“呀，张大爷何来?连日少会。”张荩道：“适才去寻个朋友不遇，便道在此经过。你怎一向不到我家走走？那些丫头们，都望你的花哩。”陆婆道：“老身日日要来拜望大娘，偏有这些没正经事，绊住身子，不曾来得。”一头说，已到了陆婆门首。只见陆五汉在店中卖肉卖酒，十分热闹。陆婆道：“大爷吃茶去便好。只是家间龌龊，不好屈得贵人。”张荩道：“茶到不消，还要借几步路说话。”陆婆道：“少待。”连忙进去，放了竹撞出来道：“大爷有甚事作成老媳妇？”张荩道：“这里不是说话之处，且随我来。”直引到一个酒楼上，拣个小阁儿中坐下。

酒保放下杯筯，问道：“可还有别客么？”张荩道：“只我二人。上好酒暖两瓶来，时新果子，先将来案酒，好嗄饭只消三四味就勾了。”酒保答应下去。不一时，都已取到，摆做一桌子。斟过酒来，吃了数杯。张荩打发酒保下去，把阁子门闭了，对陆婆道：“有一事要相烦妈妈，只怕你做不来。”那婆子笑道：“不是老身夸口，凭你天大样疑难事体，经着老身，一了百当。大爷有甚事，只管分付来，包在我身上与你完成。”张荩道：“只要如此便好。”当下把两臂靠在桌上，舒着颈，向婆子低低说道：“有个女子，要与我勾搭，只是没有做脚的，难得到手。晓得你与他家最熟，特来相求，去通个信儿。若设法得与我一会，决不忘恩。今日先有十两白物在此，送你开手。事成之后，还有十两。”便去袖里摸出两个大锭，放在桌上。陆婆道：“银子是小事，你且说是那一家的雌儿？”张荩道：“十官子巷潘家寿姐，可是你极熟的么？”陆婆道：“原来是这个小鬼头儿。我常时见他端端正正，还是黄花女儿，不像要寻野食吃的，怎生着了你的道儿？”张荩把前后遇见，并夜来赠鞋的事，细细与婆子说知。

陆婆道：“这事到也有些难处哩。”张荩道：“有甚难处？”陆婆道：“他家的老子利害，家中并无一个杂人，止有嫡亲三口，寸步不离。况兼门户谨慎，早闭晏开，如何进得他家？这个老身不敢应承。”张荩道：“妈妈，你适才说天大极难的事，经了你就成。这些小事，如何便推故不肯与我周全？想必嫌谢礼微薄，故意作难么？我也不管，是必要在你身上完成。我便再加十两银子，两匹段头，与你老人家做寿衣何如？”

陆婆见着雪白两锭大银，眼中已是出火，却又贪他后手找帐，心中不舍，想了一回，道：“既大爷恁般坚心，若老身执意推托，只道我不知敬重了。待老身竭力去图，看你二人缘分何如。倘图得成，是你造化了；若图不成，也勉强不得，休得归罪老身。这银子且留在大爷处，待有些效验，然后来领。他与你这只鞋儿，到要把来与我，好去做个话头。”张荩道：“你若不收银子，我怎放心！”陆婆道：“既如此，权且收下，若事不谐，依旧璧还。”把银揣在袖里。张荩摸出汗巾，解下这只合色鞋儿，递与陆婆。陆婆接在手中，细细看了一看，喝采道：“果然做得好！”将来藏过。两个又吃了一回酒食，起身下楼，算还酒钱，一齐出门。临别时，陆婆又道："大爷，这事须缓缓而图，性急不得的。若限期限日，老身就不敢奉命了。"张荩道："只求妈妈用心，就迟几日也不大紧。倘有些好消息，竟到我家中来会。"道罢，各自分别而去。正是：

要将撮合三杯酒，结就欢娱百岁缘。

且说潘寿儿自从见了张荩之后，精神恍惚，茶饭懒沾，心中想道："我若嫁得这个人儿，也不枉为人一世！但不知住在那里？姓甚名谁？"那月夜见了张荩，恨不得生出两个翅儿，飞下楼来，随他同去。得了那条红汗巾，就当做情人一般，抱在身边而卧。睡到明日午牌时分，还痴迷不醒。直待潘婆来唤，方才起身。

又过两日，早饭已后，潘用出门去了，寿儿在楼上，又玩弄那条汗巾，只听得下面有人说话响，却又走上楼来。寿儿连忙把汗巾藏过。走到胡梯边看时，不是别人，却是卖花粉的陆婆。手内提着竹撞，同潘婆上来。到了楼上，陆婆道："寿姐，我昨日得了几般新样好花，特地送来与你。"连忙开了竹撞，取出一朵来道："寿姐，你看如何？可像真的一般么？"寿儿接过手来道："果然做得好！"陆婆又取出一朵来，递与潘婆道："大娘，你也看看，只怕后生时，从不曾见恁样花样哩。"潘婆道："真个我幼时只戴得那样粗花儿，不像如今做得这样细巧。"陆婆道："这个只算中等，还有上上号的。若看了眼，盲的就亮起来，老的便少起来，连寿还要增上几年哩。"寿儿道："你一发拿出来与我瞧瞧。"陆婆道："只怕你不识货，出不得这样贵价钱。"寿儿道："若买你的不起，看是看得起的。"陆婆陪笑道："老身是取笑话儿，寿姐怎认真起来？就连我这篮儿都要了，也值得几何！待我取出来与你看。只拣好的，任凭取择。"又取出几朵来，比前更加巧妙。

寿儿拣好的取了数朵，道："这花怎么样卖？"陆婆道："呀！老身每常何曾与你争惯价钱，却要问价起来？但凭你分付罢了。"又道："大娘，有热茶便相求一碗。"潘婆道："看花兴了，连茶都忘记去取。你要热的，待我另烧起来。"说罢，往楼下而去。

陆婆见潘婆转了身，把竹撞内花朵整顿好了，却又从袖中摸出一个红细包儿，也放在里边。寿儿问道："这包的是什么东西？"陆婆道："是一件要紧物事，你看不得的。"寿儿道："怎么看不得？我偏要看。"把手便去取。陆婆口中便说："决不与你看！"却放个空让他一手拈起，连叫"阿呀"，假意来夺时，被寿儿抢过那边去。打开看时，却是他前夜赠与那生的这只合色鞋儿。寿儿一见，满面通红。陆婆便劈手夺去道："别人的东西，只管乱抢！"寿儿道："妈妈，只这一只鞋儿，甚么好东西，恁般尊重！把细儿包着，却又人看不得。"陆婆笑道："你便这样说不值钱！却不道有个官人，把这只鞋儿当似性命一般，教我遍处寻访那对儿哩。”

寿儿心中明白是那人教他来通信，好生欢喜，便去取出那一只来，笑道：“妈妈，我到有一只在此，正好与他恰是对儿。”陆婆道：“鞋便对着了，你却怎么发付那生？”寿儿低低道：“这事妈妈总是晓得的了，我也不消瞒得，索性问个明白罢！那生端的是何等之人？姓甚名谁？平昔做人何如？”婆子道：“他姓张名荩，家中有百万家私，做人极是温存多情。为了你，日夜牵肠挂肚，废寝忘餐，晓得我在你家相熟，特央我来与你讨信。可有个法儿放他进来么？”寿儿道：“你是晓得我家爹爹又利害，门户甚是紧急，夜间等我吹息灯火睡过了，还要把火来照过一遍，方才下去歇息。怎么得个策儿与他相会？妈妈，你有什么计策，成就了我二人之事，奴家自有重谢。”陆婆相了一相道：“不打紧，有计在此。”寿儿连忙问道：“有何计策？”陆婆道：“你夜间早些睡了，等爹妈上来照过，然后起来，只听下边咳嗽为号，把几匹布接长垂下楼来，待他从布上攀缘而上。到五更时分，原如此而下。就往来百年，也没有那个知觉。任凭你两个取乐，可不好么？”寿儿听说，心中欢喜道：“多谢妈妈玉成。还是几时方来？”陆婆道：“今日天晚已来不及，明日侵早去约了他，到晚来便可成事。只是再得一件信物与他，方见老身做事的当。”寿儿道：“你就把这对鞋儿，一总拿去为信。他明晚来时，依旧带还我。”

说犹未了，潘婆将茶上来。陆婆慌忙把鞋藏于袖中，啜了两杯茶。寿儿道：“陆妈妈，花钱今日不便，改日奉还罢。”陆婆道：“就迟几日不妨得。老身不是这琐碎的。”取了竹撞，作别起身。潘婆母子直送到中门口。寿儿道：“妈妈，明日若空，走来话话。”陆婆道：“晓得。”这是两个意会的说话，潘婆那里知道？正是：

> 浪子心，佳人意，不禁眉来和眼去。虽然色胆大如天，中间还要人传会。伎俩熟，口舌利，握雨携云多巧计。虎婆绰号马泊六，多少良家受他累。不怕天，不怕地，不怕傍人闲放屁。只须瞒却父和娘，暗中撮就鸳鸯对。朝相对，暮相对，想得人如痴与醉。不是冤家不聚头，杀却虔婆方出气。

且说陆婆也不回家，径望张荩家来。见了他浑家，只说卖花，问张荩时，却不在家。张荩合家那些妇女，把他这些花都抢一个干净，也有现，也有赊，混了一回。等他不及，作别起身。明日绝早，袖了那双鞋儿，又到张家问时，说：“昨夜没有回来，不知住在那里。”陆婆依旧回到家中。恰好陆五汉要杀一口猪，因副手出去了，在那里焦躁，见陆婆归家，道：“来得极好！且相帮我缚一缚猪儿。”那婆子平昔惧怕儿子，不敢不依，道：“待我脱了衣服帮你。”望里边进去。

陆五汉就随他进来，见婆子脱衣时，落下一个红细包儿。陆五汉只道是包银子，拾起来，走到外边，解开看时，却是一双合色女鞋，喝采道："谁家女子，有恁般小脚！"相了一会，又道："这个小脚女子，必定是有颜色的，若得抱在身边睡一夜，也不枉此一生！"又想道："这鞋如何在母亲身边？却又是穿旧的，有恁般珍重，把细儿包着，其中必有缘故。待他寻时，把话儿唬他，必有实信。"原把来包好，揣在怀里。

婆子脱过衣裳，相帮儿子缚猪来杀了，净过手，穿了衣服，却又要去寻张荩。临出门，把手摸细中时，那双鞋儿却不见了。连忙复转身寻时，影也不见，急得那婆子叫天叫地。陆五汉冷眼看母亲恁般着急，由他寻个气叹，方才来问道："不见了什么东西？这样着急！"婆子道："是一件要紧物事，说不得的。"陆五汉道："若说个影儿，或者你老人家目力不济，待我与你寻看。如说不得的，你自去寻，不干我事。"

婆子见儿子说话跷蹊，便道："你若拾得，还了我，有许多银子在上，勾你做本钱哩。"陆五汉见说有银子，动了火，问道："拾到是我拾得，你说那根由与我，方才还你。"婆子叫到里边去，一五一十，把那两个前后的事，细细说与。陆五汉探了婆子消息，心中欢喜，假意惊道："早是与我说知，不然，几乎做出事来。"婆子道："却是为何？"陆五汉道："自古说得好，若要不知，除非莫为。这样事，怎掩得人的耳目！况且潘用那个老强盗，可是惹得他的么？倘或事露，晓得你赚了银两，与他做脚，那时不要说把我做本钱，只怕连我的店底都倒在他手里，还不像意哩。"陆婆被儿子一唬，心中老大惊慌，道："儿说得有理！如今我把这银子和鞋儿还了他，只说事体不谐，不管他闲帐罢了。"陆五汉笑道："这银子在那里？"陆婆便去取出来与儿子看。五汉把来袖了道："母亲，这银子和鞋儿，留在这里。万一后日他们从别处弄出事来，连累你时，把他做个证见。若不到这田地，那银子落得用的，他敢来讨么？"陆婆道："倘张大老来问回音，却怎么处？"五汉道："只说他家门户紧急，一时不能。若有机会，便来通报。回他数次，自然不来了。"那婆子银子鞋儿都被五汉拿去，又不敢讨，手中没了把柄，又怕弄出事来，也不敢去约张荩。

且说陆五汉把这十两银子，办起几件华丽衣服，也买一顶绉纱巾儿。到晚上等陆婆睡了，约莫一更时分，将行头打扮起来，把鞋儿藏在袖里，取锁反锁了大门，一径到潘家门首。其夜微云笼月，不甚分明，且喜夜深人静。陆五汉在楼墙下，轻轻咳嗽一声。上面寿儿听得，连忙开窗。那窗臼里，呀的有声。寿儿恐怕惊醒爹妈，即桌上取过茶壶来，洒些茶在里边，开时却就不响。把布一头紧紧的缚在柱上，一头便垂下来。陆五汉见布垂下，满心欢喜，撩衣拔步上前，双手挽住布儿，两脚挺在墙上，逐步捱将上去，顷刻已到楼窗边，轻轻跨下。寿儿把布收起，将窗儿掩上。陆五汉就双手抱住，便来亲嘴。寿儿即把舌儿度在五汉口中。此时两情火热，又是黑暗之中，那辨真假，相偎相抱，解衣就寝。真个你贪我爱，被陆五汉恣情取乐。正是：

豆蔻包香，却被枯藤胡缠；海棠含蕊，无端暴雨摧残。鸺鸥占锦鸳之窠，凤凰作凡鸦之偶。一个口里呼肉肉肝肝，还认做店中行货；一个心里想亲亲爱爱，那知非楼下可人。红娘约张珙，错订郑恒；郭素学王轩，偶迷西子。可怜美玉娇香体，轻付屠酤市井人。

当下雨散云收，方才叙阔。五汉将出那双鞋儿，细述向来情款。寿儿也诉想念之由。情犹未足，再赴阳台，愈加恩爱。到了四更，即便起身。开了窗，依旧把布放下。五汉攀援下去，急奔回家。寿儿把布收起藏过，轻轻闭上窗儿，原复睡下。自此之后，但是雨下月明，陆五汉就不来，馀则无夜不会。

往来约有半年，十分绸缪。那寿儿不觉面目语言，非复旧时。潘用夫妻，心中疑惑，几遍将女儿盘问，寿儿只是咬定牙根，一字不吐。那晚五汉又来，寿儿对他说道："爹妈不知怎么，有些知觉，不时盘问。虽然再四白赖过了，两夜防谨愈严。倘然候着，大家不好。今后你且勿来。待他懒怠些儿，再图欢会。"五汉口中答道："说得是!"心内甚是不然。到四更时，又下楼去了。

当夜潘用朦胧中，觉道楼上有些唧唧哝哝，侧着耳要听个仔细，然后起来捉奸。不想听了一回，忽地睡去，天明方醒，对潘婆道："阿寿这贱人，做下不明白的勾当，是真了，他却还要口硬。我昨夜明明里听得楼上有人说话。欲待再听几句，起身去捉他，不想却睡着去。"潘婆道："便是我也有些疑心。但算来这楼上没个路道儿通得外边。难道是神仙鬼怪，来无迹，去无踪?"潘用道："如今少不得打他一顿，拷问他真情出来。"潘婆道："不好!常言道：'家丑不可外扬。'若还一打，邻里都要晓得了，传说开去，谁肯来娶他?如今也莫论有这事没这事，只把女儿卧房迁在楼下，临卧时将他房门上落了锁，万无他虞。你我两口搬在他楼上去睡，看夜间有何动静，便知就里。"潘用道："说得有理。"到晚间吃晚饭时，潘用对寿儿道："今后你在我房中睡罢，我老夫妇要在楼上做房了。"寿儿心中明白，不敢不依，只暗暗地叫苦。当夜互相更换。潘用把女儿房门锁了，对老婆道："今夜有人上楼时，拿住了，只做贼论，结果了他，方出我这气。"把窗儿也不扣上，准候拿人。不题潘用夫妻商议。

且说陆五汉当夜寿儿叮嘱他且缓几时来，心上不悦，却也熬定了数晚，果然不去。过了十馀日，忽一晚淫心荡漾，按纳不住，又想要与寿儿取乐。恐怕潘用来捉奸，身边带着一把杀猪的尖刀防备。出了大门，把门反锁好了，直到潘家门首，依前咳嗽。等候一回，楼上毫无动静，只道寿儿不听见，又咳嗽两声，更无音响，疑是寿儿睡着了。如此三四番，看看等至四鼓，事已不谐，只得回家，心中想道："他见我好几夜不去，如何知道我今番在此？这也不要怪他。"到次夜又去，依原不见动静。等得不耐烦，心下早有三分忿怒。到第三夜，自己在家中吃个半酣，等到更阑，掮了一张梯子，直到潘家楼下。也不打暗号，一径上到楼窗边，把窗轻轻一拽，那窗呀的开了。五汉跳身入去，抽起梯子，闭上窗儿，摸至床上来。正是：

一念愿邀云雨梦，片时飞过凤凰楼。

却说潘用夫妻初到楼上这两夜，有心采听风声，不敢熟睡。一连十馀夜，静悄悄地老鼠也不听得叫一声，心中已疑女儿没有此事，提防便懈怠了。事有偶然，恰好这一夜寿儿房门上的搭钮断了，下不得锁。潘婆道："只把前后门锁断，房门上用个封条封记，这一夜料没甚事。"潘用依了他说话。

其夜老夫妻也用了几杯酒，带着酒兴，两口儿一头睡了，做了些不三不四没正经的生活，身子困倦，紧紧抱住睡熟。故此五汉上来，开闭窗 ，分毫不知。

且说五汉摸到床边，正要解衣就寝，却听得床上两个人在一头打齁，心中大怒道："怪道两夜咳嗽，他只做睡着不瞅采我！原来这淫妇又勾搭上了别人，却假意措说父母盘问，教我且不要来，明明断绝我了！这般无恩淫妇，要他怎的！"身边取出尖刀，把手摸着二人颈项，轻轻透入，尖刀一勒，先将潘婆杀死。还怕咽喉未断，把刀在内三四卷，眼见不能活了。覆刀转来，也将潘用杀死。揩抹了手上血污，将刀藏过。推开窗子，把梯儿坠下，跨出楼窗，把窗依旧闭好。轻轻溜将下来，担起梯子，飞奔回家去了。

且说寿儿自换了卧房，恐怕情人又来打暗号，露出马脚，放心不下。到早上不见父母说起，那一日方才放心。到十馀日后，全然没事了。这一日睡醒了，守到巳牌时分，还不见父母下楼，心中奇怪。晓得门上有封记，又不敢自开，只在房中声唤道："爹妈起身罢！天色晏了，如何还睡？"叫唤多时，并不答应，只得开了房门，走上楼来。揭开帐子看时，但见满床流血，血泊里挺着两个尸首。寿儿惊倒在地，半晌方苏，抚床大哭，不知何人杀害。哭了一回，想道："此事非同小可！若不报知邻里，必要累及自己。"即便取了钥匙，开门出来，却又怕羞，立在门内喊道："列位高邻，不好了！我家爹妈不知被甚人杀死？乞与奴家作主！"连喊数声。那些对门间壁，并街上过往的人听见，一齐拥进，把寿儿到挤在后边，都问道："你爹妈睡在那里？"寿儿哭道："昨夜好好的上楼，今早门户不开。不知何人，把来双双杀死。"

众人见说在楼上，都赶上楼。揭开帐子看时，老夫妻果然杀死在床。众人相看这楼，又临着街道，上面虽有楼窗，下面却是包檐墙，无处攀援上来。寿儿又说门户都是锁好的，适才方开，家中却又无别人。都道："此事甚是跷蹊，不是当耍的！"即时报地方总甲来看了，同着四邻，引寿儿去报官。可怜寿儿从不曾出门，今日事在无奈，只得把包头齐眉兜了，锁上大门，随众人望杭州府来。那时哄动半个杭城，都传说这事。陆五汉已晓得杀错了，心中懊悔不及，失张失智，颠倒在家中寻闹。陆婆向来也晓得儿子些来踪去迹，今番杀人一事，定有干涉，只是不敢问他，却也怀着鬼胎，不敢出门。正是：

理直千人必往，心亏寸步难移。

且说众人来到杭州府前，正值太守坐堂，一齐进去禀道："今有十官子巷潘用家，夜来门户未开，夫妻俱被杀死，同伊女寿儿特来禀知。"太守唤上寿儿问道："你且细说父母什么时候睡的？睡在何处？"寿儿道："昨夜黄昏时，吃了夜饭，把门户锁好，双双上楼睡的。今早巳牌时分，不见起身。上楼看时，已杀在被中。楼上窗　依旧关闭，下边门户一毫不动，封锁依然。"太守又问道："可曾失甚东西？"寿儿道："件件俱在。"太守道："岂有门户不开，却杀了人？东西又一件不失。事有可疑。"想了一想，又问道："你家中还有何人？"寿儿道："止有嫡亲三口，并无别人。"太守道："你父亲平昔可有仇家么？"寿儿道："并没有甚仇家。"太守道："这事却也作怪。"

沉吟了半晌，心中忽然明白，教寿儿抬起头来，见包头盖着半面。太守令左右揭开看时，生得非常艳丽。太守道："你今年几岁了？"寿儿道："十七岁了。"太守道："可曾许配人家么？"寿儿低低道："未曾。"太守道："你的睡处在那里？"寿儿道："睡在楼下。"太守道："怎么你到住在下边，父母反居楼上？"寿儿道："一向是奴睡在楼上，半月前换下来的。"太守道："为甚换了下来？"寿儿对答不来，道："不知爹妈为甚要换。"太守喝道："这父母是你杀的！"寿儿着了急，哭道："爷爷，生身父母，奴家敢做这事？"太守道："我晓得不是你杀的，一定是你心上人杀的，快些说他名字上来！"寿儿听说，心中慌张，赖道："奴家足迹不出中门，那有此等勾当！若有时，邻里一定晓得。爷爷问邻里，便知奴家平昔为人了。"太守笑道："杀了人，邻里尚不晓得，这等事邻里如何晓得？此是明明你与奸夫往来，父母知觉了，故此半月前换你下边去睡，绝了奸夫的门路。他便忿怒杀了。不然，为甚换你在楼下去睡？"

俗语道："贼人心虚。"寿儿被太守句句道着心事，不觉面上一回红，一回白，口内如吃子一般，半个字也说不清洁。太守见他这个光景，一发是了，喝教左右拶起。那些皂隶飞奔上前，扯出寿儿手来，如玉相似，那禁得恁般苦楚。拶子才套得指头上，疼痛难忍，即忙招道："爷爷，有，有，有个奸夫！"太守道："叫甚名字？"寿儿道："叫做张荩。"太守道："他怎么样上你楼来？"寿儿道："每夜等我爹妈睡着，他在楼下咳嗽为号。奴家把布接长，系一头在柱上垂下，他从布上攀引上楼。未到天明，即便下去。如此往来，约有半年。爹妈有些知觉，几次将奴盘问，被奴赖过。奴家嘱付张荩，今后莫来，省得出丑。张荩应允而去。自此爹妈把奴换在楼下来睡，又将门户尽皆下锁。奴家也要隐恶扬善，情愿住在下边，与他断绝。只此便是实情。其爹妈被杀，委果不知情由。”太守见他招了，喝教放了拶子，起签差四个皂隶速拿张荩来审。那四个皂隶，飞也似去了。这是：

闭门家里坐，祸从天上来。

且说张荩自从与陆婆在酒店中别后，即到一个妓家住了三夜。回家知陆婆来寻过两遍，急去回信时，陆婆因儿子把话唬住，且又没了鞋子，假意说道：“鞋子是寿姐收了，教多多拜上，如今他父亲利害，门户紧急，无处可入。再过几时，父亲即要出去，约有半年方才回来。待他起身后，那时可放胆来会。”张荩只道是真话，不时探问消息。落后又见寿儿几遭，相对微笑。两下都是错认。寿儿认做夜间来的即是此人，故见了喜笑。张荩认做要调戏他上手，时常现在他眼前卖俏。日复一日，并无确信。张荩渐渐忆想成病，在家服药调治。

那日正在书房中闷坐，只见家人来说，有四个公差在外面，问大爷什么说话。张荩见说，吃了一惊，想道：“除非妓弟家什么事故？”不免出厅相见，问其来意。公差答道：“想是为什么钱粮里役事情，到彼自知。”张荩便放下了心，讨件衣服换了，又打发些钱钞，随着皂隶望府中而来，后面许多家人跟着。一路有人传说潘寿儿同奸夫杀了爹妈。张荩听了，甚是惊骇。心下想道：“这丫头弄出恁样事来？早是我不曾与他成就！原来也是个不成才的烂货！险些把我也缠在是非之中。”

不一时，来到公厅。太守举目观看张荩，却是个标致少年，不像个杀人凶徒，心下有些疑惑，乃问道：“张荩，你如何奸骗了潘用女儿，又将他夫妻杀死？”那张荩乃风流子弟，只晓得三瓦两舍，行奸卖俏，是他的本等，何曾看见官府的威严。一拿到时，已是胆战心惊，如今听说把潘寿儿杀人的事，坐在他身上，就是青天里打下一个霹雳，唬得半个字也说不出，挣了半日，方才道：“小人与潘寿儿虽然有意，却未曾成奸。莫说杀他父母，就是楼上从不曾到。”太守喝道：“潘寿儿已招与你通奸半年，如何尚敢抵赖！”张荩对潘寿儿道：“我何尝与你成奸，却来害我？”起初潘寿儿还道不是张荩所杀，这时见他不认奸情，连杀人事到疑心是真了，一口咬住，哭哭啼啼。张荩分辩不清。太守喝教夹起来。只听得两傍皂隶一声吆喝，蜂拥上前，扯脚拽腿。

可怜张荩从小在绫罗堆里滚大的，就捱着线结也还过不去，如何受得这等刑罚。夹棍刚套上脚，就杀猪般喊叫，连连叩头道：“小人愿招。”太守教放了夹棍，快写供状上来。张荩只是啼哭道：“我并不知情，却教我写甚么来！”又向潘寿儿说道：“你不知被那个奸骗了，却扯我抵当！如今也不消说起，但凭你怎么样说来，我只依你的口招承便了。”潘寿儿道：“你自作自受，怕你不招承！难道你不曾在楼下调戏我？你不曾把汗巾丢上来与我？你不曾接受我的合色鞋？”张荩道：“这都是了，只是我没有上楼与你相处。”太守喝道：“一事真，百事真。还要多说！快快供招！”张荩低头。只听潘寿儿说一句，便写一句，轻轻里把个死罪认在身上。画供已毕，呈与太守看了，将张荩问实斩罪。寿儿虽不知情，因奸伤害父母，亦拟斩罪。各责三十，上了长板。张荩押付死囚牢里，潘寿自入女监收管，不在话下。

且说张荩幸喜皂隶们知他是有钞主儿，还打个出头棒子，不致十分伤损。来到牢里叫屈连声，无门可诉。这些狱卒分明是挑一担银子进监，那个不欢喜，那个不把他奉承？都来问道：“张大爷，你怎么做恁般勾当？”张荩道：“列位大哥，不瞒你说，当初其实与那潘寿姐曾见过一面。两下虽然有意，却从不曾与他一会。不知被甚人骗了，却把我来顶缸！你道我这样一个人，可是个杀人的么？”众人道：“既如此，适才你怎么就招了？”张荩道：“我这瘦怯怯的身子可是熬得刑的么？况且新病了数日，刚刚起来，正是雪上加霜一般。若招了，还活得几日；若不招，这条性命今夜就要送了。这也是前世冤业，不消说起。但潘寿姐适才说话，历历有据，其中必有缘故。我如今愿送十两银子与列位买杯酒吃，引我去与潘寿姐一见，细细问明这事，我死亦瞑目。”内中一个狱卒头儿道：“张大爷要看见潘寿儿也不难，只是十两太少。”张荩道：“再加五两罢。”禁子头道：“我们人众，分不来，极少也得二十两。”

张荩依允。两个禁子扶着两腋，直到女监栅门外。潘寿儿正在里面啼哭。狱卒扶他到栅门口，只见了张荩，便一头哭，一头骂道：“你这无恩无义的贼！我一时迷惑，被你奸骗，有甚亏了你，下这样毒手，杀我爹妈，害我性命！”张荩道：“你且不要嚷，如今待我细细说与你详察：起初见你时，多承顾盼留心，彼此有心。以后月夜我将汗巾赠你，你将合色鞋来酬我。我因无由相会，打听卖花的陆婆在你家走动。先送他十两银子，将那鞋儿来讨信，他来回说：鞋便你收了，只因父亲利害，门户紧急，目下要出去几个月。待起身后，即来相约。是从那日为始，朝三暮四，约了无数日子，已及半年，并无实耗。及至有时见你，却又微笑。教我日夜牵挂，成了思忆之病，在家服药，何尝到你楼上，却来诬害我至此地位！”寿儿哭道：“负心贼！你还要赖哩！那日你教陆婆将鞋来约会了，定下计策，教我等爹妈睡着，听下边咳嗽为号，把布接长，垂下来与你为梯。到次夜，你果然在下边咳嗽。我依法用布引你上楼，你出鞋为信。此后每夜必来。不想爹妈有些知觉，将我盘问几次。我对你说：此后且莫来，恐防事露，大家坏了名声。等爹妈不提防了，再图相会。那知你这狠心贼，就衔恨我爹妈。昨夜不知怎生上楼，把来杀了。

如今到还抵赖，连前面的事，都不肯承认！”

张荩想了一想道：“既是我与你相处半年，那形体声音，料必识熟。你且细细审视，可不差么？”众人道：“张大爷这话说得极是。若果然不差，你也须不是人了。不要说问斩罪，就问凌迟也不为过。”寿儿见说，踌躇了半晌，又睁目把他细细观看。张荩连问道：“是不是？快些说出，不要迟疑。”寿儿道：“声音甚是不同，身子也觉大似你。向来都是黑暗中，不能详察。止记得你左腰间有个疮痕肿起，大如铜钱。只这个便是色认。”众人道：“这个一发容易明白。张大爷，你且脱下衣来看，若果然没有，明日禀知太爷，我众人为证，出你罪名。”于是张荩满心欢喜道：“多谢列位。”连忙把衣服褪下。众人看时，遍身洁白如玉，腰间那有疮痕？寿儿看了，哑口无言。张荩道：“小娘子，如今可知不是我么？”众人道：“不消说了，这便真正冤枉。明日与你禀官。”当下依旧扶到一个房头，住了一宵。

明早，太守升堂，众禁子跪下，将昨夜张荩与潘寿儿面证之事，一一禀知。太守大惊，即便吊出二人覆审，先唤张荩上去，从头至尾，细诉一遍。太守道：“你那只鞋儿付与陆婆去后，不曾还你？”张荩道：“正是。”又唤寿儿上去。寿儿也把前后事，又细细呈说。太守道：“那鞋儿果是原与陆婆拿去，明晚张荩到楼，付你的么？”寿儿道：“正是。”太守点头道：“这等，是陆婆卖了张荩，将鞋另与别人冒名奸骗你了。”即便差人去拿那婆子。不多时，婆子拿到。太守先打四十，然后问道：“当初张荩央你与潘寿儿通信，既约了明晚相会，你如何又哄张荩不教他去，却把鞋儿与别人冒名去奸骗？从实说来，饶你性命！若半句虚了，登时敲死。”那婆子被这四十打得皮开肉绽，那敢半字虚妄。把那卖花为由，定策期约，连寻张荩不遇，回来帮儿子杀猪，落掉鞋子，并儿子恐唬说话，已后张荩来讨信，因无了鞋子，含糊哄他等情，一一细诉。其奸骗杀人情由，却不晓得。

太守见说话与二人相合，已知是陆五汉所为，即又差人将五汉拿到。太守问道：“陆五汉，你奸骗了良家女子，却又杀他父母，有何理说！”陆五汉赖道：“爷爷，小人是市井愚民，那有此事！这是张荩央小人母亲做脚，奸了潘家女儿，杀了他父母，怎推到小人身上！”寿儿不等他说完，便喊道：“奸骗奴家的声音，正是那人！爷爷止验他左腰可有肿起疮痕，便知真假！”太守即教皂隶剥下衣服看时，左腰间果有疮痕肿起。陆五汉方才口软，连称情愿偿命，把前后奸骗误杀潘用夫妻等情，一一供出。太守喝打六十，问成斩罪，追出行凶尖刀上库。寿儿依先原拟斩罪。陆婆说诱良家女子，依律问徒。张荩不合希图奸骗，虽未成奸，实为祸本，亦问徒罪，召保纳赎。当堂一一判定罪名，备文书申报上司。那潘寿儿思想：“却被陆五汉奸骗，父母为我而死，出乖露丑！”懊悔不及，无颜再活，立起身来，望丹墀阶沿青石上一头撞去，脑浆迸出，顷刻死于非命。

可怜慕色如花女，化作含冤带血魂。

太守见寿儿撞死，心中不忍，喝教把陆五汉再加四十，凑成一百，下在死囚牢里，听候文书转日，秋后处决。又拘邻里，将寿儿尸骸抬出，把潘用房产家私尽皆变卖，备棺盛殓三尸，买地埋葬。馀银入官上库，不在话下。

且说张荩见寿儿触阶而死，心下十分可怜，想道："皆因为我，致他父子丧身亡家。"回至家中，将银两酬谢了公差狱卒等辈，又纳了徒罪赎银，调养好了身子，到僧房道院礼经忏超度潘寿儿父子三人。自己吃了长斋，立誓再不奸淫人家妇女，连花柳之地也绝足不行。在家清闲自在，直至七十而终。时人有诗叹云：

赌近盗兮奸近杀，古人说话不曾差。

奸赌两般都不染，太平无事做人家。

第十七卷
张孝基陈留认舅

士子攻书农种田，工商勤苦挣家园。

世人切莫闲游荡，游荡从来误少年。

尝闻得老郎们传说，当初有个贵人，官拜尚书，家财万贯，生得有五个儿子。只教长子读书，以下四子农工商贾，各执一艺。那四子心下不悦，却不知甚么缘故，央人问老尚书："四位公子何故都不教他习儒？况且农工商贾劳苦营生，非上人之所为。府上富贵安享有馀，何故舍逸就劳，弃甘即苦？只恐四位公子不能习惯。"老尚书呵呵大笑，叠着两指，说出一篇长话来，道是：

世人尽道读书好，只恐读书读不了。

读书个个望公卿，几人能向金阶跑？

郎不郎时秀不秀，长衣一领遮前后。

畏寒畏暑畏风波，养成娇怯难生受。

算来事事不如人，气硬心高妄自尊。

稼穑不知贪逸乐，那知逸乐会亡身。

农工商贾虽然贱，各务营生不辞倦。

从来劳苦皆习成，习成劳苦筋力健。

春风得力总繁华，不论桃花与菜花。
自古成人不自在，若贪安享岂成家？
老夫富贵虽然爱，戏场纱帽轮流戴。
子孙失势被人欺，不如及早均平派。
一脉书香付长房，诸儿恰好四民良。
暖衣饱食非容易，常把勤劳答上苍。

老尚书这篇话，至今流传人间，人多服其高论。为何的？多有富贵子弟，担了个读书的虚名，不去务本营生，戴顶角巾，穿领长衣，自以为上等之人，习成一身轻薄。稼穑艰难，全然不知。到知识渐开，恋酒迷花，无所不至，甚者破家荡产，有上梢时没下梢。所以古人云：五谷不熟，不如荑稗；贪却赊钱，失却见在。这叫做：

受用须从勤苦得，淫奢必定祸灾生。

说这汉末时，许昌有一巨富之家，其人姓过名善，真个田连阡陌，牛马成群，庄房屋舍，几十馀处，童仆厮养，不计其数。他虽然是个富翁，一生省俭做家，从没有穿一件新鲜衣服，吃一味可口东西；也不晓得花朝月夕，同个朋友到胜景处游玩一番；也不曾四时八节，备个筵席，会一会亲族，请一请乡党。终日缩在家中，皱着两个眉头，吃这碗枯茶淡饭。一把匙钥，紧紧挂在身边，丝毫东西，都要亲手出放。房中桌上，更无别物，单单一个算盘，几本账簿。身子恰像生铁铸就，熟铜打成，长生不死一般，日夜思算，得一望十，得十望百，堆积上去，分文不舍得妄费。正是：

世无百岁人，枉作千年调。

那过善年纪五十馀外，合家称做太公。妈妈已故，止有儿女二人。儿子过迁，已聘下方长者之女为媳。女儿淑女，尚未议姻。过善见儿子人材出众，性质聪明，立心要他读书，却又悭吝，不肯延师在家，送到一个亲戚人家附学。谁知过老本是个看财童子，儿子却是个败家五道，平昔有几件毛病：

见了书本，就如冤家；遇着妇人，便是性命。喜的是吃酒，爱的是赌钱。蹴踘打弹，卖弄风流。放鹞擎鹰，争夸豪侠。耍拳走马骨头轻，使棒轮枪心窍痒。

自古道："物以类聚。"过迁性喜游荡，就有一班浮浪子弟引诱打合。这时还惧怕父亲，早上去了，至晚而归。过善一心单在钱财上做工夫的人，每日见儿子早出晚人，只道是在学里，那个去查考。况且过迁把钱买嘱了送饭的小厮，日逐照旧送饭，到半路上作成他饱啖，归来瞒得铁桶相似。过善何由得知？过迁在先生面前，只说家中有事，不得工夫。过几日间，或去点个卯儿，又时常将些小东西孝顺。那先生一来见他不像个读书之人，二来见他老官儿也不像认真要儿读书的，三来又贪着些小利，总然有些知觉，也装聋作哑，只当不知，不去拘管他。所以过迁得恣意无藉，家中毫不知觉。

常言说得好："若要不知，除非莫为。"不想方长者晓得了，差人上覆过善。过善不信，想道："若在外恁般游荡，也得好些银子使费，他却从何而来？况且小厮日日送饭到学，并不说起不在，那有这事！"又想道："方亲家是个真诚之人，必是有因，方才来说，不可不信。"便唤送饭的小厮来问道："小官人日日不在学里，你把饭都与那个吃了？"这小厮是个教熟猢狲，便道："呀！小官人无一日不在学里，那个却掉这样大谎？"过善只道小厮家是实话，更不再问。到晚间过迁回来，这小厮先把信儿透与知道。到了房中，过善问道："你如何不在学里读书，每日在外游荡？"过迁道："这是那个说？快叫来，打他几个耳聒子，戒他下次不许说谎！我那一日不在学里？造这话来谤我！"过善一来是爱子，二来料他没银使费，况说话与小厮一般，遂信以为实然，更不题起。正是：

因无背后眼，只当耳边风。

过了几日，方长者又教人来说："太公如何不拘管小官人到学里读书，仍旧纵容在外狂放？"过善道："不信有这等事！"即教人在学里去问，看他今日可在。家人到学看时，果然不见个影儿。问那先生时，答道："他说家中有事，好几日不到学了。"家人急忙归家，回覆了过善。过善大怒道："这畜生原来恁地！"即将送饭小厮拷打起来。这小厮吃打不过，说道："小官人每日不知在何处顽耍，果然不到学中，再三教我瞒着太公。"过善听说，气得手足俱战，恨不得此时那不肖子就立在眼前，一棒敲死，方泄其忿。却得淑女在傍解劝。捱到晚间，过迁回家，老儿满肚子气，已自平下了一半，才骂得一句："畜生！你在外胡为，瞒得我好！"淑女就接口道："哥哥，你这几日在那里顽耍？气坏了爹爹！还不跪着告罪？"过迁真个就跪下去，扯个谎道："孩儿一向在学攻书。这三两日因同学朋友家中赛神做会，邀孩儿去看，诚恐爹爹嗔责，分付小厮莫说。望爹爹恕孩儿则个！"淑女道："爹爹息怒，哥哥从今读书便了。"过善被他一片谎言瞒过，又信以为实。当下骂了一场，关他在家中看书，不放出门。

隔了两日，有人把几百亩田卖与过善，议定价钱，做下文书，到后房一只箱内去取银子，开箱看时，吃了一惊：那箱内约有二千馀金，已去其大半。原来过迁晓得有银在内，私下配个匙钥，夜间俟父亲妹子睡着，便起来悄悄拱开，偷去花费。陆续取溜了，他也不知用过多少。当下过善叫屈连天。

淑女听得，急忙来问，见说没了银子，便道："这也奇怪，在此间的东西，如何失了？爹莫不记错了，没有这许多？"过善道："不错，不错！原来这畜生偷我的银子在外花费。"即忙寻了一条棒子，唤过迁到来。此时银子为重，把怜爱之情，阁过一边。不由分说，扯过来，一顿棍棒，只打得满地乱滚。淑女负命解劝，将过善拉过一边，扯住了棒儿。过善喝道："畜生！你怎样偷的？在那处花费？实说出来，还有个商量。若一句支吾，定然活活打死！"过迁打急了，只得一一直说，连那匙钥在裈带上解将下来。气得过善双脚乱跳道："留你这畜生，总是不肖之子，被人耻笑！不如早死，到得干净。"又要来打。

那时阖家男女都来下跪讨饶。过善讨条链子，锁在一间空房里去，连这田也不买了，气倒在一个壁角边坐地。这老儿虽是一时气不过，把儿子痛打一顿，却又十分肉疼，想道："看他这模样儿，也不像落莫的，谁道到是个败子！怎地使他回心转意便好？"心下踌躇，无计可施。淑女劝道："爹爹，事已至此，气亦无益。只因哥哥年纪幼小，被人诱引，以致如此。今后但在家中读书，不要放他出门，远着这班人，他的念头自然息了。"众家人也劝道："太公关锁小官人，也不是长法。如今年已长大，何不与他完了姻事？有娘子绊住身子，料必不想到外边游荡，岂不两全其美？"过善见说，深以为然。两三日后，放其锁禁，又将好言教诲。过迁受了这场打骂，勉强住在家中，不敢出门。

半月之后，过善择了吉日，叫媒人往方家去说，要娶媳妇过门。方长者也是大富之家，妆奁久已完备，一诺无辞。到了吉期，迎娶来家。那过善素性俭朴，诸事减省，草草而已。

且说过迁初婚时，见浑家面貌美丽，妆奁富盛，真个日日住在家中，横竖成双，全不想到外边游荡。过善见儿子如此，甚是欢喜。过了几时，方氏归宁回去。过迁在家无聊，三不知闪出去寻着旧日这班子弟，到各处顽耍。只是手中没有钱钞使费，不能恣意。想起浑家箱笼中必然有物，将出旧日手段，逐一打开搜寻去撒漫。使得手滑了，连衣饰都把来弄得罄尽。

不一日，浑家归来，见箱笼俱空，叫苦不迭，盘问过迁时，只推不知。夫妻反目起来。过善闻知，气得手足麻冷，唤出儿子来，一把头发揪翻，乱踢乱打。这番连淑女也劝解不住了。过善喝道："只道你这畜生改悔前非，尚有成人之日。不想原复如是，我还有甚指望！不如速死，留我老性命再活几日！"见旁边有个棒槌，便抢在手，劈头就打。唬得淑儿魂不附体，双手扳住臂膊哭道："爹爹，别件打犹可，这东西断然使不得的！"方氏见势头利害，心中惧怕，说道："公公请息怒，媳妇没不多几件东西，不为大事。"过善方才放手。

淑女劝父亲到房中坐下，告道："爹爹只有一子，怎生如此毒打？万一失手打坏，后来倚靠何人？"过善道："这畜生到底不成人的了！还指望倚靠着他？打死了也省得被人谈耻。"淑女道："自古道：'败子回头便作家。'哥哥方才少年，那见得一世如此！不争今日一时之怒，一下打死，后来思想，悔之何及！”过善被女儿苦劝一番，怒气少息，欲要访问同游这班人告官惩治，又怕反用银子，只得忍耐。自此之后，过迁日日躲在房里，不敢出门，连父亲面也不敢见。

常言道：“偷食猫儿性不改。”他在外边放荡惯了，看着家中，犹如牢狱一般，那里坐立得住？过了月馀，瞒着父亲，悄悄却又出去。浑家再三苦谏，全不作准。欲要向过善说知，又见打得利害，不敢开日，只得到与他隐瞒。过迁此时身边并无财物，寡闯了几日，甚觉没趣。料道家中，决然无处出豁，私下将田产央人四处抵借银子，日夜在花街柳巷，酒馆赌坊迷恋，不想回家。方氏察听得实，恐怕在外学出些不好事来，只得告知过善。过善大惊道：“我只道这畜生还躲在房里，原来又出去了！”埋怨方氏道：“娘子，这畜生初出去时，何不就说，直至今日方言？”方氏道：“因见公公打得利害，故不敢说。”过善道：“这样不肖子，打死罢了，要他何用！”当下便差人四下寻觅。淑儿姑嫂二人，反替他担着愁担子，将棍棒之类，预先都藏过了。早有人报知过迁。过迁量得此番归家，必然锁禁，不能出来，索性莫归罢，遂请着妓者藏在闲汉人家取乐。觉道有人晓得，即又换场，一连在外四五个月。这些家人们虽然知得些风声，那个敢与小主人做冤家？只推没处寻觅。过善愈加气恼，写一纸忤逆状子，告在县里。却得闲汉们替过迁衙门上下使费，也不上紧拿人。

常言道：水平不波，人平不言。这班闲汉替过迁衙门打点使钱，亦是有所利而为之。若是得利均分，到也和其光而同其尘了。因有手迟脚慢的，眼看别人赚钱，心中不忿，却去过老面前搬嘴，说：“令郎与某人某人往来，怎样嫖赌，将田产与某处抵银多少，算来共借有三千银子。”把那老儿唬得面如土色，想道：“畜生恁般大胆，如此花费，能消几时！再过一二年，连我身子也是别人的了。”问道：“如今这畜生在那里？”其人道：“见在东门外三里桥北堍下老王三家。他前门是不开的，进了小巷，中间有个小小竹园，便是他后门。内有茅亭三间，此乃令郎安顿之所。

过善得了下落，唤了五六个家人跟随，一径出东门，到三里桥，分付众人，在桥下伺候：“莫要惊走了那畜生。待我唤你们时，便一齐上前。”也是这日合当有事，过迁恰好和一个朋友说话，不觉送出园门，作别过了，方欲转身，忽听得背后吆喝一声：“畜生那里走？”过迁回头一看，原来是父亲，唬得双脚俱软，寸步也移不动。说时迟，那时快，过善赶上一步，不由分说，在地下拣起一块大石块，口里恨着一声，照过迁顶门擘将去，咶刺一声响，只道这畜生今番性命休矣。正是：

地府忽增不肖鬼，人间已少败家精。

这一响，只道打碎天灵盖了。不想过迁后生眼快，见父亲来得凶恶，刚打下时，就傍边一闪。那石块恰恰中在侧边一堆乱砖上，打得砖头乱滚下来。过迁望着巷口便跑。不想去得力猛，反把过善冲倒。过善爬起身来，一头赶，一头喊道："杀爹的逆贼走了！快些拿住！"众家人听得家长声唤，都走拢来看时，过迁已自去得好远。过善气得一句话也说不出，只叫快赶，赶着的有赏。众人领命，分头追赶小官人。

过善独自个气忿忿地坐在桥上，约有两个时辰，不见回报。天色将晚，只得忍着气，一步步捱到家里。淑女见父亲馀怒未息，已猜着八九，上前问其缘故。过善细细告说如此如此。淑女含泪劝道："爹爹年过五旬，又无七男八女，只有这点骨血。总虽不肖，但可教诲，何忍下此毒手！适来幸喜他躲闪得快，不致伤身。倘有失错，岂不覆宗绝祀！爹爹，今后断不可如此！"过善咬牙切齿恨道："我便为无祀之鬼也罢！这畜生定然饶他不得！"

不题淑女苦劝父亲，且说过迁得了性命，不论高低，只望小路乱跑。正行间，背后二人飞也似赶来，一把扯住，定要小官人同回。你道这二人是谁？乃过善家里义仆小三、小四兄弟。两个领着老主之命，做一路儿追赶小官人。恰好在此遇见。过迁挣脱不开，心中忿怒，提起拳头，照着小四心窝里便打。小四着了拳，只叫得一声"阿呀"！仰后便倒，更不做声。小三见兄弟跌闷在地，只道死了，高声叫起屈来，扭住小官人死也不放。事到其间，过迁也没有主意。"左右是个左右，不是他，便是我，一发并了命罢。"捏起两个拳头，没头没脑，乱打将来。他曾学个拳法，颇有些手脚。小三如何招架得住，只得放他走了。回身看小四时，已自苏醒。小三扶他起来，就近处讨些汤水，与他吃了。两个一同回家，报与家主。别个家人赶不着的，也都回了。过善只是叹气，不在话下。

且说过迁一头走，一头想："父亲不怀好意了。见今县里告下忤逆，如今又打死小四，罪上加罪。这条性命休矣！趁身边还存得三四两银子可做盘缠，且往远外逃命，再作区处。"算计已定，连夜奔走。正是：

忙忙如丧家之狗，急急如漏网之鱼。

过迁去有半年，杳无音信，里中传为已死。这些帮闲的要自脱干系，撺掇债主，教人来过家取讨银子，若不还银，要收田产。那债主都是有势有力之家，过善不敢冲撞，只得缓词谢之。回得一家去时，接脚又是一家来说。门上络绎不绝，都是讨债之人。过善索性不出来相见。各家见不应承，齐告在县里。差人拘来审问。县令看了文契，对过善道："这都是你儿子借的，须赖不得！'，过善道："逆子不遵教诲，被这班小人引诱为非，将家业荡费殆尽，向告在台，逃遁于外，未蒙审结。所存些少，止勾小人送终之用，岂可复与逆子还债？况子债亦无父还之理。"县令笑道："汝尚不肯与子还债，外人怎肯把银与汝子白用！且引诱汝子者，决非放债之人，如何赖得？总之，汝子不肖，莫怪别人。但父在子不得自专，各家贪图重利，与败子私自立券，其心亦是不良。今照契偿还本银，利钱勿论。银完之日，原契当堂销毁。居中人重责问罪。”过善被官府断了，怎敢不依，只得逐一清楚，心中愈加痛恨。到以儿子死在他乡为乐，全无思念之意。正是：

种田不熟不如荒，养儿不肖不如无。

话休烦絮。且说过善女儿淑女，天性孝友，相貌端庄，长成一十八岁，尚未许人。你道恁样大富人家，为甚如此年纪犹未议婚？过善只因是个爱女，要觅个啱嗻女婿为配，所以高不成，低不就，拣择了多少子弟，没个中意的，蹉跎至今。又因儿子不肖，越把女儿值钱，要择个出人头地的，赘入家来，付托家事，故此愈难其配。

话分两头。却说过善邻近有一人，姓张名仁，世代耕读，家颇富饶。夫妻两口，单生一子，取名孝基，生得相貌魁梧，人物济楚，深通今古，广读诗书。年方二十，未曾婚配。张仁正央媒人寻亲，恰好说至过家。过善已曾看见孝基这个丰仪，却又门当户对，心中大喜，道：“得此子为婿，我女终身有托矣！”张仁是个独子，本不舍得赘出。因过善央媒再三来说，又闻其女甚贤，故此允了。少不得问名纳彩，奠雁传书，赘入过家。孝基虽然赘在过家，每日早晚省视父母，并无少怠。夫妻相待，犹如宾客；敬重过善，同于父母。又且为人谦厚，待人接物，一团和气，上下之人，无不悦服。过善爱之如子。凡有疑难事体，托他支理，看其材干。孝基条分理析，井井有方。过善因此愈加欢喜。只有方氏在房，思想丈夫，不知在于何处，并无消耗，未知死活存亡，日夜悲伤不已。

光阴如箭，张孝基在过家不觉又是二年有馀。过善忽然染病，求神罔效，用药无功。方氏姑嫂二人，昼夜侍奉汤药。孝基居在外厢，综理诸事。那老儿渐渐危笃，自料不起，分付女儿治酒，遍请邻里亲戚到家，嘱付道：“列位高亲在上。老汉托赖天地祖宗，挣得这些薄产，指望传诸子孙，世守其业。不幸命薄，生此不肖逆贼，破费许多。向已潜遁在外，未知死生。幸尔尚有一女，所配得人，聊慰老景。不想今得重疾，不久谢世。故特请列位到来，做个证明，将所有财产，尽传付女夫，接绍我家宗祀。久已写下遗嘱，烦列位各署个花押。倘或逆子犹在，探我亡后，回家争执，竟将此告送官司，官府自然明白。”遂于枕边摸出遗嘱，教家人递与众人观看。

此时众人疑是张孝基见识，尚未开言，只见张孝基说道：“多蒙岳父大恩。但岳父现有子在，万无财产反归外姓之理。以小婿愚见，当差人四面访觅大舅回来，将家业付之，以全父子之情，小婿夫妻自当归宗。设或大舅身已不幸，尚有舅嫂守节，当交与掌管，然后访族中之子，立为后嗣。此乃正理。若是小婿承受，外人必有逐子爱婿之谤。鸠僭鹊巢，小婿亦被人谈论。

这决不敢奉命。”淑女也道：“哥哥只因惧怕爹爹责罚，故躲避在外，料必无恙。丈夫乃外姓之人，岂敢承受。”

众人见他夫妻说话出于至诚，遂齐声说道：“令婿令爱之言，亦似有理。且待寻访小官人，一年半载，待有的信，再作区处。”过善道：“小婿之言，不是爱我，乃是害我。”众人道：“如何是害太公？”过善道：“老汉一生辛苦，挣得这些家事，逆子视之犹如粪土，不上半年，破散四千馀金。如此挥霍，便铜斗家计，指日可尽。财产既尽，必至变卖茔墓。那时不惟老汉不能入土，恐祖宗在土之骨，反暴弃荒野矣。”孝基又道：“大舅昔因年幼，为匪人诱惑所致。今已年长，又有某辈好言劝喻，料必改过自新，决不至此。”过善道：“未必，未必！有我在日，严加责罚，尚不改悛。我死之后，又何人得而禁之？”众人都道：“依着我们愚见，不若均分了，两全其美。令郎回时，也没得话说。”过善只是不许。孝基夫妇再三苦辞，过善大怒道：“汝亦效逆子要殴死我么？”众人见他发恶，乃对孝基道：“令岳执意如此，不必辞了。”遂将遗嘱各写了花押，递与过老。淑女又道：“爹爹家财尽付与我夫妇，嫂嫂当置于何地？”过善道：“我已料理在此，不消你虑。”将遗嘱付过孝基，孝基夫妇泣拜而受。

过善又摸出二纸捏在手中，请过方长者近前，说道：“逆子不肖，致令爱失其所天，老汉心实不安。但耽误在此，终为不了。老汉已写一执照于此，付与令爱。老汉亡后，烦亲家引回，另选良配。万一逆子回来有言，执此赴官诉理。外有田百亩，以偿逆子所费妆奁。”道罢，将二纸递与。方长者也不来接，答道：“小女既归令郎，乃亲家家事，已与老夫无干。况寒门从无二嫁之女，非老夫所愿闻，亲家请勿开口。”道罢往外就走，孝基苦留不住。

过善呼媳妇出来说知，方氏大哭道：“妾闻妇人之义，从一而终。夫死而嫁，志者耻为。何况妾夫尚在，岂可为此狗彘之事！”过善又道：“逆子总在，这等不肖，守之何益！”方氏道：“妾夫虽不肖，妾志不可改。必欲夺妾之志，有死而已。”过善道：“你有此志气，固是好事。但我亡后，家产已付女夫掌管。你居于此，须不稳便。”淑女道：“爹爹，嫂嫂既肯守节，家业自然该他承受。孩儿归于夫家，才是正理。”方氏道：“姑娘，我又无子嗣，要这些家财何用！公公既有田百亩与我，当归母家，以赡此生。即丈夫回家，亦可度日。”众人齐声称好。过善道：“媳妇，你与过门争气，这百亩田尚少，再增田二百亩，银子二百两，与你终身受用。”方氏含泪拜谢。分拨已定，过善教女婿留亲戚邻里于堂中饮酒，至晚方散。

那过善本来病势已有八九分了，却又勉强料理这事，喉长气短，费舌劳唇，劳碌这半日，到晚上愈加沉重。女儿、媳妇守在床边，啼啼哭哭。张孝基备办后事，早已停当。又过数日，呜呼哀哉！正是：

三寸气在千般用，一旦无常万事休。

女儿媳妇都哭得昏迷几次。张孝基也十分哀痛。衣衾棺椁，极其华美。七七之中，开丧受吊，延请僧道，修做好事，以资冥福。择选吉日，葬于祖茔。每事务从丰厚。殡葬之后，方氏收拾，归于母家。姑嫂不忍分舍，大哭而别，不在话下。

且说张孝基将丈人所遗家产钱财米谷，一一登记账簿，又差人各处访问过迁，并无踪影。时光似箭，岁月如流，倏忽便过五年。那时张孝基生下两个儿子，门首添个解当铺儿，用个主管，总其出入。家事比过善手内，又增几倍。

话休烦絮。一日张孝基有事来到陈留郡中，借个寓所住下。偶同家人到各处游玩，末后来至市上，只见个有病乞丐，坐在一人家檐下。那人家驱逐他起身。张孝基心中不忍，教家人朱信舍与他几个钱钞。那朱信原是过家老仆，极会鉴貌辨色，随机应变，是个伶俐人儿。当下取钱递与这乞丐，把眼观看，吃了一惊，急忙赶来，对张孝基说道："官人向来寻访小官人下落。适来丐者，面貌好生厮像。"张孝基便定了脚，分付道："你再去细看。若果是他，必然认得你。且莫说我是你家女婿，太公产业，都归于我。只说家已破散，我乃是你新主人，看他如何对答，然后你便引他来相见，我自有处。"

朱信得了言语，覆身转去，见他正低着头，把钱系在一根衣带上，藏入腰里。朱信仔细一看，更无疑惑。那丐者起先舍钱与他时，其心全在钱上，那个来看舍钱的是谁。这次朱信去看时，他已把钱藏过，也举起眼来，认得是自家家人，不觉失声叫道："朱信，你同谁在这里？"朱信便道："小官人，你如何流落至此？"过迁泣道："自从那日逃奔出门，欲要央人来劝解爹爹，不想路上恰遇着小三、小四兄弟两个拦阻住了，务要拖我回家。我想爹爹正在盛怒之时，这番若回，性命决然难活。匆忙之际，一拳打去，不意小四跌倒便死。心中害怕，连夜逃命，奔了几日，方到这里。在客店中歇了几时，把身边银两吃尽，被他赶将出来，无可奈何，只得求乞度命。日夜思家，没处讨个信息，天幸今日遇你。可实对我说，那日小四死了，爹爹有何话说？"朱信道："小四当时醒了转来，不曾得死。太公已去世五年矣。"

过迁见说父亲已死，叫声："苦也！"望下便倒。朱信上前扶起，喉中哽咽，哭不出声，呜呜了好一回，方才放声大哭道："我指望回家，央人求告收留，依原父子相聚，谁想已不在了！"悲声惨切，朱信亦不觉堕泪。哭了一回，乃问道："爹爹既故，这些家私是谁掌管？"朱信道："太公未亡之前，小官人所借这些债主，齐来取索。太公不肯承认，被告官司，衙门中用了无数银子。及至审问，一一断还，田产已去大半。小娘子出嫁，妆奁又去了好些。太公临终时，恨小官人不学好，尽数分散亲戚。存下些少，太公死后，家无正主，童仆等辈，一顿乱抢，分毫不留。止存住宅，卖与我新主人张大官人，把来丧中殡葬之用。如今寸土俱无了。”过迁见说，又哭起来道：“我只道家业还在，如今挣扎性命回去，学好为人，不料破费至此！”又问道：“家产便无了，我浑家却在何处？妹子嫁于那家？”朱信道：“小娘子就嫁在近处人家，大嫂到不好说。”过迁道：“却是为何？”朱信道：“太公因久不见小官人消息，只道已故，送归母家，令他改嫁。”过迁道：“可晓得嫁也不曾？”朱信道：“老奴为投了新主人，不时差往远处，在家日少，不曾细问，想是已嫁去了。”

过迁抚膺大恸道：“只为我一身不肖，家破人亡，财为他人所有，妻为他人所得，诚天地间一大罪人也！要这狗命何用，不如死休！”望着阶沿石上便要撞死。朱信一把扯住道：“小官人，蝼蚁尚且贪生，如何这等短见！”过迁道：“昔年还想有归乡的日子，故忍耻偷生。今已无家可归，不如早些死了，省得在此出丑。”朱信道：“好死不如恶活！不可如此。老奴新主人做人甚好，待我引去相见，求他带回乡里。倘有用得着你之处，就在他家安身立命，到老来还有个结果。若死在这里，有谁收取你的尸骸？却不枉了这一死！”过迁沉吟了一回道：“你话到说得是。但羞人子，怎好去相见？万一不留，反干折这番面皮。”朱信道：“至此地位，还顾得什么羞耻！”过迁道：“既如此，不要说出我真姓名来，只说是你的亲戚罢。”朱信道：“适才我先讲过了，怎好改得？”当下过迁无奈，只得把身上破衣裳整一整，随朱信而来。

张孝基远远站在人家屋下，望见他啼哭这一段光景，觉道他有懊悔之念，不胜叹息。过迁走近孝基身边，低着头站下。朱信先说道：“告官人，正是老奴旧日小主人，因逃难出来，流落在此。求官人留他则个。”便叫道：“过来见了官人。”过迁上前欲要作揖，去扯那袖子，却都只有得半截，又是破的，左扯也盖不来手，右扯也遮不着臂，只得抄着手，唱个喏。张孝基看了，愈加可怜，因是舅子，不好受他的礼，还了个半礼，乃道：“嗳！你是个好人家子息，怎么到这等田地？但收留你回去，没有用处，却怎好？”朱信道：“告官人，随分胡乱留他罢！”张孝基道：“你可会灌园么？”过迁道：“小人虽然不会，情愿用心去学。”张孝基道：“只怕你是受用的人，如何吃得恁样辛苦？”过迁道：“小人到此地位，如何敢辞辛苦！”张孝基道：“这也罢。只是依得三件事，方带你回去，若依不得，不敢相留。”过迁道：“不知是那三件？”张孝基道：“第一件，只许住在园上，饭食教人送与你吃，不许往外行走。若跨出了园门，就不许跨进园门。”过迁道：“小人玷辱祖宗，有何颜见人，往外行走？住在园上，正是本愿。这个依得。”张孝基见说话有自愧之念，甚是欢喜，又道：“第二件，要早起晏息，不许贪眠懒惰偷工。”过迁道："小人天未明就起身，直至黑了方止。若有月的日子，夜里也做，怎敢偷工？这个也依得。"孝基又道："夜里到不消得，只日里不偷工就够了。第三件，若有不到之处，任凭我责罚，不许怨怅。"过迁道："既蒙收养，便是重生父母，但凭责罚，死而无怨。"张孝基道："既都肯依，随我来。"也不去闲玩，覆转身引到寓所门口，过迁随将进来。

主人家见是个乞丐，大声叱咤，不容进门。张孝基道："莫赶他，这是我家的人。"主人家道："这乞丐常是在这里讨饭吃，怎么是在府上家人？"朱信道："一向流落在此，今日遇见的。"到里边开了房门，张孝基坐下，分付道："你随了我，这模样不好看相。朱信，你去教主人家烧些汤与他洗净了身子，省两件衣服与他换了，把些饭食与他吃。"朱信便去教主人家烧起汤来，唤过迁去洗浴。过迁自出门这几年，从不曾见汤面，今日这浴，就如脱皮退壳，身上鏖糟，足足洗了半缸。朱信将衣服与他穿起，梳好了头发，比前便大不相同。朱信取过饭来，恣意一饱。那过迁身子本来有些病体，又苦了一苦，又在当风处洗了浴，见着饭又多吃了碗，三合凑，到夜里生起病来。张孝基倩医调治，有一个多月，方才痊愈。

张孝基事体已完，算还了房钱，收拾起身。又雇了个牲口与过迁乘坐。一行四众，循着大路而来。张孝基开言道："过迁，你是旧家子弟，我不好唤你名字，如今改叫做过小乙。"又分付朱信："你们叫他小乙哥，两下稳便。"朱信道："小人知道。"张孝基道："小乙，今日路上无聊，你把向日兴头事情，细细说与我消遣。"过迁道："官人，往事休题！若说起来，羞也羞死了。"张孝基道："你当时是个风流趣人，有甚么羞！且略说些么。"过迁被逼不过，只得一一直说前后浪费之事。张孝基道："你起初恁般快活，前日街头这样苦楚，可觉有些过不去么？"过迁道："小人当时年幼无知，又被人哄骗，以致如此。懊悔无及矣！"张孝基道："只怕有了银子，还去快活哩。"过迁道："小人性命已是多的了，还做这桩事，便杀我也不敢去！"张孝基又对朱信道："你是他老家人，可晓得太公少年时也曾恁般快活过么？"朱信道："可怜他日夜只想做人家，何曾舍得使一文屈钱！却想这样事！"孝基道："你且说怎地样做人家？"朱信扳指头一岁起运，细说怎地勤劳，如何辛苦，方挣得这等家事。不想小乙哥把来看得像土块一般，弄得人亡家破。过迁听了，只管哀泣。张孝基道："你如今哭也迟了，只是将来学做好人，还有个出头日子。"一路上热一句，冷一句，把话打着他心事。过迁渐渐自怨自艾，懊悔不迭。正是；

临崖立马收缰晚，船到江心补漏迟。

在路行了几日，来到许昌。张孝基打发朱信先将行李归家，报告浑家，自同过迁径到自己家中，见过父母，将此事说知。令过迁相见已毕，遂引到后园，打扫一间房子，把出被窝之类，交付安歇，又分付道："不许到别处行走。我若查出时，定然责罚！"过迁连声答应："不敢，不敢！"孝基别了父母，回至家中，悄悄与浑家说了。浑家再三称谢，不题。

是日过迁当晚住下，次日起早，便起身担着器具去锄地。看那园时，甚是广阔，周围编竹为篱。张太公也是做家之人，并不种甚花木，单种的是蔬菜。灌园的非止一人。过迁初时，那里运弄得来？他也不管，一味蛮垦。过了数日，渐觉熟落，好不欢喜。每日担水灌浇，刈草锄垦，也不与人搭话。从清晨直至黄昏，略不少息。或遇凄风楚雨之时，思想父亲，吞声痛泣。欲要往坟上叩个头儿，又守着规矩，不敢出门。想起妹子，闻说就嫁在左近，却不知是那家。意欲见他一面，又想："今日落于人后，何颜去见妹子？总不嫌我，倘被妹夫父母兄弟奚落，却不自取其辱！"索性把这念头休了。

且说张孝基日日差人察听，见如此勤谨，万分欢喜。又教人私下试他，说："小乙哥，你何苦日夜这般劳碌？偷些工夫同我到街坊上顽耍顽耍，请你吃三杯，可好么？"过迁大怒道："你这人自己怠惰，已是不该，却又来引诱我为非！下次如此，定然禀知官人。"一日，张孝基自来查点，假意寻他事过，高声叱喝要打。过迁伏在地上，说道："是小人有罪，正该责罚。"张孝基恨了几声，乃道："姑恕你初次，且不计较。倘若再犯，定然不饶。"过迁顿首唯唯。自此之后，愈加奋励。约莫半年，并无倦怠之意，足迹不敢跨出园门。

张孝基见他悔过之念已坚，一日，教人拿着一套衣服并巾帻鞋袜之类，来到园上，对过迁道："我看你作事勤谨，甚是可用。如今解库中少个人相帮，你到去得，可戴了巾帻，随我同去。"过迁道："小人得蒙收留灌园，已出望外，岂敢复望解库中使令？"张孝基道："不必推辞，但得用心支理，便是你的好处了。"过迁即便裹起巾帻，整顿衣裳。此时模样，比前更是不同。随孝基至堂中，作别张太公出门。路上无颜见人，低着头而走。不一时，望见自家门首，心中伤感，暗自掉下泪来。到得门口，只见旧日家人都叉手拱立两边，让张孝基进门。过迁想道："我家这些人，如何都归在他家？想是随屋卖的了。"却也不敢呼唤，只低着头而走。众家人随后也跟进来。到了堂中，便立住脚不行，见桌椅家伙之类，俱是自家故物，愈加凄惨。张孝基道："你随我来，教你见一个人。"过迁正不知见那个，只得又随着而走，却从堂后转向左边。过迁认得这径道乃他家旧时往家庙去之路。渐渐至近，孝基指着堂中道："有人在里边，你进去认一认。"过迁急忙走去，抬头看见父亲神影，翻身拜倒在地，哭道："不肖子流落卑污，玷辱家门，生不能侍奉汤药，死不能送骨入土，忤逆不道，粉骨难赎！"以头叩地，血被于面。

正哭间，只听得背后有人哭来，叫道："哥哥，你一去不回，全不把爹爹为念！”过迁举眼见是妹子，一把扯住道：“妹子，只道今生已无再见之期，不料复得与你相会！”哥妹二人，相持大哭。

昔年流落实堪伤，今日相逢转断肠。

不是一番寒彻骨，怎得梅花扑鼻香！

哥妹哭了一回，过迁向张孝基拜谢道：“若非妹丈救我性命，必作异乡之鬼矣！大恩大德，将何补报！”张孝基扶起道：“自家骨肉，何出此言！但得老舅改过自新，以慰岳丈在天之灵，胜似报我也。”过迁泣谢道：“不肖谨守妹丈向日约束，倘有不到处，一依前番责罚。”张孝基笑道：“前者老舅不知详细，故用权宜之策。今已明白，岂有是理！但须自戒可也。”

当下张孝基唤众家人来，拜见已毕，回至房中。淑女整治酒肴款待。过迁乃问：“你的大嫂嫁了何人？”淑女道：“哥哥，你怎说这话？却不枉杀了人！当日爹爹病重，主张教嫂嫂转嫁，嫂嫂立志不从。”乃把前事细说一遍，又道：“如今见守在家，怎么说他嫁人！”过迁见说妻子贞节，又不觉泪下，乃道：“我那里晓得！都是朱信之言。”张孝基道：“此乃一时哄你的话。待过几时，同你去见令岳，迎大嫂来家。”过迁道：“这个我也不想矣，但要到爹爹墓上走遭。”张孝基道：“这事容易！”到次早，备办祭礼，同到墓上。过迁哭拜道：“不肖子违背爹爹，罪该万死！今愿改行自新，以赎前非，望乞阴灵洞鉴。”祝罢，又哭。张孝基劝住了，回到家中，把解库中银钱点明，付与过迁掌管。

那过迁虽管了解库，一照灌园时早起晏眠，不辞辛苦，出入银两，公平谨慎。往来的人，无不欢喜。将张孝基夫妻恭敬犹如父母。倘有疑难之事，便来请问。终日住在店中，毫无昔日之态。此时亲戚尽晓得他已回家，俱来相探。彼此只作个揖，未敢深谈。

过了两三个月，张孝基还恐他心活，又令人来试他说：“小官人，你平昔好顽，没银时还各处抵借来用。今见放着白晃晃许多东西，到呆坐看守！近日有个绝妙的人儿，有十二分才色，藏在一个所在。若有兴，同去吃杯茶，何如？”过迁听罢，大喝道：“你这鸟人！我只因当初被人引诱坏了，弄得破家荡产，几乎送了性命。心下正恨着这班贼男女，你却又来哄我！”便要扯去见张孝基。那人招称不是，方才罢了。孝基闻知如此，不胜之喜。

时光迅速，不觉又是半年。张孝基把库中账目，细细查算，分毫不差，乃对过迁说道：“不孝有三，无后为大。向日你初回时，我便要上覆令岳，迎大嫂与老舅完聚。恐他还疑你是个败子，未必肯许，故此止了。今你悔过之名，人都晓得，去迎大嫂，料无推托。如今可即同去。”过迁依允。淑女取出一副新鲜衣服与他穿起，同至方家。方长者出来相见。过迁拜倒在地道：“小婿不肖，有负岳父、贤妻！今已改过前非，欲迎令爱完聚。”方长者扶起道："不消拜，你之所行，我尽已知道。小女既归于汝，老夫自当送来。"张孝基道："亲翁还在何日送来？"方长者道："就明日便了。"张孝基道："亲翁亦求一顾，尚有话说。"方长者应允。二人作别，回到家里。张孝基遍请亲戚邻里，于明日吃庆喜筵席。

到次日午前，方氏已到。过迁哥妹出去相迎。相见之时，悲喜交集。方氏又请张孝基拜谢。少顷，诸亲俱到，相见已毕，无不称赞孝基夫妇玉成之德，过迁改悔之善，方氏志节之坚。不一时，酒筵完备。张孝基安席定位，叙齿而坐。酒过数巡，食供三套，张孝基起身进去，教人捧出一个箱儿，放于桌上，讨个大杯，满斟热酒，亲自递与过迁道："大舅，满饮此杯。"过迁见孝基所敬，不敢推托，双手来接道："过迁理合敬妹丈，如何反劳尊赐？"张孝基道："大舅就请干了，还有话说。"过迁一吸而尽。孝基将钥匙开了那只箱儿，箱内取出十来本文薄，递与过迁："请收了这本账目。"过迁接了，问道："妹丈，这是什么账？"张孝基道："你且收下，待我细说。"乃对众人道："列位尊长在上，小生有一言相禀。"众人俱站立起身道："不知足下有何见谕？老汉们愿闻清诲。"遂侧耳拱听。张孝基叠出两个指头，说将出来，言无数句，使听者无不啧啧称羡。正是：

钱财如粪土，仁义值千金。
曾记床头语，穷通不二心。

当下张孝基说道："昔年岳父只因大舅荡费家业，故将财产传与小生。当时再三推辞，岳父执意不从。因见正在病中，恐触其怒，反非爱敬之意，故勉强承受。此皆列位尊长所共见，不必某再细言。及岳父弃世之后，差人四处寻访大舅。四五年间，毫无踪影。天意陈留得遇，当时本欲直陈，交还原产；仍恐其旧态犹存，依然浪费，岂不反负岳父这段恩德？故将真情隐匿，使之耕种，绳以规矩，劳其筋骨，苦其心志，兼以良言劝喻，隐语讽刺，冀其悔过自新。幸喜彼亦自觉前非，怨艾日深，幡然迁改。及令管库，处心公平，临事驯谨。数月以来，丝毫不苟。某犹恐其心未坚，几遍教人试诱，心如铁石，片语难投，竟为志诚君子矣！故特请列位尊长到此，将昔日岳父所授财产，并历年收积米谷布帛银钱，分毫不敢妄用，一一开载账上。今日交还老舅，明早同令妹即搬归寒舍矣。"又在箧中取出一纸文书，也奉与过迁道："这幅纸乃昔年岳父遗嘱，一发奉还。适来这杯酒，乃劝大舅，自今以后兢兢业业，克俭克勤，以副岳父泉台之望。勿得意盈志满，又生别念。戒之，戒之！"

众人到此，方知昔年张孝基苦辞不受，乃是真情，称叹不已。过迁见说，哭拜于地道："不肖悖逆天道，流落他乡，自分横死街衢，永无归期。此产岂为我有！幸逢妹丈救回故里，朝夕训诲，激励成人，全我父子，完我夫妇，延我宗祀，正所谓生我者父母，成我者妹丈。此恩此德，高天厚地，杀身难报。即使执鞭随蹬，亦不为过分，岂敢复有他望！况不肖一生违逆父命，罪恶深重，无门可赎。今此产乃先人主张授君，如归不肖，却不又逆父志，益增我罪！”张孝基扶起道：“大舅差矣！岳父一世辛苦，实欲传之子孙世守。不意大舅飘零于外，又无他子可承，付之于我，此乃万不得已，岂是他之本念。今大舅已改前愆，守成其业，正是继父之志。岳父在天，亦必倘徉长笑，怎么反增你罪？”过迁又将言语推辞。两下你让我却，各不肯收受，连众人都没主意。

方长者开言对张孝基道：“承姑丈高谊，小婿义不容辞。但全归之，其心何安！依老夫愚见，各受其半，庶不过情。”众人齐道：“长者之言甚是！昔日老汉们亦有此议，只因太公不允，所以止了。不想今日原从这着。可见老成之见，大略相同。”张孝基道：“亲翁，子承父业，乃是正理，有甚不安？若各分其半，即如不还一般了。这怎使得！”方长者又道：“既不愿分，不若同居于此，协力经营。待后分之子孙，何如？”张孝基道：“寒家自有敝庐薄产，子孙岂可占过氏之物？”众人见执意不肯，俱劝过迁受领。过迁却又不肯，跑进里边，见妹子正与方氏饮酒。过迁上前哭诉其事，教妹子劝张孝基受其半。那知淑女说话与丈夫一般。过迁夫妇跪拜哀求，只是不允。过迁推托不去，再拜而受。众人齐赞道：“张君高义，千古所无！”唐人罗隐先生有赞云：

能生之，不能富之；能富之，不能教之。死而生之，贫而富之，小人而君子之。呜呼孝基，真可为百世之师！

当日直饮至晚而散。到次日，张孝基叫浑家收拾回家。过迁苦留道：“妹丈财产既已不受，且同居于此，相聚几时，何忍遽别！”张孝基道：“我家去此不远，朝暮便见，与居此何异！”过迁料留不住，乃道：“既如此，容明日治一酌与妹丈为饯，后日去何如？”孝基许之。次日，过迁大排筵席，广延男女亲邻，并张太公夫妇。张妈妈守家不至。请张太公坐了首席，其馀宾客依次而坐。里边方氏姑嫂女亲，自不必说。是日筵席，水陆毕备，极其丰富。众客尽欢而别。客去后，张孝基对过迁道：“大舅，岳父存日，从不曾如此之费。下次只宜俭省，不可以此为则。”过迁唯唯。次日，孝基夫妇，止收拾妆奁中之物，其馀一毫不动，领着两个儿子，作辞起身。过迁、方氏同婢仆直送至张家，置酒款待而回。自此之后，过迁操守愈励，遂为乡间善士。只因勤苦太过，渐渐习成父亲悭吝样子。后亦生下一子，名师俭。因惩自己昔年之失，严加教诲。此是后话不题。

且说里中父老，敬张孝基之义，将其事申闻郡县，郡县上之于朝。其时正是曹丕篡汉，欲收人望，遂下书征聘。孝基恶魏乃僭窃之朝，耻食其禄，以亲老为辞，不肯就辟。后父母百年后，哀毁骨立，丧葬合礼，其名愈著。州郡俱举孝廉。凡五诏，俱以疾辞。有人问其缘故。孝基笑而不答，隐于田里，躬耕乐道，教育二子。长子名继，次子名绍，皆仁孝有学行，里中咸愿与之婚，孝基择有世德者配之。孝基年五十外，忽梦上帝膺召，夫妇遂双双得疾。二子日夜侍奉汤药，衣不解带。过迁闻知，率其子过师俭同来，亦如二子一般侍奉。孝基谢而止之。过迁道："感君之德，恨不能身代。今聊效区区，何足为谢。"过了数日，夫妇同逝。临终之时，异香满室。邻里俱闻空中车马音乐之声，从东而去。二子哀恸，自不必说。那过迁哭绝复苏，至于呕血。丧葬之费，俱过迁为之置办。二子泣辞再三，过迁不允。

一月后，有亲友从洛中回来，至张家吊奠，述云："某日于嵩山游玩，忽见旌幢驺御满野。某等避在林中观看，见车上坐着一人，绛袍玉带，威仪如王者，两边锦衣花帽，侍卫多人。仔细一认，乃是令先君。某等惊喜，出林趋揖。令先君下车相慰。某等问道：'公何时就征，遂为此显官？'令先君答云：'某非阳官，乃阴职也。上帝以某还财之事，命主此山。烦传示吾子，不必过哀。'言讫，倏然不见。方知令先君已为神矣。"二子闻言，不胜哀感。那时传遍乡里，无不叹异。相率为善，名其里为义感乡。晋武帝时，州郡举二子孝廉，俱为显官。过迁年至八旬外而终。两家子孙繁盛，世为姻戚云。

还财阴德庆流长，千古名传义感乡。
多少竞财疏骨肉，应知无面向嵩山。

第十八卷
施润泽滩阙遇友

还带曾消纵理纹，返金种得桂枝芬。
从来阴骘能回福，举念须知有鬼神。

这首诗引着两个古人阴骘的故事。第一句说：还带曾消纵理纹，乃唐朝晋公裴度之事。那裴度未遇时，一贫如洗，功名蹭蹬。就一风鉴，以决行藏。那相士说："足下功名事，且不必问。更有句话，如不见怪，方敢直言。"裴度道："小生因在迷途，故求指示，岂敢见怪！"相士道："足下螣蛇纵理纹入口，数年之间，必致饿死沟渠。"连相钱俱不肯受。裴度是个知命君子，也不在其意。

一日，偶至香山寺闲游。只见供桌上光华耀目，近前看时，乃是一围宝带。裴度检在手中，想道：“这寺乃冷落所在，如何却有这条宝带？”翻阅了一回，又想道：“必有甚贵人，到此礼佛更衣。衹候们不小心，遗失在此，定然转来寻觅。”乃坐在廊庑下等候。不一时，见一女子走入寺来，慌慌张张，径望殿上而去，向供桌上看了一看，连声叫苦，哭倒于地。裴度走向前问道：“小娘子因何恁般啼泣？”那女子道：“妾父被人陷于大辟，无门伸诉。妾日至此恳佛阴　，近日幸得从轻赎锾。妾家贫无措，遍乞高门，昨得一贵人矜怜，助一宝带。妾以佛力所致，适携带呈于佛前，稽首叩谢。因赎父心急，竟忘收此带，仓忙而去。行至半路方觉。急急赶来取时，已不知为何人所得。今失去这带，妾父料无出狱之期矣！”说罢又哭。裴度道：“小娘子不必过哀，是小生收得，故在此相候。”把带递还。那女子收泪拜谢：“请问姓字，他日妾父好来叩谢。”裴度道：“小娘子有此冤抑，小生因在贫乡，不能少助为愧。还人遗物，乃是常事，何足为谢！”不告姓名而去。

过了数日，又遇向日相士，不觉失惊道：“足下曾作何好事来？”裴度答云：“无有。”相士道：“足下今日之相，比先大不相牟。阴德纹大见，定当位极人臣，寿登耄耋，富贵不可胜言。”斐度当时犹以为戏语。后来果然出将入相，历事四朝，封为晋国公，年享上寿。有诗为证：

纵理纹生相可怜，香山还带竟安然。
淮西荡定功英伟，身系安危三十年。

第二句说是“返金种得桂枝芬”，乃五代窦禹钧之事。那窦禹钧蓟州人氏，官为谏议大夫，年三十而无子。夜梦祖父说道：“汝命中已该绝嗣，寿亦只在明岁。及早行善，或可少延。”禹钧唯唯。他本来是个长者，得了这梦，愈加好善。

一日薄暮，于延庆寺侧，拾得黄金三十两、白金二百两。至次日清早，便往寺前守候。少顷，见一后生涕泣而来。禹钧迎住问之。后生答道：“小人父亲身犯重罪，禁于狱中。小人遍恳亲知，共借白金二百两、黄金三十两。昨将去赎父，因主库者不在而归，为亲戚家留款，多吃了杯酒，把东西遗失。今无以赎父矣！”窦公见其言已合银数，乃袖中摸出还之，道，不消着急，偶尔拾得在此，相候久矣。”这后生接过手，打开看时，分毫不动，叩头泣谢。窦公扶起，分外又赠银两而去。其他善事甚多，不可枚举。一夜，复梦祖先说道：“汝合无子无寿。今有还金阴德种种，名挂天曹，特延算三纪，赐五子显荣。”窦公自此愈积阴功，后果连生五子：长仪，次俨，三侃，四偁，五僖，俱仕宋为显官。窦公寿至八十二，沐浴相别亲戚，谈笑而卒。安乐老冯道有诗赠之云：

燕山窦十郎，教子有义方。
灵椿一株老，丹桂五枝芳。

说话的，为何道这两桩故事？只因亦有一人曾还遗金，后来虽不能如二公这等大富大贵，却也免了一个大难，享个大大家事。正是：

种瓜得瓜，种豆得豆。
一切祸福，自作自受。

说这苏州府吴江县离城七十里，有个乡镇，地名盛泽，镇上居民稠广，土俗淳朴，俱以蚕桑为业。男女勤谨，络纬机抒之声，通宵彻夜。那市上两岸紬丝牙行，约有千百馀家，远近村坊织成紬匹，俱到此上市。四方商贾来收买的，蜂攒蚁集，挨挤不开，路途无伫足之隙；乃出产锦绣之乡，积聚绫罗之地。江南养蚕所在甚多，惟此镇处最盛。有几句口号为证：

东风二月暖洋洋，江南处处蚕桑忙。
蚕欲温和桑欲干，明如良玉发奇光。
缫成万缕千丝长，大筐小筐随络床。
美人抽绎沾唾香，一经一纬机杼张。
咿咿轧轧谐宫商，花开锦簇成匹量。
莫忧八口无餐粮，朝来镇上添远商。

且说嘉靖年间，这盛泽镇上有一人，姓施名复，浑家喻氏，夫妻两口，别无男女。家中开张紬机，每年养几筐蚕儿，妻络夫织，甚好过活。这镇上都是温饱之家，织下紬匹，必积至十来匹，最少也有五六匹，方才上市。那大户人家积得多的便不上市，都是牙行引客商上门来买。施复是个小户儿，本钱少，织得三四匹，便去上市出脱。一日，已积了四匹，逐匹把来方方折好，将个布袱儿包裹，一径来到市中。只见人烟辏集，语话喧阗，甚是热闹。施复到个相熟行家来卖，见门首拥着许多卖紬的，屋里坐下三四个客商。主人家跕在柜身里，展看紬匹，估喝价钱。施复分开众人，把紬递与主人家。主人家接来，解开包袱，逐匹翻看一过，将秤准了一准，喝定价钱，递与一个客人道："这施一官是忠厚人，不耐烦的，把些好银子与他。"那客人真个只拣细丝称准，付与施复。施复自己也摸出等子来准一准，还觉轻些，又争添上一二分，也就罢了。讨张纸包好银子，放在兜肚里，收了等子包袱，向主人家拱一拱手，叫声有劳，转身就走。

行不上半箭之地，一眼觑见一家街沿之下，一个小小青布包儿。施复趱步向前，拾起袖过，走到一个空处，打开看时，却是两锭银子，又有三四件小块，兼着一文太平钱儿，把手撷一撷，约有六两多重，心中欢喜道："今日好造化！拾得这些银子，正好将去凑做本钱。"连忙包好，也揣在兜肚里，望家中而回。一头走，一头想："如今家中见开这张机，尽勾日用了。有了这银子，再添上一张机，一月出得多少紬，有许多利息。这项银子，譬如没得，再不要动他。积上一年，共该若干，到来年再添上一张，一年又有多少

利息。算到十年之外，便有千金之富。那时造什么房子，买多少田产。”正算得熟滑，看看将近家中，忽地转过念头，想道：“这银两若是富人掉的，譬如牯牛身上拔根毫毛，打什么紧，落得将来受用；若是客商的，他抛妻弃子，宿水餐风，辛勤挣来之物，今失落了，好不烦恼！如若有本钱的，他拼这帐生意扯直，也还不在心上；倘然是个小经纪，只有这些本钱，或是与我一般样苦挣过日，或卖了绌，或脱了丝，这两锭银乃是养命之根，不争失了，就如绝了咽喉之气，一家良善，没甚过活，互相埋怨，必致鬻身卖子，倘是个执性的，气恼不过，肮脏送了性命，也未可知。我虽是拾得的，不十分罪过，但日常动念，使得也不安稳。就是有了这银子，未必真个营运发积起来。一向没这东西，依原将就过了日子。不如原往那所在，等失主来寻，还了他去，到得安乐。”随复转身而去，正是：

多少恶念转善，多少善念转恶。
劝君诸善奉行，但是诸恶莫作。

当下施复来到拾银之处，靠在行家柜边，等了半日，不见失主来寻。他本空心出门的，腹中渐渐饥饿，欲待回家吃了饭再来，犹恐失主一时间来，又不相遇，只得忍着等候。少顷，只见一个村庄后生，汗流满面，闯进行家，高声叫道：“主人家，适来银子忘记在柜上，你可曾检得么？”主人家道：“你这人好混帐！早上交银子与了你，这时节却来问我。你若忘在柜上时，莫说一包，再有几包也有人拿去了。”那后生连把脚跌道：“这是我的种田工本，如今没了，却怎么好？”施复问道：“约莫有多少？”那后生道：“起初在这里卖的丝银六两二钱。”施复道：“把什么包的？有多少件数？”那后生道：“两整锭，又是三四块小的，一个青布银包包的。”施复道：“恁样，不消着急。我拾得在此，相候久矣。”便去兜肚里摸出来，递与那人。那人连声称谢，接过手，打开看时，分毫不动。

那时往来的人，当做奇事，拥上一堆，都问道：“在那里拾的？”施复指道：“在这阶沿头拾的。”那后生道：“难得老哥这样好心，在此等候还人。若落在他人手里，安肯如此！如今到是我拾得的了。情愿与老哥各分一半。”施复道：“我若要，何不全取了，却分你这一半？”那后生道：“既这般，送一两谢仪与老哥买果儿吃。”施复笑道：“你这人是个呆子！六两三两都不要，要你一两银子何用！”那后生道：“老哥，银子又不要，何以相报？”众人道：“看这位老兄，是个厚德君子，料必不要你报。不若请到酒肆中吃三杯，见你的意罢了。”

那后生道：“说得是。”便来邀施复同去。施复道：“不消得，不消得，我家中有事，莫要担阁我工夫。”转身就走。那后生留之不住。众人道：“你这人好造化！掉了银子，一文钱不费，便捞到手。”那后生道：“便是，不想世间原有这等好人。”把银包藏了，向主人说声打搅，下阶而去。众人亦赞叹而散。也有说：“施复是个骇的，拾了银子不会将去受用，却骇站着等人来还。”也有说：“这人积此阴德，后来必有好处。”不题众人。

且说施复回到家里，浑家问道：“为甚么去了这大半日？”施复道：“不要说起，将到家了，因着一件事，覆身转去，担阁了这一回。”浑家道：“有甚事担阁？”施复将还银之事，说向浑家。浑家道：“这件事也做得好。自古道：‘横财不富命穷人。’倘然命里没时，得了他反生灾作难，到未可知。”施复道：“我正为这个缘故，所以还了他去。”当下夫妇二人，不以拾银为喜，反以还银为安。衣冠君子中，多有见利忘义的，不意愚夫愚妇到有这等见识。

从来作事要同心，夫唱妻和种德深。

万贯钱财如粪土，一分仁义值千金。

自此之后，施复每年养蚕，大有利息，渐渐活动。那育蚕有十体、二光、八宜等法，三稀、五广之忌。第一要择蚕种。蚕种好，做成茧小而明厚坚细，可以缫丝。如蚕种不好，但堪为绵纩，不能缫丝，其利便差数倍。第二要时运。有造化的，就蚕种不好，依般做成丝茧；若造化低的，好蚕种，也要变做绵茧。北蚕三眠，南蚕俱是四眠。眠起饲叶，各要及时。又蚕性畏寒怕热，惟温和为得候。昼夜之间，分为四时。朝暮类春秋，正昼如夏，深夜如冬，故调护最难。江南有谣云：

做天莫做四月天，蚕要温和麦要寒。

秧要日时麻要雨，采桑娘子要晴干。

那施复一来蚕种拣得好，二来有些时运，凡养的蚕，并无一个绵茧，缫下丝来，细员匀紧，洁净光莹，再没一根粗节不匀的。每筐蚕，又比别家分外多缫出许多丝来。照常织下的䌷拿上市去，人看时光彩润泽，都增价竞买，比往常每匹平添钱多银子。因有这些顺溜，几年间，就增上三四张䌷机，家中颇颇饶裕。里中遂庆个号儿叫做施润泽。却又生下一个儿子，寄名观音大士，叫做观保，年才二岁，生得眉目清秀，到好个孩子。

话休烦絮。那年又值养蚕之时，才过了三眠，合镇阙了桑叶，施复家也只勾两日之用，心下慌张，无处去买。大率蚕市时，天色不时阴雨，蚕受了寒湿之气，又食了冷露之叶，便要僵死，十分之中，就只好存其半，这桑叶就有馀了。那年天气温暖，家家无恙，叶遂短阙。

且说施复正没处买桑叶，十分焦躁，忽见邻家传说洞庭山馀下桑叶甚多，合了十来家过湖去买。施复听见，带了些银两，把被窝打个包儿，也来趁船。这时已是未牌时候，开船摇橹，离了本镇。过了平望，来到一个乡村，地名滩阙。这去处在太湖之傍，离盛泽有四十里之远。天已傍晚，过湖不及，遂移舟进一小港泊住，稳缆停桡，打点收拾晚食，却忘带了打火刀石。众人道："那个上涯去取讨个火种便好？"施复却如神差鬼使一般，便答应道："待我去。"取了一把麻骨，跳上岸来。见家家都闭着门儿。你道为何，天色未晚，人家就闭了门？那养蚕人家，最忌生人来冲。从蚕出至成茧之时，约有四十来日，家家紧闭门户，无人往来。任你天大事情，也不敢上门。

当下施复走过几家，初时甚以为怪，道："这些人家，想是怕鬼拖了人去，日色还在天上，便都闭了门。"忽地想起道："呸！自己是老看蚕，到忘记了这取火乃养蚕家最忌的，却兜揽这帐！如今那里去讨？"欲待转来，又想道："方才不应承来，到也罢了，若空身回转，教别个来取得时，反是老大没趣；或者有家儿不养蚕的也未可知。"依旧又走向前去。只见一家门儿半开半掩，他也不管三七廿一，做两步跨到檐下，却又不敢进去。站在门外，舒颈望着里边，叫声："有人么？"里边一个女人走出来，问道："什么人？"施复满面陪着笑道："大娘子，要相求个火儿。"妇人道："这时节，别人家是不肯的，只我家没忌讳，便点个与你也不妨得。"施复道："如此，多谢了。"即将麻骨递与。妇人接过手，进去点出火来。施复接了，谢声打搅，回身便走。走不上两家门面，背后有人叫道："那取火的转来，掉落东西了。"施复听得，想道："却不知掉了甚的？"又覆走转去。妇人说道："你一个兜肚落在此了。"递还施复。施复谢道："难得大娘子这等善心。"

妇人道："何足为谢！向年我丈夫在盛泽卖丝，落掉六两多银子，遇着个好人拾得，住在那里等候。我丈夫寻去，原封不动，把来还了，连酒也不要吃一滴儿。这样人方是真正善心人！"施复见说，却与他昔年还银之事相合，甚是骇异，问道："这事有几年了？"妇人把指头扳算道："已有六年了。"施复道："不瞒大娘子说，我也是盛泽人，六年前也曾拾过一个卖丝官人六两多银子，等候失主来寻，还了去。他要请我，也不要吃他的。但不知可就是大娘子的丈夫？"妇人道："有这等事！待我教丈夫出来，认一认可是？"施复恐众人性急，意欲不要，不想手中麻骨火将及点完，乃道："大娘子，相认的事甚缓，求得个黄同纸去引火时，一发感谢不尽。"妇人也不回言，径往里边去了，顷刻间，同一个后生跑出来。彼此睁眼一认，虽然隔了六年，面貌依然，正是昔年还银义士。正是：

一叶浮萍归大海，人生何处不相逢。

当下那后生躬身作揖道："常想老哥，无从叩拜，不想今日天赐下顾。"施复还礼不迭。二人作过揖，那妇人也来见个礼。后生道："向年承老哥厚情，只因一时仓忙，忘记问得尊姓大号住处。后来几遍到贵镇卖丝，问主人家，却又不相认。四面寻访数次，再不能遇见，不期到在敝乡相会。请里面坐。"施复道："多承盛情垂念，但有几个朋友，在舟中等候火去作晚食，不消坐罢。”后生道：“何不一发请来？”施复道：“岂有此理！”后生道：“既如此，送了火去来坐罢。”便教浑家取个火来。妇人即忙进去。后生问道：“老哥尊姓大号？今到那里去？”施复道：“小子姓施名复，号润泽。今因缺了桑叶，要往洞庭山去买。”后生道：“若要桑叶，我家尽有，老哥今晚住在寒舍，让众人自去。明日把船送到宅上，可好么？”施复见说他家有叶，好不欢喜，乃道：“若宅上有时，便省了小子过湖，待我回覆众人自去。”妇人将出火来，后生接了，说：“我与老哥同去。”又分付浑家，快收拾夜饭。

当下二人拿了火来至船边，把火递上船去。众人一个个眼都望穿，将施复埋怨道：“讨个火什么难事！却去这许多时？”施复道：“不要说起，这里也都看蚕，没处去讨。落后相遇着这位相熟朋友，说了几句话，故此迟了，莫要见怪！”又道：“这朋友偶有馀叶在家中，我已买下，不得相陪列位过湖了。包袱在舱中，相烦拿来与我。”众人检出付与。那后生便来接道：“待我拿罢！”施复叫道：“列位，暂时抛撇，归家相会。”

别了众人，随那后生转来，乃问道：“适来忙促，不曾问得老哥贵姓大号。”答道：“小子姓朱名恩，表字子义。”施复道：“今年贵庚多少？”答道：“二十八岁。”施复道：“恁样，小子叨长老哥八年！”又问：“令尊令堂同居么？”朱恩道：“先父弃世多年，止有老母在堂，今年六十八岁了，吃一口长素。”

二人一头说，不觉已至门首。朱恩推开门，请施复屋里坐下。那棹上已点得灯烛。朱恩放下包裹道：“大嫂快把茶来。”声犹未了，浑家已把出两杯茶，就门帘内递与朱恩。朱恩接过来，递一杯与施复，自己拿一杯相陪，又问道：“大嫂，鸡可曾宰么？”浑家道：“专等你来相帮。”朱恩听了，连忙把茶放下，跳起身要去捉鸡。原来这鸡就罩在堂屋中左边。施复即上前扯住道：“既承相爱，即小菜饭儿也是老哥的盛情，何必杀生！况且此时鸡已上宿，不争我来又害他性命，于心何忍！”朱恩晓得他是个质直之人，遂依他说，仍复坐下道：“既如此说，明日宰来相请。”叫浑家道：“不要宰鸡了，随分有现成东西，快将来吃罢，莫饿坏了客人。酒烫热些。”

施复道：“正是忙日子，却来蒿恼。幸喜老哥家没忌讳还好。”朱恩道：“不瞒你说，旧时敝乡这一带，第一忌讳是我家，如今只有我家无忌讳。”施复道：“这却为何？”朱恩道：“自从那年老哥还银之后，我就悟了这道理。凡事是有个定数，断不由人，故此绝不忌讳，依原年年十分利息。乃知人家都是自己见神见鬼，全不在忌讳上来。妖由人兴，信有之也。”施复道：“老哥是明理之人，说得极是。”朱恩又道：“又有一节奇事，常年我家养十筐蚕，自己园上叶吃不来，还要买些。今年看了十五筐，这园上桑又不曾增一棵两棵，如今够了自家，尚馀许多，却好又济了老哥之用。这桑叶却像为老哥而生，可不是个定数？”施复道：“老哥高见，甚是有理。就如你我相会，也是个定数。向日你因失银与我识面，今日我亦因失物，尊嫂见还。方才言及前情，又得相会。”朱恩道：“看起来，我与老哥乃前生结下缘分，才得如此。意欲结为兄弟，不知尊意若何？”施复道：“小子别无兄弟，若不相弃，可知好哩。”当下二人就堂中八拜为交，认为兄弟。施复又请朱恩母亲出来拜见了。朱恩重复唤浑家出来，见了结义伯伯。一家都欢欢喜喜。

不一时，将出酒肴，无非鱼肉之类。二人对酌。朱恩问道：“大哥有几位令郎？”施复答道：“只有一个，刚才二岁，不知贤弟有几个？”朱恩道：“止有一个女儿，也才二岁。”便教浑家抱出来，与施复观看。朱恩又道：“大哥，我与你兄弟之间，再结个儿女亲家何如？”施复道：“如此最好，但恐家寒攀陪不起。”朱恩道：“大哥何出此言！”两下联了姻事，愈加亲热。杯来盏去，直饮至更馀方止。

朱恩寻扇板门，把凳子两头阁着，支个铺儿在堂中右边，将荐席铺上。施复打开包裹，取出被来抖好。朱恩叫声安置，将中门闭上，向里面去了。施复吹息灯火，上铺卧下，翻来覆去，再睡不着。只听得鸡在笼中不住吱吱喳喳，想道：“这鸡为甚么只管咭咶？”约莫一个更次，众鸡忽然乱叫起来，却像被什么咬住一般。施复只道是黄鼠狼来偷鸡，霍地跳起身，将衣服披着急来看这鸡。说时迟，那时快，才下铺，走不上三四步，只听得一声响亮，如山崩地裂，不知甚东西打在铺上，把施复唬得半步也走不动。

且说朱恩同母亲浑家正在那里饲蚕，听得鸡叫，也认做黄鼠狼来偷，急点火出来看。才动步，忽听见这一响，惊得跌足叫苦道：“不好了！是我害了哥哥性命也！怎么处？”飞奔出来。母妻也惊骇，道：“坏了，坏了！”接脚追随。朱恩开了中门，才跨出脚，就见施复站在中间，又惊又喜道：“哥哥，险些儿唬杀我也！亏你如何走得起身，脱了这祸？”施复道：“若不是鸡叫得慌，起身来看，此时已为齑粉矣。不知是甚东西打将下来？”朱恩道：“乃是一根车轴阁在上边，不知怎地却掉下来？”将火照时，那扇门打得粉碎，凳子都跌倒了。车轴滚在壁边，有巴斗粗大。施复看了，伸出舌头缩不上去。

此时朱恩母妻见施复无恙，已自进去了。那鸡也寂然无声。朱恩道：“哥哥起初不要杀鸡，谁想就亏他救了性命。”二人遂立誓戒了杀生。有诗为证：

昔闻杨宝酬恩雀，今见施君报德鸡。
物性有知皆似此，人情好杀复何为？

当下朱恩点上灯烛，卷起铺盖，取出稻草，就地上打个铺儿与施复睡了。到次早起身，外边却已下雨。吃过早饭，施复便要回家。朱恩道：“难得大哥到此！须住一日，明早送回。”施复道：“你我正在忙时，总然留这一日，各不安稳，不如早些得我回去，等在闲时，大家宽心相叙几日。”朱恩道：“不妨得！譬如今日到洞庭山去了，住在这里话一日儿。”朱恩母亲也出来苦留，施复只得住下。到已牌时分，忽然作起大风，扬沙拔木，非常利害。接着风，就是一阵大雨。朱恩道：“大哥，天遣你遇着了我，不去得还好。他们过湖的，有些担险哩。”

施复道：“便是。不想起这等大风，真个好怕人子！”那风直吹至晚方息，雨也止了。施复又住了一宿，次日起身时，朱恩桑叶已采得完备。他家自有船只，都装好了。吃了饭，打点起身。施复意欲还他叶钱，料道不肯要的，乃道：“贤弟，想你必不受我叶钱，我到不虚文了。但你家中脱不得身，送我去便担阁两日工夫，若有人雇一个摇去，却不两便？”朱恩道：“正要认着大哥家中，下次好来往，如何不要我去？家中也不消得我。”施复见他执意要去，不好阻挡，遂作别朱恩母妻，下了船。朱恩把船摇动，刚过午，就到了盛泽。

施复把船泊住，两人搬桑叶上岸。那些邻家也因昨日这风，却担着愁担子，俱在门首等候消息，见施复到时，齐道：“好了，回来也！”急走来问道：“他们那里去了不见？共买得几多叶？”施复答道：“我在滩阙遇着亲戚家，有些馀叶送我，不曾同众人过湖。”众人俱道：“好造化，不知过湖的怎样光景哩？”施复道：“料然没事。”众人道：“只愿如此便好。”

施复就央几个相熟的，将叶相帮搬到家里，谢声有劳，众人自去。浑家接着，道：“我正在这里忧你，昨日恁样大风，不知如何过了湖？”施复道：“且过来见了朱叔叔，慢慢与你细说。”朱恩上前深深作揖，喻氏还了礼。施复道：“贤弟请坐，大娘快取茶来，引孩子来见丈人。”喻氏从不曾见过朱恩，听见叫他是贤弟，又称他是孩子丈人，心中惑突，正不知是兀谁，忙忙点出两杯茶，引出小厮来。施复接过茶，递与朱恩，自己且不吃茶，便抱小厮过来，与朱恩看。朱恩见生得清秀，甚是欢喜，放下茶，接过来抱在手中。这小厮却如相熟的一般，笑嘻嘻全不怕生。施复向浑家说道：“这朱叔叔便是向年失银子的，他家住在滩阙。”喻氏道：“原来就是向年失银的。如何却得相遇？”施复乃将前晚讨火落了兜肚，因而言及，方才相会，留住在家，结为兄弟，又与儿女联姻。并不要宰鸡，亏鸡警报，得免车轴之难。所以不曾过湖，今日将叶送回。前后事细细说了一遍。喻氏又惊又喜，感激不尽，即忙收拾酒肴款待。

正吃酒间，忽闻得邻家一片哭声。施复心中怪异，走出来问时，却是昨日过湖买叶的翻了船，十来个人都淹死了，只有一个人得了一块船板，浮起不死，亏渔船上救了回来报信。施复闻得，吃这惊不小，进来学向朱恩与浑家听了，合掌向天称谢，又道：“若非贤弟相留，我此时亦在劫中矣。”朱恩道："此皆大哥平昔好善之报，与我何干！"施复留朱恩住了一宿。到次早，朝膳已毕，施复道："本该留贤弟闲玩几日，便是晓得你家中事忙，不敢担误在此。过了蚕事，然后来相请。"朱恩道："这里原是不时往来的，何必要请。"施复又买两盒礼物相送。朱恩却也不辞，别了喻氏，解缆开船。施复送出镇上，方才分手。正是：

只为还金恩义重，今朝难舍弟兄情。

且说施复是年蚕丝利息比别年更多几倍，欲要又添张机儿，怎奈家中窄隘，摆不下机床。大凡人时运到来，自然诸事遇巧。施复刚愁无处安放机床，恰好间壁邻家住着两间小房，连年因蚕桑失利，嫌道住居风水不好，急切要把来出脱，正凑了施复之便。那邻家起初没售主时，情愿减价与人。及至施复肯与成交，却又道方员无真假，比原价反要增厚，故意作难刁蹬，真征个心满意足，方才移去。那房子还拆得如马坊一般。

施复一面唤匠人修理，一而择吉铺设机床，自己将把锄头去垦机坑。约摸锄了一尺多深，忽锄出一块大方砖来，揭起砖时，下面圆圆一个坛口，满满都是烂米。施复说道："可惜这一坛米，如何却埋在地下？"又想道："上边虽然烂了，中间或者还好。"丢了锄头，把手去捧那烂米，还不上一寸，便露出一搭雪白的东西来。举目看时，不是别件，却是腰间细两头趑，凑心的细丝锭儿。施复欲待运动，恐怕被匠人们撞见，沸扬开去。急忙原把土泥掩好，报知浑家。直至晚上，匠人去后，方才搬运起来，约有千金之数。夫妻们好不欢喜！

施复因免了两次大难，又得了这注财乡，愈加好善。凡力量做得的好事，便竭力为之；做不得的，他也不敢勉强，因此里中随有长者之名。夫妻依旧省吃俭用，昼夜营运。不上十年，就长有数千金家事。又买了左近一所大房居住，开起三四十张细机，又讨几房家人小厮，把个家业收拾得十分完美。儿子观保，请个先生在家，教他读书，取名德胤，行聘礼定了朱恩女儿为媳。俗语说得好：六亲合一运。那朱恩家事也颇颇长起。二人不时往来，情分胜如嫡亲。

话休烦絮。且说施复新居房子，别屋都好，惟有厅堂摊塌坏了，看看要倒，只得兴工改造。他本寒微出身，辛苦作家惯了，不做财主身分，日逐也随着做工的搬瓦弄砖，拿水提泥。众人不晓得他是勤俭，都认做借意监工，没一个敢怠惰偷力。工作半月有馀，择了吉日良机，立柱上梁。众匠人都吃利市酒去了，止存施复一人，两边检点，柱脚若不平准的，便把来垫稳。看到左边中间柱脚歪斜，把砖去垫。偏有这等作怪的事，左垫也不平，右垫又不稳，索性拆开来看，却原来下面有块三角沙石，尖头正向着上边，所以垫不平。乃道："这些匠工精鸟帐！这块石怎么不去了，留在下边？"便将手去一攀，这石随手而起。拿开石看时，到吃一惊！下面雪白的一大堆银子，其锭大小不一；上面有几个一样大的，腰间都束着红绒，其色甚是鲜明。又喜又怪：喜的是得这一大注财物，怪的是这几锭红绒束的银子，他不知藏下几多年了，颜色还这般鲜明。当下不管好歹，将衣服做个兜儿，抓上许多，原把那块石盖好，飞奔进房，向床上倒下。喻氏看见，连忙来问："是那里来的？"施复无暇答应，见儿子也在房中，即叫道："观保快同我来！"口中便说，脚下乱跑。喻氏即解其意。父子二人来至外边，教儿子看守，自己分几次搬完。这些匠人酒还吃未完哩。

施复搬完了，方与浑家说知其故。夫妻三人好不喜！把房门闭上，将银收藏，约有二千馀金。红绒束的，止有八锭，每锭准准三两。收拾已完，施复要拜天地，换了巾帽长衣，开门出来。那些匠人，手忙脚乱，打点安柱上梁。见柱脚倒乱，乃道："这是谁个弄坏了？又要费一番手脚。"施复道："你们垫得不好，须还要重整一整。"工人知是家长所为，谁敢再言。流水自去收拾，那晓其中奥妙。施复仰天看了一看，乃道："此时正是卯时了，快些竖起来。"众匠人闻言，七手八脚，一会儿便安下柱子，抬梁上去。里边托出一大盘抛梁馒首，分散众人。邻里们都将着果酒来与施复把盏庆贺。施复因掘了藏，愈加快活，分外兴头，就吃得个半醺。正是：

人逢喜事精神爽，月到中秋分外明。

施复送客去后，将巾帽长衣脱下，依原随身短衣，相帮众人。到巳牌时分，偶然走至外边，忽见一个老儿庞眉白发，年约六十已外，来到门首，相了一回，乃问道："这里可是施家么？"施复道："正是，你要寻那个？"老儿道："要寻你们家长，问句话儿。"施复道："小子就是。老翁有甚话说？请里面坐了。"那老儿听见就是家主，把他上下只管瞧看，又道："你真个是么？"施复笑道："我不过是平常人，那个肯假！"老儿举一举手，道："老汉不为礼了，乞借一步话说。"拉到半边，问道："宅上可是今日卯时上梁安柱么？"施复道："正是。"老儿又道："官人可曾在左边中间柱下得些财采？"施复见问及这事，心下大惊，想道："他却如何晓得？莫不是个仙人！"因道着心事，不敢隐瞒，答道："果然有些。"老儿又道："内中可有八个红绒束的锭么？"施复一发骇异，乃道："有是有的，老翁何由知得这般详细？"老儿道："这八锭银子，乃是老汉的，所以知得。"施复道："既是老翁的，如何却在我家柱下？"

那老儿道："有个缘故。老汉叫做薄有寿，就住在黄江南镇上，止有老荆两口，别无子女。门首开个糕饼馒头等物点心铺子，日常用度有馀，积至三两，便倾成一个锭儿。老荆孩子气，把红绒束在中间，无非尊重之意。因墙卑室浅，恐露人眼目，缝在一个暖枕之内，自谓万无一失。积了这几年，共得八锭，以为老夫妻身后之用，尽有馀了。不想今早五鼓时分，老汉梦见枕边走出八个白衣小厮，腰间俱束红绦，在床前商议道：‘今日卯时，盛泽施家竖柱安梁，亲族中应去的，都已到齐了。我们也该去矣。’有一个问道：‘他们都在那一个所在？’一个道：‘在左边中间柱下。’说罢，往外便走。有一个道：‘我们住在这里一向，如不别而行，觉道忒薄情了。’遂俱覆转身向老汉道：‘久承照管，如今却要抛撇，幸勿见怪！’那时老汉梦中，不认得那八个小厮是谁，也不晓得是何处来的，问他道：‘八位小官人是几时来的？如何都不相认？’小厮答道：‘我们自到你家，与你只会得一面，你就把我们撇在脑后，故此我们便认得你，你却不认得我。’又指腰间红绦道：‘这还是初会这次，承你送的，你记得了么？’老汉一时想不着几时与他的，心中止挂欠无子，见其清秀，欲要他做个干儿，又对他道：‘既承你们到此，何不住在这里，父子相看，帮我做个人家？怎么又要往别处去？’八个小厮笑道：‘你要我们做儿子，不过要送终之意。但我们该旺处去的。你这老官儿消受不起。’道罢，一齐往外而去。老汉此时觉道睡在床上，不知怎地身子已到门首，再三留之，头也不回，惟闻得说道：‘天色晏了，快走罢。’一齐乱跑。老汉追将上去，被草根绊了一交，惊醒转来，与老荆说知，因疑惑这八锭银子作怪。到早上拆开枕看时，都已去了。欲要试验此梦，故特来相访，不想果然。”

施复听罢，大惊道：“有这样奇事！老翁不必烦恼，同我到里面来坐。”薄老道：“这事已验，不必坐了。”施复道：“你老人家许多路来，料必也饿了，见成点心吃些去也好。”这薄老儿见留他吃点心，到也不辞，便随进来。只见新竖起三间堂屋，高大宽敞，木材巨壮，众匠人一个个乒乒乓乓，耳边惟闻斧凿之声，比平常愈加用力。你道为何这般勤谨？大凡新竖屋那日，定有个犒劳筵席，利市赏钱。这些匠人打点吃酒要钱，见家主进来，故便假殷勤讨好。薄老儿看着如此热闹，心下嗟叹道：“怪道这东西欺我消受他不起，要望旺处去，原来他家恁般兴头！咦，这银子却也势利得狠哩！”不一时，来至一小客座中，施复请他坐下，急到里边向浑家说知其事。喻氏亦甚怪异，乃对施复道：“这银子既是他送终之物，何不把来送还，做个人情也好。”施复道：“正有此念，故来与你商量。”

喻氏取出那八锭银子，把块布包好。施复袖了，分付讨些酒食与他吃，复到客座中摸出包来，道：“你看，可是那八锭么？”薄老儿接过打开一看，分毫不差，乃道：“正是这八个怪物！”那老儿把来左翻右相，看了一回，对着银子说道：“我想你缝在枕中，如何便会出来黄江泾？到此有十里之远，人也怕走，还要趁个船儿，你又没有脚，怎地一回儿就到了这里？”口中便说，心下又转着苦挣之难，失去之易，不觉眼中落下两点泪来。施复道：

"老翁不必心伤！小子情愿送还，赠你老人家百年之用。"薄老道："承官人厚情。但老汉无福享用，所以走了。今若拿去，少不得又要走的，何苦讨恁般烦恼吃！"施复道："如今乃我送你的，料然无妨。"薄老只把手来摇道："不要，不要！老汉也是个知命的，勉强来，一定不妙。"施复因他坚执不要，又到里边与浑家商议。喻氏道："他虽不要，只我们心上过意不去。"又道："他或者消受这十锭不起，一二锭量也不打紧。"施复道："他执意一锭也不肯要。"喻氏道："我有个道理在此。把两锭裹在馒头里，少顷送与他作点心，到家看见，自然罢了，难道又送来不成？"施复道："此见甚妙。"

喻氏先支持酒肴出去。薄老坐了客位，施复对面相陪。薄老道："没事打搅官人，不当人子！"施复道："见成菜酒，何足挂齿！"当下三杯两盏，吃了一回。薄老儿不十分会饮，不觉半醉。施复讨饭与他吃罢，将要起身作谢，家人托出两个馒头。施复道："两个粗点心，带在路上去吃。"薄老道："老汉酒醉饭饱，连夜饭也不要吃了，路上如何又吃点心？"施复道："总不吃，带回家去便了。"薄老儿道："不消得，不消得！老汉家中做这项生意的，日逐自有，官人留下赏人罢。"施复把来推在袖里道："我这馒头馅好，比你铺中滋味不同。将回去吃，便晓得。"那老儿见其意殷勤，不好固辞，乃道："没甚事到此，又吃又袖，罪过，罪过！"拱拱手道："多谢了！"往外就走。

施复送出门前，那老儿自言自语道："来便来了，如今去，不知可就有便船？"施复见他醉了，恐怕遗失了这两个馒头，乃道："老翁，不打紧，我家有船，教人送你回去。"那老儿点头道："官人，难得你这样好心！可知有恁般造化！"施复唤个家人，分付道："你把船送这大伯子回去，务要送至家中，认了住处，下次好去拜访。"家人应诺。

薄老儿相辞下船，离了镇上，望黄江泾而去。那老儿因多了几杯酒，一路上问长问短，十分健谈。不一时已到，将船泊住，扶那老儿上岸，送到家中。妈妈接着，便问："老官儿，可有这事么？"老儿答道："千真万真。"口中便说，却去袖里摸出那两个馒头，递与施复家人道："大官宅上事忙，不留吃茶了，这馒头转送你当茶罢。"施家人答道："我官人特送你老人家的，如何却把与我？"薄老道："你官人送我，已领过他的情了。如今送你，乃我之情，你不必固拒。"家人再三推却不过，只得受了，相别下船，依旧摇回。到自己河下，把船缆好，拿着馒头上岸。恰好施复出来，一眼看见，问道："这馒头我送薄老官的，你如何拿了回来？"答道："是他转送小人当茶，再三推辞不脱，勉强受了他的。"施复暗笑道："原来这两锭银那老儿还没福受用，却又转送别人。"想道："或者到是那人造化，也未可知。"乃分付道："这两个馒头滋味，比别的不同，莫要又与别人！"答应道："小人晓得。"

那人来到里边寻着老婆，将馒头递与，还未开言说是那里来的，被伙伴中叫到外边吃酒去了。原来那人已有两个儿女，正害着疳膨食积病症。当下婆娘接在手中，想道："若被小男女看见，偷去吃了，到是老大利害，不如把去大娘换些别样点心哄他罢。"即便走来向主母道："大娘，丈夫适才不知那里拿这两个馒头，我想小男女正害肚腹病，倘看见偷吃了，这病却不一发加重！欲要求大娘换甚不伤脾胃的点心，哄那两个男女。"说罢，将馒头放在桌上。喻氏不知其细，遂拣几件付与他去，将馒头放过。少顷，施复进来，把薄老转与家人馒头之事，说向浑家，又道："谁想到是他的造化！"喻氏听了，乃知把来换点心的就是，答道："原来如此，却也奇异！"便去拿那两个馒头，递与施复道："你拍这馒头来看。"

施复不知何意，随手拍开，只听得棹上当的一响，举目看时，乃是一锭红绒束的银子，问道："馒头如何你又取了他的？"喻氏将那婆娘来换点心之事说出。夫妻二人，不胜嗟叹，方知银子赶人，麾之不去；命里无时，求之不来。施复因怜念薄老儿，时常送些钱米与他，到做了亲戚往来。死后，又买块地儿殡葬。后来施德胤长大，娶朱恩女儿过门，夫妻孝顺。施复之富，冠于一镇。夫妇二人，各寿至八十外，无疾而终。至今子孙蕃衍，与滩阙朱氏世为姻谊云。有诗为证：

六金还取事虽微，感德天心早鉴知。

滩阙巧逢恩义报，好人到底得便宜。

第十九卷 白玉娘忍苦成夫

两眼乾坤旧恨，一腔今古闲愁。隋宫吴苑旧风流，寂寞斜阳渡口。　　兴到豪吟百首，醉馀凭吊千秋。神仙迂怪总虚浮，只有纲常不朽。

这首《西江月》词，是劝人力行仁义，扶植纲常。从古以来，富贵空花，荣华泡影，只有那忠臣孝子，义夫节妇，名传万古，随你负担小人，闻之起敬。今日且说义夫节妇：如宋弘不弃糟糠，罗敷不从使君，此一辈岂不是扶植纲常的？又如王允欲娶高门，预逐其妇；买臣宦达太晚，见弃于妻，那一辈岂不是败坏纲常的？真个是人心不同，泾渭各别。有诗为证：

王允弃妻名遂损，买臣离妇志堪悲。

夫妻本是鸳鸯鸟，一对栖时一对飞。

话中单表宋末时，一个丈夫姓程，双名万里，表字鹏举，本贯彭城人氏。父亲程文业，官拜尚书。万里十六岁时，椿萱俱丧，十九岁以父荫补国子生员。生得人材魁岸，志略非凡，性好读书，兼习弓马。闻得元兵日盛，深以为忧，曾献战、守、和三策，以直言触忤时宰，恐其治罪，弃了童仆，单身潜地走出京都。却又不敢回乡，欲往江陵府，投奔京湖制置使马光祖。未到汉口，传说元将兀良哈歹统领精兵，长驱而入，势如破竹。程万里闻得这个消息，大吃一惊，遂不敢前行。踌躇之际，天色已晚，但见：

片片晚霞迎落日，行行倦鸟盼归巢。

程万里想道："且寻宿店，打听个实信，再作区处。"其夜，只闻得户外行人，奔走不绝，却都是上路逃难来的百姓，哭哭啼啼，耳不忍闻。程万里已知元兵迫近，夜半便起身，趁众同走。走到天明，方才省得忘记了包裹在客店中。来路已远，却又不好转去取讨，身边又没盘缠，腹中又饿，不免到村落中告乞一饭，又好挣扎路途。

约莫走半里远近，忽然斜插里一阵兵，直冲出来。程万里见了，飞向侧边一个林子里躲避。那枝兵不是别人，乃是元朝元帅兀良哈歹部下万户张猛的游兵。前锋哨探，见一个汉子，面目雄壮，又无包裹，躲向树林中而去，料道必是个细作，追入林中，不管好歹，一索捆翻，解到张万户营中。程万里称是避兵百姓，并非细作。张万户见他面貌雄壮，留为家丁。程万里事出无奈，只得跟随。每日间见元兵所过残灭，如秋风扫叶，心中暗暗悲痛，正是：

宁为太平犬，莫作离乱人。

却说张万户乃兴元府人氏，有千斤膂力，武艺精通。昔年在乡里间豪横，守将知得他名头，收在部下为偏裨之职。后来元兵犯境，杀了守将，叛归元朝。元主以其有献城之功，封为万户，拨在兀良哈歹部下为前部向导，屡立战功。今番从军日久，思想家里，写下一封家书，把那一路掳掠下金银财宝，装做一车，又将掳到人口男女，分做两处，差帐前两个将校，押送回家。可怜程万里远离乡土，随着众人，一路啼啼哭哭，直至兴元府，到了张万户家里，将校把家书金银，交割明白，又令那些男女，叩见了夫人。那夫人做人贤慧，就各拨一个房户居住，每日差使伏侍。将校讨了回书，自向军前回覆去了。程万里住在兴元府，不觉又经年馀。

那时宋元两朝讲和，各自罢军，壮士宁家。张万户也回到家中，与夫人相见过了，合家奴仆，都来叩头。程万里也只得随班行礼。又过数日，张万户把掳来的男女，拣身材雄壮的留了几个，其馀都转卖与人。张万户唤众人来分付道："你等不幸生于乱离时世，遭此涂炭，或有父母妻子，料必死于乱军之手。就是汝等，还喜得遇我，所以尚在，逢着别个，死去几时了。今在此地，虽然是个异乡，既为主仆，即如亲人一般。今晚各配妻子与你们，可安心居住，勿生异心。后日带到军前，寻些功绩，博个出身，一般富贵。若有他念，犯出事来，断然不饶的。”家人都流泪叩头道：“若得如此，乃老爹再生之恩，岂敢又生他念。”当晚张万户就把那掳来的妇女，点了几名。夫人又各赏几件衣服。张万户与夫人同出堂前，众妇女跟随在后。堂中灯烛辉煌，众人都叉手侍立两傍。张万户一一唤来配合。众人一齐叩首谢恩，各自领归房户。

且说程万里配得一个女子，引到房中，掩上门儿，夫妻叙礼。程万里仔细看那女子，年纪到有十五六岁，生得十分美丽，不像个以下之人。怎见得？有《西江月》为证：

两道眉弯新月，一双眼注微波。青丝七尺挽盘螺，粉脸吹弹得破。　望日嫦娥盼夜，秋宵织女停梭。画堂花烛听欢呼，兀自含羞怯步。

程万里得了一个美貌女子，心中欢喜，问道：“小娘子尊姓何名？可是从幼在宅中长大的么？”那女子见问，沉吟未语，早落下两行珠泪。程万里把袖子与他拭了，问道：“娘子为何掉泪？”那女子道：“奴家本是重庆人氏，姓白，小字玉娘。父亲白忠，官为统制，四川制置使余玠，调遣镇守嘉定府。不意余制置身亡，元将兀良哈歹乘虚来攻。食尽兵疲，力不能支。破城之日，父亲被擒，不屈而死。兀良元帅怒我父守城抗拒，将妾一门抄戮。张万户怜妾幼小，幸得免诛，带归家中为婢，伏侍夫人。不意今日得配君子。不知君乃何方人氏，亦为所掳？”程万里见说亦是羁囚，触动其心，不觉也流下泪来。把自己家乡姓名，被掳情由，细细说与。两下凄惨一场，却已二鼓。夫妻解衣就枕。一夜恩情，十分美满。明早，起身梳洗过了，双双叩谢张万户已毕，玉娘原到里边去了。程万里感张万户之德，一切干办公事，加倍用心，甚得其欢。

其夜是第三夜了。程万里独坐房中，猛然想起功名未遂，流落异国，身为下贱，玷宗辱祖，可不忠孝两虚！欲待乘间逃归，又无方便，长叹一声，潸潸泪下。正在自悲自叹之际，却好玉娘自内而出。万里慌忙拭泪相迎，容颜惨淡，馀涕尚存。玉娘是个聪明女子，见貌辨色，当下挑灯共坐，叩其不乐之故。万里是个把细的人，仓卒之间，岂肯倾心吐胆。自古道：

夫妻且说三分话，未可全抛一片心。

当下强作笑容，只答应得一句道：“没有甚事！”玉娘情知他有含糊隐匿之情，更不去问他。直至掩户息灯，解衣就寝之后，方才低低启齿，款款开言道：“程郎，妾有一言，日欲奉劝，未敢轻谈。适见郎君有不乐之色，妾已猜其八九。郎君何用相瞒！”万里道：“程某并无他意，娘子不必过疑。”玉娘道："妾观郎君才品，必非久在人后者，何不觅便逃归，图个显祖扬宗？却甘心在此，为人奴仆，岂能得个出头的日子？"

程万里见妻子说出恁般说话，老大惊讶，心中想道："他是妇人女子，怎么有此丈夫见识，道着我的心事？况且寻常人家，夫妇分别，还要多少留恋不舍。今成亲三H，恩爱方才起头，岂有反劝我还乡之理？只怕还是张万户教他来试我。"便道："岂有此理！我为乱兵所执，自分必死。幸得主人释放，留为家丁，又以妻子配我，此恩天高地厚，未曾报得，岂可为此背恩忘义之事？汝勿多言！"玉娘见说，嘿然无语。程万里愈疑是张万户试他。

到明早起身，程万里思想："张万户教他来试我，我今日偏要当面说破，固住了他的念头，不来提防，好办走路。"梳洗已过，请出张万户到厅上坐下，说道："禀老爹，夜来妻子忽劝小人逃走。小人想来，当初被游兵捉住，蒙老爹救了性命，留作家丁，如今又配了妻子。这般恩德，未有寸报。况且小人父母已死，亲戚又无，只此便是家了，还教小人逃到那里去？小人昨夜已把他埋怨一番。恐怕他自己情虚，反来造言累害小人，故此特禀知老爹。"张万户听了，心中大怒，即唤出玉娘骂道："你这贱婢！当初你父抗拒天兵，兀良元帅要把你阖门尽斩，我可怜你年纪幼小，饶你性命，又恐为乱军所杀，带回来恩养长大，配个丈夫。你不思报效，反教丈夫背我，要你何用！"教左右快取家法来，吊起贱婢打一百皮鞭。那玉娘满眼垂泪，哑口无言。众人连忙去取索子家法，将玉娘一索捆翻。正是：

分明指与平川路，反把忠言当恶言。

程万里在旁边，见张万户发怒，要吊打妻子，心中懊悔道："原来他是真心，到是我害他了！"又不好过来讨饶。

正在危急之际，恰好夫人闻得丈夫发怒，要打玉娘，急走出来救护。原来玉娘自到他家，因德性温柔，举止闲雅，且是女工中第一伶俐，夫人平昔极喜欢他的。名虽为婢，相待却像亲生一般。立心要把他嫁个好丈夫。因见程万里人材出众，后来必定有些好日，故此前晚就配与为妻。今日见说要打他，不知因甚缘故，特地自己出来。见家人正待要动手，夫人止住，上前道："相公因甚要吊打玉娘？"张万户把程万里所说之事告与夫人。夫人叫过玉娘道："我一向怜你幼小聪明，特拣个好丈夫配你，如何反教丈夫背主逃走？本不当救你便是。姑念初犯，与老爹讨饶。下次再不可如此！"玉娘并不回言，但是流泪。夫人对张万户道："相公，玉娘年纪甚小，不知世务，一时言语差误，可看老身份上，姑恕这次罢。"张万户道："既夫人讨饶，且恕这贱婢。倘若再犯，二罪俱罚。"玉娘含泪叩谢而去。张万户唤过程万里道："你做人忠心，我自另眼看你。"程万里满口称谢，走到外边，心中又想道："还是做下圈套来试我！若不是，怎么这样大怒要打一百，夫人刚开口讨饶，便一下不打？况夫人在里面，那里晓得这般快就出来护救？且喜昨夜不曾说别的言语还好。”

到了晚间，玉娘出来，见他虽然面带忧容，却没有一毫怨恨意思。程万里想道：“一发是试我了。”说话越加谨慎。又过了三日，那晚，玉娘看了丈夫，上下只管相着，欲言不言。如此三四次，终是忍耐不住，又道：“妾以诚心告君，如何反告主人，几遭箠挞？幸得夫人救免。然细观君才貌，必为大器，为何还不早图去计？若恋恋于此，终作人奴，亦有何望？”程万里见妻子又劝他逃走，心中愈疑道：“前日恁般嗔责，他岂不怕，又来说起？一定是张万户又教他来试我念头果然决否。”也不回言，径自收拾而卧。

到明早，程万里又来禀知张万户。张万户听了，暴躁如雷，连喊道：“这贱婢如此可恨，快拿来敲死了罢！”左右不敢怠缓，即向里边来唤。夫人见唤玉娘，料道又有甚事，不肯放将出来。张万户见夫人不肯放玉娘出来，转加焦躁，却又碍着夫人面皮，不好十分催逼，暗想道：“这贱婢已有外心，不如打发他去罢。倘然夫妻日久恩深，被这贱婢哄热，连这好人的心都要变了。”乃对程万里道：“这贱婢两次三番，诱你逃归，其心必有他念。料然不是为你。久后必被其害。待今晚出来，明早就教人引去卖了，别拣一个好的与你为妻。”程万里见说要卖他妻子，方才明白浑家果是一片真心，懊悔失言。便道：“老爹如今警戒两番，下次谅必不敢。总再说，小人也断然不听。若把他卖了，只怕人说小人薄情，做亲才六日，就把妻子来卖。”张万户道：“我做了主，谁敢说你！”道罢，径望里边而去。夫人见丈夫进来，怒气未息，恐还要责罚玉娘，连忙教闪过一边，起身相迎，并不问起这事。张万户却又怕夫人不舍得玉娘出去，也分毫不题。

且说程万里见张万户决意要卖，心中不忍割舍，坐在房中暗泣。直到晚间，玉娘出来，对丈夫哭道：“妾以君为夫，故诚心相告，不想君反疑妾有异念，数告主人。主人性气粗雄，必然怀恨。妾不知死所矣！然妾死不足惜，但君堂堂仪表，甘为下贱，不图归计为恨耳！”程万里听说，泪如雨下，道：“贤妻良言指迷，自恨一时错见，疑主人使汝试我，故此告知，不想反累贤妻！”玉娘道：“君若肯听妾言，虽死无恨。”

程万里见妻子恁般情真，又思明日就要分离，愈加痛泣，却又不好对他说知，含泪而寝，直哭到四更时分。玉娘见丈夫哭之不已，料必有甚事故，问道：“君如此悲恸，定是主人有害妾之意，何不明言？”程万里料瞒不过，方道：“自恨不才，有负贤妻。明日主人将欲鬻汝，势已不能挽回，故此伤痛！”玉娘闻言，悲泣不胜。两个搅做一团，哽哽咽咽，却又不敢放声。天未明，即便起身梳洗。玉娘将所穿绣鞋一只，与丈夫换了一只旧履，道：“后日倘有见期，以此为证。万一永别，妾抱此而死，有如同穴。”说罢，复相抱而泣，各将鞋子收藏。

到了天明，张万户坐在中堂，教人来唤。程万里忍住眼泪，一齐来见。张万户道：“你这贱婢！我自幼抚你成人，有甚不好，屡教丈夫背主！本该一剑斩你便是。且看夫人分上，姑饶一死。你且到好处受用去罢。”叫过两个家人分付道：“引他到牙婆人家去，不论身价，但要寻一下等人家，磨死这不受人抬举的贱婢便了。”玉娘要求见夫人拜别，张万户不许。

玉娘向张万户拜了两拜，起来对着丈夫道声保重，含着眼泪，同两个家人去了。程万里腹中如割，无可奈何，送出大门而回。正是：

世上万般哀苦事，无非死别与生离。

比及夫人知觉，玉娘已自出门去了。夫人晓得张万户情性，诚恐他害了玉娘性命。今日脱离虎口，到也繇他。

且说两个家人，引玉娘到牙婆家中，恰好市上有个经纪人家，要讨一婢，见玉娘生得端正，身价又轻，连忙兑出银子，交与张万户家人，将玉娘领回家去不题。

且说程万里自从妻子去后，转思转悔，每到晚间，走进房门，便觉惨伤，取出那两只鞋儿，在灯前把玩一回，呜呜的啼泣一回。哭勾多时，方才睡卧。次后访问得，就卖在市上人家，几遍要悄地去再见一面，又恐被人觑破，报与张万户，反坏了自己大事，因此又不敢去。那张万户见他不听妻子言语，信以为实，诸事委托，毫不提防。程万里假意殷勤，愈加小心。张万户好不喜欢，又要把妻子配与。程万里不愿，道：“且慢着，候随老爷到边上去有些功绩回来，寻个名门美眷，也与老爷争气。”

光阴迅速，不觉又过年馀。那时兀良哈歹在鄂州镇守，值五十诞辰，张万户昔日是他麾下裨将，收拾了许多金珠宝玉，思量要差一个能干的去贺寿，未得其人。程万里打听在肚里，思量趁此机会，脱身去罢，即来见张万户道：“闻得老爹要送兀良爷的寿礼，尚未差人。我想众人都有掌管，脱身不得。小人总是在家没有甚事，到情愿任这差使。”张万户道：“若得你去最好。只怕路上不惯，吃不得辛苦。”程万里道：“正为在家自在惯了，怕后日随老爹出征，受不得辛苦，故此先要经历些风霜劳碌，好跟老爹上阵。”张万户见他说得有理，并不疑虑，就依允了。写下问候书札，上寿礼帖，又取出一张路引，以防一路盘诘。诸事停当，择日起身。程万里打叠行李，把玉娘绣鞋，都藏好了。到临期，张万户把东西出来，交付明白，又差家人张进，作伴同行。又把十两银子与他盘缠。

程万里见又有一人同去，心中烦恼，欲要再禀，恐张万户疑惑，且待临时，又作区处。当了拜别张万户，把东西装上牲口，离了兴元，望鄂州而来。一路自有馆驿支付口粮，并无担阁。不则一日，到了鄂州，借个饭店寓下。

来日清早，二人赍了书札礼物，到帅府衙门挂号伺候。那兀良元帅是节镇重臣，故此各处差人来上寿的，不计其数，衙门前好不热闹。三通画角，兀良元帅开门升帐。许多将官僚属，参见已过，然后中军官引各处差人进见，呈上书札礼物。兀良元帅一一看了，把礼物查收，分付在外伺候回书。众人答应出来不题。

且说程万里送礼已过，思量要走，怎奈张进同行同卧，难好脱身，心中无计可施。也是他时运已到，天使其然。那张进因在路上鞍马劳倦，却又受了些风寒，在饭店上生起病来。程万里心中欢喜："正合我意！"欲要就走，却又思想道："大丈夫作事，须要来去明白。"原向帅府候了回书，到寓所看张进时，人事不省，毫无知觉。自己即便写下一封书信，一齐放入张进包裹中收好。先前这十两盘缠银子，张进便要分用，程万里要稳住张进的心，却总放在他包裹里面。等到鄂州一齐买人事送人。今日张进病倒，程万里取了这十两银子，连路引铺陈，打做一包，收拾完备，却叫过主人家来分付道："我二人乃兴元张万户老爹特差来与兀良爷上寿，还要到山东史丞相处公干。不想同伴的上路辛苦，身子有些不健，如今行动不得。若等他病好时，恐怕误了正事，只得且留在此调养几日。我先往那里公干回来，与他一齐起身。"即取出五钱银子递与道："这薄礼权表微忱，劳主人家用心看顾，得他病体痊安，我回时还有重谢。"主人家不知是计，收了银子道："早晚伏侍，不消牵挂。但长官须要作速就来便好。"程万里道："这个自然。"又讨些饭来吃饱，背上包裹，对主人家叫声暂别，大踏步而走。正是：

鳌鱼脱却金钩去，摆尾摇头再不来。

离了鄂州，望着建康而来。一路上有了路引，不怕盘诘，并无阻滞。此时淮东地方，已尽数属了胡元，万里感伤不已。一径到宋朝地面，取路直至临安。旧时在朝宰执，都另换了一班人物。访得现任枢密副使周翰，是父亲的门生，就馆于其家。正值度宗收录先朝旧臣子孙，全亏周翰提挈，程万里亦得补福建福清县尉。寻了个家人，取名程惠，择日上任。不在话下。

且说张进在饭店中，病了数日，方才精神清楚，眼前不见了程万里，问主人家道："程长官怎么不见？"主人家道："程长官十日前说还要往山东史丞相处公干，因长官有恙，他独自去了，转来同长官回去。"张进大惊道："何尝又有山东公干！被这贼趁我有病逃了。"主人家惊问道："长官一同来的，他怎又逃去？"张进把当初掳他情由细说，主人懊悔不迭。

张进恐怕连他衣服取去，即忙教主人家打开包裹看时，却留下一封书信，并兀良元帅回书一封，路引盘缠，尽皆取去，其馀衣服，一件不失。张进道："这贼狼子野心！老爹恁般待他，他却一心恋着南边。怪道连妻子也不要！"又将息了数日，方才行走得动，便去禀知兀良元帅，另自打发盘缠路引，一面行文挨获程万里。那张进到店中算还了饭钱，作别起身。星夜赶回家，参见张万户，把兀良元帅回书呈上看过，又将程万里逃归之事禀知。张万户将他遗书拆开看时，上写道：

门下贱役程万里，奉书恩主老爷台下：万里向蒙不杀之恩，收为厮养，委以腹心，人非草木，岂不知感。但闻越鸟南栖，狐死首丘，万里亲戚坟墓，俱在南朝，早暮思想，食不甘味。意欲禀知恩相，乞假归省，诚恐不许，以此斗胆辄行。在恩相幕从如云，岂少一走卒？放某还乡如放一鸽耳。大恩未报，刻刻于怀。衔环结草，生死不负。

张万户看罢，顿足道："我被这贼用计瞒过，吃他逃了！有日拿住，教他碎尸万段。"后来张万户贪婪太过，被人参劾，全家抄没，夫妻双双气死。此是后话不题。

且说程万里自从到任以来，日夜想念玉娘恩义，不肯再娶。但南北分争，无由访觅。时光迅速，岁月如流，不觉又是二十馀年。程万里因为官清正廉能，已做到闽中安抚使之职。那时宋朝气数已尽，被元世祖直捣江南，如入无人之境。逼得宋末帝奔入广东崖山海岛中驻跸。止有八闽全省，未经兵火。然亦弹丸之地，料难抵敌。行省官不忍百姓罹于涂炭，商议将图籍版舆，上表亦归元主。元主将合省官俱加三级。程万里升为陕西行省参知政事。到任之后，思想兴元乃是所属地方，即遣家人程惠，将了向日所赠绣鞋，并自己这只鞋儿，前来访问妻子消息，不题。

且说娶玉娘那人，是市上开酒店的顾大郎，家中颇有几贯钱钞。夫妻两口，年纪将近四十，并无男女。浑家和氏，每劝丈夫讨个丫头伏侍，生育男女。顾大郎初时恐怕淘气，心中不肯。到是浑家叮嘱牙婆寻觅，闻得张万户家发出个女子，一力撺掇讨回家去。浑家见玉娘人物美丽，性格温存，心下欢喜，就房中侧边打个铺儿，到晚间又准备些夜饭，摆在房中。玉娘暗解其意，佯为不知。坐在厨下，和氏自家走来道："夜饭已在房里了，你怎么反坐在此?"玉娘道："大娘自请，婢子有在这里。"和氏道："我们是小户人家，不像大人家有许多规矩。止要勤俭做人家，平日只是姊妹相称便了。"玉娘道："婢子乃下贱之人，倘有不到处，得免嗔责足矣，岂敢与大娘同列！"和氏道："不要疑虑！我不是那等嫉妒之辈，就是娶你，也到是我的意思。只为官人中年无子，故此劝他娶个偏房。若生得一男半女，即如与我一般。你不要害羞，可来同坐吃杯合欢酒。"玉娘道："婢子蒙大娘抬举，非不感激。但生来命薄，为夫所弃，誓不再适。倘必欲见辱，有死而已！"和氏见说，心中不悦道："你既自愿为婢，只怕吃不得这样苦哩。"玉娘道："但凭大娘所命。若不如意，任凭责罚。"和氏道："既如此，可到房中伏侍。"玉娘随至房中。

他夫妻对坐而饮，玉娘在旁筛酒，和氏故意难为他。直饮至夜半，顾大郎吃得大醉，衣也不脱，向床上睡了。玉娘收拾过家火，向厨中吃些夜饭，自来铺上和衣而睡。明早起来，和氏限他一日纺绩。玉娘头也不抬，不到晚都做完了，交与和氏。和氏暗暗称奇，又限他夜中趱赶多少。玉娘也不推辞，直纺到晓。一连数日如此，毫无厌倦之意。

顾大郎见他不肯向前，日夜纺绩，只道浑家妒忌，心中不乐，又不好说得，几番背他浑家与玉娘调戏。玉娘严声厉色。顾大郎惧怕浑家知得笑话，不敢则声。过了数日，忍耐不过，一日对浑家道："既承你的美意，娶这婢子与我，如何教他日夜纺绩，却不容他近我?"和氏道："非我之过。只因他第一夜，如此作乔，恁般推阻，为此我故意要难他转来。你如何反为好成歉?"顾大郎不信道："你今夜不要他纺绩，教他早睡，看是怎么?"和氏道："这有何难！"到晚间，玉娘交过所限生活。和氏道："你一连做了这几时，今晚且将息一晚，明日做罢。"玉娘也十数夜未睡，觉道甚劳倦，甚合其意，吃过夜饭，收拾已完，到房中各自睡下。

玉娘是久困的人，放倒头便睡着了。顾大郎悄悄的到他铺上，轻轻揭开被，捱进身子，把他身上一摸，却原来和衣而卧。顾大郎即便与他解脱衣裳。那衣带都是死结，如何扯拽得开。顾大郎性急，把他乱扯。才扯断得一条带子，玉娘在睡梦中惊醒，连忙跳起，被顾大郎双手抱住，那里肯放。玉娘乱喊杀人。顾大郎道："既在我家，喊也没用，不怕你不从我！"和氏在床，假做睡着，声也不则。玉娘挣脱不得，心生一计，道："官人，你若今夜辱了婢子，明日即寻一条死路。张万户夫人平昔极爱我的，晓得我死了，料然决不与你干休。只怕那时破家荡产，连性命亦不能保，悔之晚矣。"顾大郎见说，果然害怕，只得放手，原走到自己床上睡了。玉娘眼也不合，直坐到晓。和氏见他立志如此，料不能强，反认为义女。玉娘方才放心，夜间只是和衣而卧，日夜辛勤纺织。

约有一年，玉娘估计积成布匹，比身价已有二倍，将来交与顾大郎夫妇，求为尼姑。和氏见他诚恳，更不强留，把他这些布匹，尽施与为出家之费，又备了些素礼，夫妇两人，同送到城南昙花庵出家。玉娘本性聪明，不勾三月，把那些经典讽诵得烂熟。只是心中记挂着丈夫，不知可能勾脱身走逃。将那两只鞋子，做个囊儿盛了，藏于贴肉。老尼出庵去了，就取出观玩，对着流泪。次后央老尼打听，知得乘机走了，心中欢喜，早晚诵经祈保。又感顾大郎夫妇恩德，也在佛前保佑。后来闻知张万户全家抄没，夫妇俱丧。玉娘想念夫人幼年养育之恩，大哭一场，礼忏追荐，诗云：

数载难忘养育恩，看经礼忏荐夫人。

为人若肯存忠厚，虽不关亲也是亲。

且说程惠奉了主人之命，星夜赶至兴元城中，寻个客店寓下。明日往市中，访到顾大郎家里。那时顾大郎夫妇，年近七旬，须鬓俱白，店也收了，在家持斋念佛，人都称他为顾道人。程惠走至门前，见老人家正在那里扫地。程惠上前作揖道："太公，借问一句说话。"顾老还了礼，见不是本处乡音，便道："客官可是要问路径么?"程惠道："不是。要问昔年张万户家出来的程娘子，可在你家了?"顾老道："客官，你是那里来的？问他怎么?"程惠道："我是他的亲戚，幼年离乱时失散，如今特来寻访。"顾老道："不要说起！当初我因无子，要娶他做个通房。不想自到家来，从不曾解衣而睡。我几番捉弄他，他执意不从。见他立性贞烈，不敢相犯，到认做义女，与老荆就如嫡亲母子。且是勤俭纺织，有时直做到天明。不上一年，将做成布匹，抵偿身价，要去出家。我老夫妻不好强留，就将这些布匹，送与他出家费用。又备些素礼，送他到南城昙花庵为尼。如今二十馀年了，足迹不曾出那庵门。我老夫妇到时常走去看看他，也当做亲人一般。又闻得老尼说，至今未尝解衣寝卧，不知他为甚缘故。这几时因老病不曾去看得。客官，既是你令亲，径到那里去会便了，路也不甚远。见时，倒与老夫代言一声。"

程惠得了实信，别了顾老，问昙花庵一路而来。不多时就到了，看那庵也不甚大。程惠走进了庵门，转过左边，便是三间佛堂。见堂中坐着个尼姑诵经，年纪虽是中年，人物到还十分整齐。程惠想道："是了。"且不进去相问，就在门槛上坐着，袖中取出这两只鞋来细玩，自言自语道："这两只好鞋，可惜不全!"那诵经的尼姑，却正是玉娘。他一心对在经上，忽闻得有人说话，方才抬起头来。见一人坐在门槛上，手中玩弄两只鞋子，看来与自己所藏无二，那人却又不是丈夫，心中惊异，连忙收掩经卷，立起身向前问讯。程惠把鞋放在槛上，急忙还礼。尼姑问道："檀越，借鞋履一观。"程惠拾起递与，尼姑看了，道："檀越，这鞋是那里来的?"程惠道："是主人差来寻访一位娘子。"尼姑道："你主人姓甚？何处人氏?"程惠道："主人姓程名万里，本贯彭城人氏，今现任陕西参政。"尼姑听说，即向身边囊中取出两只鞋来，恰好正是两对。尼姑眼中流泪不止。

程惠见了，倒身下拜道："相公特差小人来寻访主母。适才问了顾太公，指引到此，幸而得见。"尼姑道："你相公如何得做这等大官?"程惠把历官闽中，并归元升任至此，说了一遍。又道："相公分付，如寻见主母，即迎到任所相会。望主母收拾行装，小人好去雇倩车辆。"尼姑道："吾今生已不望鞋履复合。今幸得全，吾愿毕矣，岂别有他想。你将此鞋归见相公、夫人，为吾致意，须做好官，勿负朝廷，勿虐民下。我出家二十馀年，无心尘世久矣。此后不必挂念。"程惠道："相公因念夫人之义，誓不再娶。夫人不必固辞。”尼姑不听，望里边自去。程惠央老尼再三苦告，终不肯出。

程惠不敢苦逼，将了两双鞋履，回至客店，取了行李，连夜回到陕西衙门，见过主人，将鞋履呈上，细述顾老言语，并玉娘认鞋，不肯同来之事。程参政听了，甚是伤感，把鞋履收了，即移文本省。那省官与程参政昔年同在闽中为官，有僚友之谊，见了来文，甚以为奇，即行檄仰兴元府官吏，具礼迎请。兴元府官，不敢怠慢，准备衣服礼物，香车细辇，笙肃鼓乐，又取两个丫鬟伏侍，同了僚属，亲到昙花庵来礼请。那时满城人家尽皆晓得，当做一件新闻，扶老挈幼，争来观看。

且说太守同僚属到了庵前下马，约退从人，径进庵中。老尼出来迎接。太守与老尼说知来意，要请程夫人上车。老尼进去报知。玉娘见太守与众官来请，料难推托，只得出来相见。太守道：“本省上司奉陕西程参政之命，特着下官等具礼迎请夫人上车，往陕西相会。左舆已备，望夫人易换袍服，即便登舆。”教丫鬟将礼物服饰呈上。玉娘不敢固辞，教老尼收了，谢过众官，即将一半礼物送与老尼为终老之资，馀一半嘱托地方官员将张万户夫妻以礼改葬，报其养育之恩。又起七昼夜道场，追荐白氏一门老小。好事已毕，丫鬟将袍服呈上。玉娘更衣，到佛前拜了四拜，又与老尼作别，出庵上车。府县官俱随于后。玉娘又分付：还要到市中去拜别顾老夫妻。路上鼓乐喧阗，直到顾家门首下车。顾老夫妇出来，相迎庆喜。玉娘到里边拜别，又将礼物赠与顾老夫妇，谢他昔年之恩。老夫妻流泪收下，送至门前，不忍分别。玉娘亦觉惨然，含泪登车。各官直送至十里长亭而别。太守又委僚属李克复，率领步兵三百，防护车舆。一路经过地方，官员知得，都来迎送馈礼。直至陕西省城，那些文武僚属，准备金鼓旗幡，离城十里迎接。程参政也亲自出城远迎。

一路金鼓喧天，笙箫振地，百姓们都满街结彩，香花灯烛相迎，直至衙门后堂私衙门口下车。程参政分付僚属明日相见，把门掩上，回至私衙。夫妻相见，拜了四双八拜，起来相抱而哭。各把别后之事，细说一遍。说罢，又哭。然后奴仆都来叩见，安排庆喜筵席，直饮至二更，方才就寝。可怜成亲止得六日，分离到有二十馀年。此夜再合，犹如一梦。次日，程参政升堂，僚属俱来送礼庆贺。程参政设席款待，大吹大擂，一连开宴三日。各处属下晓得，都遣人称贺，自不必说。

且说白夫人治家有方，上下钦服。因自己年长，料难生育，广置姬妾。程参政连得二子，自己直加衔平章，封唐国公，白氏封一品夫人，二子亦为显官。后人有诗为证：

六日夫妻廿载别，刚肠一样坚如铁。
分鞋今日再成双，留与千秋作话说。

第二十卷 张廷秀逃生救父

万事由天莫强求，何须苦苦用机谋。
饱三餐饭常知足，得一帆风便可收。
生事事生何日了？害人人害几时休？
冤家宜解不宜结，各自回头看后头。

话说国朝自洪武爷开基，传至万历爷，乃第十三代天子。那爷爷圣武神文，英明仁孝，真个朝无幸位，野没遗贤。内中单表江西南昌府进贤县，有一人姓张名权，祖上原是富家，报充了个粮长。那知就这粮长役内坏了人家，把房产陆续弄完。传到张权父亲，已是寸土不存，这役子还不能脱。间壁是个徽州小木匠店。张权幼年间终日在那店门首闲看，拿匠人的斧凿学做，这也是一时戏耍。不想父母因家道贫乏，见儿子没甚生理，就送他学成这行生意。后来父母亡过，那徽州木匠也年老归乡，张权便顶着这店。因做人诚实，尽有主顾，苦挣了几年，遂娶了个浑家陈氏。夫妻二人将就过活。怎奈里役还不时缠扰。张权与浑家商议，离了故土，搬至苏州阊门外皇华亭侧边开个店儿，自起了个别号，去那白粉墙上写两行大字，道："江西张仰亭精造坚固小木家火，不误主顾。"

张权自到苏州，生意顺溜，颇颇得过。却又踏肩生下两个儿子。常言道的好：只愁不养，不愁不长。不觉已到七八岁上。送在邻家一个义学中读书。大的取名廷秀，小的唤做文秀。这学中共有十来个孩子，止他两个教着便会。不上几年，把经书读的希烂。看看廷秀长成一十三岁，文秀一十二岁，都生得眉目疏秀，人物轩昂。那时先生教他学做文字，却就知布局练格，琢句修词。这张权虽是手艺之人，因见二子勤苦读书，也有个向上之念。谁想这年一秋无雨，做了个旱荒，寸草不留。大户人家有米的，却又关仓遏粜。只苦得那些小百姓，若老若幼，饿死无数。官府看不过，开发义仓，赈济百姓。关支的十无三四，白白里与吏胥做了人家。又发米于各处寺院煮粥救济贫民，却又把米侵匿，一碗粥中不上几颗米粒。还有把糠秕木屑搅和在内，凡吃的俱各呕吐，往往反速其死。上人只道百姓咸受其惠，那里晓得恁般弊窦，有名无实。正是：

随你官清似水，难逃吏滑如油。

且说张权因逢着荒年，只得把儿子歇了学，也教他学做木匠。二子天性聪明，那消几日，就学会了，且又做得精细，比积年老匠更胜几分。喜得张权满面添花。只是木匠便会了，做下家火摆在门首，绝无人买。不勾几时，将平日积下些小本钱，看看摸尽，连衣服都解当来吃在肚里。张权心下着忙，与浑家陈氏商议，要寻个所在趁工几时，度过荒年，再作区处。出去走了几日，无个安身之地，只得依先在门首磨打家火，眼巴巴望个主顾来买。

一日，正当午后，只见一人年纪五十以上，穿着一身细绢衣服，后边小厮跟随，在街上踱将过去。忽抬头看见张权门首摆列许多家火，做得精致，就停住脚观看。张权瞧见，便放下手中生活，上前招架道："员外要甚家火？里面请看。"那人走上阶头，问道："这些家火都是你自己做的么？"张权道："尽是小子亲手所造。木料又干又厚，工夫精细，比别家不同。若是作成小子，情愿奉让加一。"那人道："我买到不要买，问你可肯到人家做些家火么？"张权道："这也使得。不知尊府住在何处？要做甚家火？"那人道："我家住在专诸巷内天库前，有名开玉器铺的王家。要做一副嫁妆，木料尽多，只要做得坚固、精巧。完了嫁妆，还要做些桌椅书橱等类。你若肯做时，再拣两个好副手同来。"张权正要寻恁般所在，这却不是天赐其便？乃答道："多承员外下顾，不知还在几时动手？"那人道："你若有工夫，就是明日做起。"张权道："既如此，明日小子早到宅上伺候便了。"说罢，那人作别而去。

你道那人是何等样人物？原来姓王名宪，积祖豪富，家中有几十万家私。传到他手里，却又开起一个玉器铺儿，愈加饶裕。人见他有钱，都称做王员外。那王员外虽然是个富家，做人倒也谦虚忠厚，乐善好施。只是一件，年过五旬，却没有子嗣。浑家徐氏，单生两个女儿：长的唤做瑞姐，二年前已招赘了个女婿赵昂在家；次女玉姐，年方一十四岁，未有姻事，生得人物聪明，姿容端正，王员外夫妇钟爱犹胜过长女。那赵昂原是个旧家子弟，王员外与其父是通家好友。因他父母双亡，王员外念是故人之子，就赘入为婿，又与他纳粟入监，指望读书成器。谁知赵昂一纳了监生，就扩而充之起来，把书本撇开，穿着一套阔服，终日在街坊摇摆，为人且又奸狡险恶。见王员外没有儿子，以为自己是个赘婿，这家私恰像板榜上刊定是他承受，家业再没统移的了。遇着个老婆却又是个不贤慧的班头，一心只向着老公。见父母喜欢妹子，恐怕也赘个女婿，分了家私，好生妒忌。有《赘婿诗》说得好：

人家赘婿一何痴，异种如何接本支？
两口未曾沾孝顺，一心只想霸家私。
愁深只为防甥舅，念狠兼之妒小姨。
半子虚名空受气，不如安命没孩儿。

话分两头。且说张权正愁没饭吃，今日揽了这大桩生意，心中好不欢喜！到次日起来，弄了些柴米在家，分付浑家照管门户，同了两个儿子，带了斧凿锯子，进了阊门，来到天库前。见个大玉器铺子。张权约莫是王家了，立住脚正要问人时，只见王员外从里边走将出来。张权即忙上前相见。王员外问道："有几个副手在此？"张权道："止有两个。"便教儿子过来见了员外。弟兄两人将家火递与父亲，向前深深作揖。王员外还了个半礼，见是两个小厮，便道："我因要做好生活，故此寻你，怎么教这小厮家来做？"张权正要开言，廷秀上前道："员外，自古道：后生可畏。年纪虽小，手段不小。且试做来看，莫要就轻忽了人。"王员外看见二子人物清秀，且又能言快语，乃问道："这两个小厮是你甚人？"张权道："是小子的儿子。"王员外道："你到生得这两个好儿子！"张权道："不敢，只是没饭吃。"王员外道："有了恁样儿子，愁甚没饭吃？随我到里边来。"

当下父子三人一齐跟进大厅。王员外唤家人王进开了一间房子，搬出木料，交与张权，分付了样式。父子三人量画定了，动起斧锯，手忙脚乱，直做到晚。吃了夜饭，又讨些灯火，做起夜作，半夜方睡。一连做了五日，成了几件家火，请王员外来看。王员外逐件仔细一观，连声喝采道："果然做得精巧！"他把家火看了一回，又看张权儿子一回。见他弟兄两个，只顾做生活，头也不抬，不觉触动无子之念，嘿然伤感。走入里边，坐在房中一个壁角里，两个眉头蹙做一堆，骨嘟了嘴，口也不开。浑家徐氏看见恁般模样，连问几声，也不答应。急走到外边来，问员外适才与谁惹气。都说才看了新做的家火进来，并不曾与甚人惹气。

徐氏问明白了，又走到房里。见丈夫依旧如此闷坐，乃上前道："员外，家中吃的尽有，穿的尽有，虽没有万贯家私，也算做是个财主。况今年纪五十之外，便日日快活，到八十岁也不上三十年了。着甚要紧，恁般烦恼！"王员外道："妈妈，正为后头日子短了，因此烦恼。你想我辛勤了半世，挣得这些少家私，却不曾生得个儿子，传授与他，接绍香烟。就是有两个女儿，纵养他一百来岁，终是别人家媳妇，与我毫没相干。譬如瑞姐，自与他做亲之后，一心只对着丈夫，把你我便撇在脑后，何尝牵挂父母，着些疼热！反不如张木匠是个手艺之人，看他年纪还小我十来年，到生得两个好儿子，一个个眉清目秀，齿白唇红，且又聪明勤谨，父子恩恩爱爱，不教而善。适才完下几件家火，十分精巧，便是积年老手段，也做他不过。只可惜落在他家，做了木匠。若我得了这样一个儿子，就请个先生教他读书，怕不是联科及第，光耀祖宗。"

徐氏见丈夫烦恼，便解慰道："员外，这也不难！常言道：着意栽花花不活，无心插柳柳成荫。既张木匠儿子恁般聪明俊秀，何不与他说，承继一个，岂不是无子而有子？”王员外闻言，心中欢喜，道：“妈妈所见极是！但不知他可肯哩？”当夜无话。

到次日饭后，王员外走到厅上。张权上前说道：“员外，小子今晚要回去看看家里，相求员外借些工钱，买办柴米，安顿了敝房，明日早来。”员外道：“这个易处！我有句话儿问你。”张权道：“不知员外有甚分付？”王员外道：“两位令郎今年几岁？叫甚名字？”张权道：“大的名廷秀，年十四岁了；小的名文秀，年十二岁了。”王员外道：“可识字么？”张权道：“也曾读过几年书。只为读不起，就住了，字到也识的。”王员外道：“我欲要承继大令郎为子，做个亲家往来，你可肯么？”张权道：“员外休得取笑！小子乃手艺之人，怎敢仰攀宅上？就是小儿也没有恁样福分。”王员外道：“何出此言！贫富那个是骨里带来的？你若肯时，就择个吉日过门。我便请个先生教他。这些小家私好歹都是他的了。”张权见王员外认真要过继他儿子，满面堆起笑来，道：“既承员外提拔小儿，小子怎敢固辞。今晚且同回去，与敝房说知，待员外择日过门罢。”王员外道：“说得是。”进来回覆了徐氏，取出一两银子工钱，付与张权。到晚上领着二子，作别回家。陈氏接着，张权把王员外要过继儿子一事，与浑家说知。夫妻欢天喜地。就是廷秀见说要请先生教他读书，也甚欲得。

话休絮烦。王员外拣了吉日，做下一身新衣，送来穿着。张权将廷秀打扮起来，真个人是衣妆，佛是金妆，廷秀穿了一身华丽衣服，比前愈加丰采，全不像贫家之子。当下廷秀拜别母亲，作辞兄弟。陈氏又将好言训诲，教他孝顺亲热，谦恭下气。廷秀唯唯。虽然不是长别，母子未免流泪。张权亲自送到王家。只见厅上大排着筵席，亲朋满座。见说到了，尽来迎接。到厅与众亲戚作揖过了，先引去拜过家庙，然后请王员外夫妇到厅上坐下，廷秀上前四双八拜，又与赵昂夫妇对拜，又到里边与玉姐相见。其馀内外男女亲戚，一一拜见已毕，入席饮酒。就改名王廷秀。与玉姐两下同年，因小两个月，排行三官。廷秀在席上谦恭揖让，礼数甚周，亲友无不称赞，内中只有赵昂夫妇心中不悦。当日大吹大擂，鼓乐喧天，直至更馀而散。次日，张权同着次子来谢过了王员外，依先到大厅上去做生活。王员外数日内便聘了个先生到家，又对张权说道：“二令郎这样青年美质，岂可将他埋没，何不教他同廷秀一齐读书，就在这里吃现成茶饭？”张权道：“只是又来相扰，小子心上不安。”王员外道：“如今已是一家，何出此言！”自此文秀也在王家读书。张权另叫副手相帮，不题。且说文秀弟兄弃书原不多时，都还记得。那先生见二子聪明，尽心指教。一年之间，三场俱通。此时王员外家火已是做完，张权趁了若干工银。王员外分外又资助些银两，依旧在家开店过日。虽然将上不足，也是比下有馀。

且说王员外次女玉姐，年已一十五岁，未有亲事，做媒的络绎不绝。王员外因是爱女，要拣个有才貌的女婿，不知说过多少人家，再没有中意的。看见廷秀勤谨读书，到有心就要把他为婿。还恐不能成就，私下询问先生。先生极口称赞二子文章，必然是个大器。王员外见先生赞得太过，只道是面谀之词，反放心不下。即讨几篇文字，送与相识老学观看，所言与先生相合。心下喜欢，来对浑家商议。徐氏也爱廷秀人材出众，又肯读书，一力撺掇。王员外主意已定，央族弟王三叔往张家为媒。王三叔得了言语，一径来到张家，把王员外要赘廷秀为婿的话，说与张权。张权推托门户不当，不肯应承。王三叔道："此是家兄因爱令郎才貌，异日定有些好处，故此情愿。又非你去求他，何必推辞。"张权方才依允。王三叔回覆了王员外，便去择选吉日行聘。不题。

单表赵昂夫妻初时见王员外承继张廷秀为子，又请先生教他读书，心中已是不乐，只不好来阻当。今日见说要将玉姐赘他为婿，愈加妒忌。夫妻两个商议了说话，要来拦阻这事。当下赵昂先走入来见王员外道："有句话儿，本不该小婿多口。只是既在此间，事同一体，不得不说，又恐说时，反要招怪。不敢启齿。"王员外道："我有甚差误处，得你点拨，乃是正理，怎么怪你！"赵昂道："便是小姨的亲事。向来有多少名门巨族求亲，岳父都不应承。如何却要配与三官？我想他是个小户出身，岳父承继在家，不过是个养子，原不算十分正经，无人议论。今若赘做女婿，岂不被人笑话！"王员外笑道："贤婿，这事不劳你过忧，我自有主见在此。常言道：'会嫁嫁对头，不会嫁嫁门楼。'我为这亲事，不知拣过多少子弟，并没有一个入眼。他虽是小家出身，生得相貌堂堂，人材出众，况且又肯读书，做的文字人人都称赞，说他定有科甲之分。放着恁般目知眼见的到不嫁，难道到在那些酒包饭袋里去搜觅？若拣个好的，也还有指望。倘一时没眼色，配着个不僧不俗、如醉如痴的蠢材，岂不反误了终身！如今纵有人笑话，不过是一时。倘后来有些好处，方见我有先见之明。"赵昂听说，呵呵的笑道："若论他相貌，也还有几分可听。若说他会做文字，人人称赞，这便差了。且不要论别处，只这苏州城里有无数高才绝学，朝吟暮读，受尽了灯窗之苦，尚不能勾飞黄腾达。他才开荒田，读得年把书，就要想中举人进士，岳父，你且想！每科普天下只中得三百个进士，就如筛眼里隔出来一般，如何把来看的恁般容易？这些称赞文字的，皆欺你不晓得其中道理，见你这样认真，难好败兴，把凑趣的话儿哄你。如何便信以为实？"

王员外正要开言，傍边转过瑞姐道："爹爹，凭着我们这样人家，妹子恁般容貌，怕没有门当户对人家来对亲，却与这木匠的儿子为妻？岂不玷辱门风，被人耻笑！据我看起来，这斧头锯子，便是他的本等，晓得文字怎么样做。我的妹子做了匠人的妻子，有甚好处！后来怎好与他往来？”王员外见说，心中大怒，道：“他既做了我的子婿，传授这些家业。纵然读书不成，就坐吃到老，也还有馀。那见得原做木匠，与你难好相往？我看起来，他目下虽穷，后来只怕你还赶他脚跟不着哩。那个要你管这样闲帐，可不扯淡么！”一头说，径望里边而走。羞得赵昂夫妻满面通红，连声道：“干我甚事！只为体面上不好看，故此好言相劝，何消如此发怒！只怕后来懊悔，想我们今日的说话便迟了！”

王员外也不理他，直至房中，怒气不息。徐氏看见，便问道：“甚事气的恁般模样？”王员外将适来之事备细说知。徐氏也好生不悦。王员外因赵昂奚落廷秀，心中不忿，务要与他争气，到把行聘的事搁起，收拾五百两银子，将拜匣盛了，教一个心腹的家人拿着，自己悄悄送与张权，教他置买一所房子，弃了木匠行业，另开别店，然后择日行聘。张权夫妻见王员外恁般慷慨，千恩万谢，感激不尽。自古道：“无巧不成话。”张权正要寻觅大房，不想左间壁一个大布店，情愿连房带店出脱与人，却不是一事两便？张权贪他现成，忍贵顶了这店，开张起来。又讨下一房家人，一个养娘。家中置办得十分次第。然后王员外选日行聘，大开筵席，广请亲朋。虽则廷秀行聘，却又不放回家。止有赵昂自觉没趣，躲了出去。瑞姐也坐在房里，不肯出来。因是赘婿，到是王员外送聘，张权回礼。诸色丰盛，邻里无不喝采。自此之后，张权店中日盛一日，挨挤不开，又聘了个伙计相帮。大凡人最是势利，见张权恁般热闹，把张木匠三字撇过一边，尽称为张仰亭。正是：

运退黄金失色，时来铁也增光。

话分两头。且说赵昂自那日被王员外抢白了，把怒气都迁到张家父子身上。又见张权买房开店，料道是丈人暗地与他的银子，越加忿怒，成了个不解之仇。思量要谋害他父子性命，独并王员外家私，只是没有下手之处，与老婆商议。那老婆道：“不难！我有个妙策在此，教他有口难分，死于狱底。”

赵昂满心欢喜，请问其策。那婆娘道：“谁不晓得张权是个穷木匠。今骤然买了房子，开张大店，只有你我便知道是老不死将银子买的。那些邻里如何知得，心下定然疑惑。如今老厌物要亲解白粮到京。乘他起身去后，拼几十两银子买嘱捕人，教强盗扳他同伙打劫，窝顿赃物在家。就拘邻里审时，料必实说：当初其实穷的，不知如何骤富，合了强盗的言语。这个死罪那里逃得过去！房产家私，必然入官变卖。那时老厌物已不在家，他又是异乡之人，又无亲族，谁人去照管。这条性命，决无活理！等张木匠死了，慢慢用软计在老厌物面前冷丢，捉张廷秀出门。再寻个计策，做成圈套，装在玉姐名下，只说与人有奸。老厌物是直性的人，听得了恁样话，自然逼他上路。

去了这个祸根，还有甚人来分得我家的东西！”赵昂见说，连连称妙，只等王员外起身解粮，便来动手。

且说王员外因田产广多，点了个白粮解户。欲要包与人去，恐不了事，只得亲往。随便带些玉器，到京发卖，一举两得。遂将家中事体料理停当，即日起身。分付廷秀用心读书，又教浑家好生看待。大凡人结交富家，自然有许多的礼数。像王员外这般远行，少不得亲戚都要饯送，有好几日酒席。那张权一来是大恩人，二来又是新亲家，一发理之当然，自不必说。到临行这日，张权父子三人直送至船上而别。

却说赵昂眼巴巴等丈人去后，要寻捕人陷害张权，却又没有个熟脚商议，问兀谁好？忽地思量起来：“幼时有个同窗杨洪，闻得现今当充捕人。何不去投他。但不知住在那里。”暗想道：“且走到府前去访问，料必有人晓得。”即与老婆要了五十两银子，打做一包，又取了些散碎银两，忙忙的走到府门口，只见做公，的东一堆，西一簇，好生热闹。赵昂有事在身，无心观看，向一个年老公差，举一举手道：“上下可晓得巡捕杨洪住在何处？”那公差答道：“便是杨黑心么？他住在乌鹊桥巷内，刚方走进总捕厅里去了。”赵昂谢声“承教了。”飞向总捕厅衙前来看。只见杨洪从里边走出。赵昂上前迎住拱手道：“有一件事，特来相求。屈兄一步。”杨洪道：“有甚见谕，就此说也不妨。”赵昂道：“这里不是说话之处。”两下厮挽着出了府门，到一个酒店中，拣副僻静座头坐下，叙了些疏阔寒温。酒保将酒果嗄饭摆来，两人吃了一回，赵昂开言低低道：“此来相烦，不为别事。因有个仇家，欲要在兄身上，分付个强盗扳他，了其性命，出这口恶气。”便摸出银子来，放在桌上，把包摊开道：“白银五十两，先送与兄。事就之日，再送五十两，凑成一百。千万不要推托。”

自古道：“公人见钱，犹如苍蝇见血。”那杨洪见了雪白的一大包银子，怎不动火！连叫：“且收过了说话，恐被人看见，不当稳便。”赵昂依旧包好，放在半边。杨洪道：“且说那仇家是何等样人？姓甚名谁？有甚家事？拿了时，可有亲丁出来打官司告状的么？”赵昂道：“他名叫张权，江西小木匠出身，住在阊门皇华亭侧。旧时原是个穷汉，近日得了一注不明不白的钱财，买起一所大房，开张布店。止有两个儿子，都还是黄毛小厮。此外更无别人，不消虑得。”杨洪道：“这样不打紧！前日刚拿五个强盗，是打劫庞县丞的。因总捕侯爷公出，尚未到官。待我分付了，叫他当堂招出，包你稳稳问他个死罪。那时就狱中结果他性命，如反掌之易了。”赵昂深深作揖道：“全仗老兄着力！正数之外，另自有报。”杨洪道：“我与尊相从小相知，怎说恁样客话！”把银子袖过。两下又吃了一大回酒，起身会钞。临出店门，赵昂又千叮万嘱。杨洪道：“不须多话，包你妥当！”拱拱手，原向府内去了。

赵昂回到家里，把上项事说与老婆知道，两人暗自欢喜。

且说杨洪得了银子，也不通伙计得知，到衙前完了些公事，回到家中，将银交与老婆藏好，便去买些鱼肉安排起来。又打一大壶酒，烫得滚热，又煮一大锅饭。收拾停当，把中门闭上，走到后边，将匙钥开了阱房。那五个强盗见他进门，只道又来拷打，都慌张了，口中只是哀告。杨洪笑道："我岂是要打你！只为我们这些伙计，见我不动手，只道有甚私弊，故此不得不依他们转动。两日见你众人吃这些痛苦，心中好生不忍。今日趁伙计都不在此，特买些酒肉与你们将息一日，好去见官。"那些强盗见说不去打他，反有酒肉来吃，喜出望外，一个个千恩万谢。须臾搬进，摆做一台。却是每人一碗肉，一碗鱼，一大碗酒，两大碗饭。杨洪先将一名开了铁链，放他饮啖。那强盗连日没有酒肉到口，又受了许多痛苦，一见了，犹如饿虎见羊，不勾大嚼，顷刻吃个干净。吃完了，依旧锁好。又放一个起来。那未吃的口中好不流涎。不一时轮流都吃遍了。

杨洪收过家火，又走进来问道："你们曾偷过阊门外开布店张木匠张权的东西么?"都道："没有。"杨洪道："既没有，为何晓得你们事露，连日叫人来叮嘱，要快些了你们性命？你们各自去想一想，或者有些什么冤仇?"众强盗真个各去胡思乱想。内中一个道："是了，是了！三月前我曾在阊门外一个布店买布，为争等子头上起，被我痛骂了一场。想是他怀恨在心，故此要来伤我们性命。"杨洪便趁势道："这等，不消说起是了，但不过是件小事，怎么就要害许多人的性命？那人心肠却也太狠!"众强盗见说，一个个咬牙切齿。杨洪道："你们要报仇，有甚难处！明日解审时，当堂招他是个同伙，一向打劫的赃物，都窝在他家。况他又是骤发，咬实了，必然难脱，却教他陪你吃苦。况他家中有钱，也落得他使用。"又说道："切不要就招，待拷问到后边，众口一词招出，方像真的。"众人俱各欢喜，道："还是杨阿叔有见识。"杨洪又说了他出身细底，又分付莫与伙计们得知。"他们通得了钱，都是一路。"众强盗牢记在心。杨洪见事已谐，心中欢喜，依旧将门锁好，又来到府前打听，侯同知晚上回府，便会同了众捕快，次日解官。有诗为证：

> 只因强盗设捕人，谁知捕人赛强盗！
> 买放真盗扳平民，官法纵免幽亦报。

次早，众捕快都至杨洪家里，写了一张解呈，拿了赃物，带着这班强盗来到总捕厅前伺候。不多时，侯爷升堂。杨洪同众捕快将强盗解进，跪在厅前，把解呈递上，禀道："前日在平望地方，擒获强盗一起五名，正是打劫庞县丞的真赃真盗，解在台下。"侯爷将解呈看了，五个强盗，都有姓名：计文，吉适，袁良，段文，陶三虎。点过了名，又将赃物逐一点明，不多什么东西，便问捕快道："闻得庞县丞十分贪污，囊橐甚多，俱被劫去，如何只有这几件粗重东西？其馀的都在那里？"众捕快禀道："小的们所获，只有这几件，此外并没有了。或者他们还窝在那处。老爷审问便知。"侯爷唤上强盗问道："你一班共有几人？做过几年？打劫多少人家？赃物都窝顿在何处？从实细说，饶你刑罚！"那强盗一一招称，只有五个，并无别人。劫过东西，俱已花费，止存这些，馀外更没有窝顿所在。侯爷大怒，讨过夹棍，一齐夹起。才套得上，都喊道："还有几名，都已逃散，只有一个江西木匠张权，住在阊门外边，向来打劫银两都窝在他家。如今见开布店。"侯爷见异口同声，认以为实，连忙起签，差原捕杨洪等，押着两名强盗作眼，同去擒拿张权起脏连解。那三名锁在庭柱上，等解到同审。侯爷再理别事。

且说杨洪同众人押着强盗，一径望阊门而去。赵昂也在府前探听，看见杨洪，已知事妥。自己躲过一边，却教手下人，远远跟去，看其动静。杨洪到了张权门首，立住脚道："这里是了。"只见张权在店中做生意，挤着许多主顾，打发不开。杨洪分开众人，托地跳进店里，将链子望张权颈上便套。张权叫声："阿呀！却是为何？"杨洪伸开手，两个大巴掌，骂道："你这强盗！还要问甚？你打劫许多东西，在家好快活，却带累我们，不时比捕！"张权连声叫苦道："这是那里说起！"正要分辨时，众捕人押着强盗，望里边去了。杨洪恐怕众人拣好东西藏过，忙将张权锁好，只取出铁扭上了，也牵入里面起赃。那时惊得一家无处躲避。门前买布的，与伙计讨了银钱，自往别处去买。看的人拥做一屋。众捕快将一应细软，都搜括出来，只拣银两衣饰，各自溜过，其馀打起几个大包，连店中布匹，尽情收拾。张权夫妻抱头大哭道："不知这场横祸那里飞来！"两下分舍不得。捕人上前拆开，牵着便走。那些邻里不晓得的，认以为真，便道："我说他一向家事不济，如何忽地买起房屋，开这样大铺子，又与儿子定亲？只道他掘了藏，原来却做了这行生意，故此有钱。"有几个相识晓得些的，与他分剖说："是个好人！这些东西，是亲家王员外扶持的。不知为甚被人扳害？"众人那里肯信。一路上说好说歹，不止一个，都跟来看。

且说杨洪一班，押张权到了府中，侯爷在堂立等回话。解将进去跪下，把东西放做一堂。杨洪禀道："张权拿到了。"侯爷教放下柱上三个强盗同审，又将东西逐一验过。张权上前泣诉道："爷爷，小人是个良民，从来与这班人不曾识面，何尝与他同盗，其实是霹空陷害，望爷爷超拔！"侯爷喝道："既不曾同盗；这些赃物那里来的？"张权道："这东西是小人自己挣的，并非赃物。"乃对众强盗道："我从不曾认得你们，有甚冤仇，今日害我？"众强盗道："我们本不欲招你出来，只因熬刑不过，一时招出。你也承认罢，省的受那痛苦！"张权高声叫屈道："你这些千刀万剐的强盗，得了那个钱财，却来害我！”众强盗道：“张权，仁心天理，打劫庞县丞，是你起的祸根。其地虽不曾同去，拿来的东西俱放在你家营运，如何赖得？”张权又禀道：“爷爷，小人住在此地，将有二十年了，并不曾与人角口一番，怎敢为此等犯法之事！若有此情，必然搬向隐僻所在去了，岂敢还在闹市上开店？爷爷不信，可拘四邻地方来问，便知小人平素。”侯爷见他苦苦折辨不招，对众强盗道：“你这班人，想必把真强盗隐匿，陷害平人。”教都夹起来。众皂隶一齐向前动手，夹得五个强盗杀猪般叫喊，只是一口咬定张权是个同伙，不肯改口。又道：“爷爷，他是小木匠，那个不晓得是个穷汉，如何骤然置买房屋，开起恁样大布店来？只这个就明白了。”侯爷道：“是。你是个穷木匠，为何忽地骤富？这个须没得辨！”喝教也夹起来。张权上前再三分辨，是亲家王员外扶持的银子。侯爷那里肯听。可怜张权何尝经此痛苦，今日上了夹棍，又加一百杠子，死而复苏，熬炼不过，只得枉招。侯爷见已招承，即放了夹棍，各打四十毛板，将招繇做实，依律都拟斩罪。赃物贮库。张权房屋家私，尽行变卖入官。画供已毕，上了脚镣手扭，发下司狱司监禁。连夜备文申报上司。正是：

闭门家里坐，祸从天上来。

话分两头。且说陈氏见丈夫拿去，哭死在地，亏养娘救醒。便教家人伙计随去看个下落，顺便报与二子。廷秀兄弟正在书院读书，见报父亲被强盗攀了，唬得魂飞魄散，撇下书本，带跌而奔，先生也随将来看。里边徐氏晓得，连忙教几个家人探听。廷秀弟兄，随了家人，赶到府中，父亲已是解进衙门，立在外边打探。听得辨了半日，也上夹棍。着了急，便要望里边去禀。被先生一把扯住，道：“你若进去，也被粘住身了，那个出头去辨冤？”二子见先生之言有理，便住了脚。听父亲夹得声音凄惨，都叫起屈来，被把门人驱逐出外边。

少顷，见两个人扶着父亲出来，两眼闭着，半死半活，又晓得问实斩罪，上前抱住放声大哭，一个字也说不出。张权耳内闻得儿子声音，方才挣眼一看，泪如珠涌，欲待分付几声，被杨洪走上前，一手推开廷秀，扶挟而行，脚不点地，直至司狱司前，交与禁子，开了监门，挟将进去。廷秀弟兄，欲待也跟入去，禁子那里肯容！连忙将监门闭上。可怜二子哭倒在地。那先生同伙计家人，随后也到，将廷秀扶起道：“事已至此，哭亦无益，且回家去，再作区处。”二子无奈，只得收泪，对禁子道：“列位太叔在上，可怜老父是含冤负屈之人，凡事全仗照管，自当重报。”禁子道：“小官人，常言道：‘靠山吃山，靠水吃水。’做公的买卖，千钱赊不如八百现。我们也不管你冤屈不冤屈，也不想甚重报。有，便如今就送与我们，凡事自然看顾一分；若没有，也便罢了，决无人来催讨。那远话儿且请收着，等你不及。”廷秀道：

"今日不曾准备在此，明早即来相恳。"禁子道："既恁样，放心请回，我们自理会得。"

廷秀弟兄同众人转来，也不到丈人家里，一径出阊门，去看母亲。走至门首，只见侯同知已差人将房子锁闭，两条封皮，交叉封着。陈氏同养娘都在门首啼哭。一见儿子到来，相抱而哭。真个是痛上加痛，悲中转悲。旁边看的人，无不垂泪称冤。那伙计并家人，见恁般光景，也不相顾，各自去寻活路。母子计议，无处投奔。只得同到丈人家里暂住，再作区处。到了王员外门口，廷秀先进去报知。徐氏与女儿出来迎接。相见已罢，请入房里。那时赵昂已往杨洪家去探听。瑞姐晓得，也来相见。廷秀母子，将前项事情哭诉一番，徐氏也觉惨伤。玉姐暗自流泪。只有瑞姐暗中欢喜，假意劝慰。当晚徐氏准备酒肴款待。陈氏水米不沾，一味悲泣。徐氏解劝不止。到次日，廷秀与母亲商议，要牢中去看父亲，说："昨日已许了禁子东西。如今一无所有，如何是好！"正没做理会，徐氏走来，知得，便去取出十两银子，递与廷秀道："你且先将去用，若少时，再对我说。等你父亲回家，就易处了。"陈氏谢道："屡承亲家厚恩，无门可报！今日又来累及亲家损钞，今生不能相报，死当衔结以报大恩！"徐氏道："说那里话！亲翁在患难之际，员外又不在家，不能分忧。些小东西，何足为谢！"

当下弟兄二人，将银留了八两，把二两封好，央先生同到司狱司前，送与禁子。禁子嫌少。又增了一两，方才放二人进去。先生自在外边等候。禁子引二子来到后监，见父亲倒在一个壁角边乱草之上，两腿皮开肉绽，脚镣手扭，紧紧锁牢，淹淹止存一息。二子一见，犹如乱箭攒心，放声号哭，奔向前来，叫声："爹爹，孩儿在此！"把他扶将起来。那张权睁开眼见了儿子，呜呜的哭道："儿，莫不是与你梦中相会么？"廷秀说："爹爹，那里说起，降着这场横祸！到此地位，如何是好？"张权抚着二子道："我的儿，做爹的为了一世善人，不想受此恶报，死于狱底。我死也罢了，只是受了王员外厚恩，未曾报得，不能瞑目！你们后来，倘有成人之日，勿要忘了此人。"廷秀道："爹爹，且宽心将养身子，待孩儿拼命往上司衙门诉冤，务必救爹爹出去。"张权摇着手道："不可，不可！如今乃是强盗当堂扳实，并不知何人诬陷，去告谁好？况侯同知见任在此。就准下来，他们官官相护，必不肯翻招，反受一场苦楚。况你年纪幼小，有甚力量，干此大事？我受刑已重，料必不久。也别没甚话分付，只有你母亲，早晚好好伏侍，即如与我一般。用心去读书，倘有好日，与爹争口气罢。"说罢，父子又哭。

冤情说到伤心处，铁石人闻也断肠。

旁边有一人名唤种义，昔年因路见不平，打死人命，问绞在监，见他父子如此哭泣，心中甚不过意，便道："你们父子且勿悲啼。我种义平生热肠仗义，故此遭了人命。昨日见你进来，只道真是强盗，不在心上。谁想有此冤枉！我种义岂忍坐视！二位小官人放心回去读书。今后令尊早晚酒食，我自支持，不必送来。棒疮目下虽凶，料必不至伤身。其馀监中一应使用，有我在此，量他决不敢来要你银子。等待新按院按临，那时去伸冤，必然有个生路，”廷秀弟兄听说，连忙叩拜道：“多蒙义士厚意。老父倘有出头之日，决不忘报！”种义扶起道：“不要拜谢！且扶令尊到我房中去歇息。”二子便去搀张权起来。张权腿上疼痛，二子年幼力弱，那里挣扎得起。种义忍不住，自已揎拳裸袖，向前扶起，慢慢的逐步捱到前边种义房中。就教他睡在自己床铺上，取出棒疮膏，与张权贴好。廷秀见有倚靠，略略心宽，取出二两银子，送与种义，为盘缠之费。种义初时不肯受，廷秀弟兄再三哀恳，方才受了。父子留恋不忍分离。怎奈天色渐晚，禁子催促，只得含泪而别。出了监门，寻着先生，取路回家。

廷秀弟兄一路商议：“母亲住在王家，终不稳便。不若就司狱司左近赁间房子居住，早晚照管父亲，却又便当。”计议已定，到家与母亲说知。次日将馀下的银两，赁下两间房屋，置办几件日用家火。廷秀告知徐氏，说：“母亲自要去住。”徐氏与玉姐苦留不住，只得差人相送，又赠些银米礼物。陈氏同二子领着养娘，进了新房。自到牢中看了丈夫。相见之间，哀苦自不必说。弟兄二人住过三四日，依原来到王家读书。终是挂念父亲，不时出入，把学业都荒疏了。

不说廷秀，且说赵昂自从陷害张权之后，又与妻子计较，要撚廷秀出门。那婆娘道：“要他出门，也甚容易。止要多费几两银子。”赵昂道：“有甚好计？你且说来，便费几两银子，也是甘心的。”那婆娘道：“要他出去，除非将家中大小男女都把银子买嘱停当。等父亲回时，七张八嘴，都说廷秀偷东西在外嫖赌。他见众人说话相同，自然半信半疑。那时我与你再把冷话去激发，必定赶他出门。待廷秀去后，且再算计玉姐。”赵昂依着老婆，把银子买嘱家中婢仆。这些小人，那知礼义，见了银子，谁不依允。

不则一日，王宪京中解粮回家，合家大小都来相见；惟有廷秀因母亲有病，归家探看，不在眼前。那时文秀已是久住在家，伏侍母亲，不在话下。王员外便问：“三官如何不见？”众人俱推不知。徐氏方接过口来，把张权被人陷害前后事情，细说一遍。又道：“想他看候父亲去了。”王员外闻言，心中惊讶。少顷，廷秀归来相见。王员外又细询他父亲之事。廷秀哭诉一番，哀求搭救。王员外道：“你自去读书，待我心定了，与你计较这事。”廷秀拜谢，自归书房。到次日早上，记挂母亲，也不与先生说知，又回去候问。不想王员外一起身，便来拜望先生，又不见了廷秀，问先生时，说清早出外去了。

王员外心中便有几分不喜。与先生叙了些间阔之情，查点廷秀功课，却又甚少。先生怕主人见怪，便道："令郎自从令亲家被陷之后，不时往来看觑，学业也荒疏了。"王员外见说废了功课，愈加不乐。别了先生，走到外边。见书童进来，便问道："可晓得三官那里去了？"那书童已得过赵昂银子，一见家主问时，便答道："三官这一向不时在外嫖赌，整几夜不回。"王员外似信不信。喝退书童，心中疑惑，又去访问家中童仆，都是一般言语。

古语道得好："众口铄金，积毁销骨。"王员外平日极是爱惜廷秀，被众人谗言一说，即信以为真，暗暗懊悔道："当初指望他读书成人，做了这事。不想张权问罪在牢，其中真假未知。他又不学长俊，嫖赌兼全，后来岂不误了女儿终身？昔年赵昂和瑞姐曾来劝谏，只为一时之惑，反将他来嗔责。如今却应了他们口嘴，如何是好！"委决不下，在厅中团团走转。

那时这些奴仆，都将家中访问之事，报与赵昂。赵昂大喜，已知计中八九，到外边来打探。恰好遇着丈人，不等王员外开口，便道："小婿今日又有一句话要说。只恐岳父又要见怪，不好说得。"王员外道："往事休题！你说，如今有甚事情？"赵昂道："从岳父去后，张木匠做了强盗，问成死罪在牢。小婿初时，还只道是被人诬陷。据他邻里说来，却真有这事。况且三官趁岳父不在家中，日逐以看父为由，留恋嫖赌。亲邻晓得的，无不议论岳父：扳个强盗亲家，招个败家女婿。连小婿也无颜见人。当初若听了小婿之言，决无有今日之事！"

起初王员外已有八九分不悦，又被赵昂这班言语一说，凑成一十二分，气得哑口无言，沉吟半晌，方才道："当初是我一时见不到，错怪了你，成就这事。如今懊悔无及！"赵昂便道："依小婿之见，尚有挽回。"王员外忙问道："你且说怎的可以挽回？"赵昂道："若是毕姻过了，这便无可奈何。如今幸喜未曾成亲，岳父何不等廷秀回家，责骂一场，驱逐出门，一面速央媒妁寻个门当户对人家，将玉姐嫁去。他年纪又小，又无亲族，何人与他理论这事！设或告到官司，见已婚配，必无断与之理。况且是强盗之子，官府自然又当别论。是恁般，还不被人笑话。若不听小婿之言，后来使玉姐身无所倚，出乖露丑，玷辱门风，那时懊悔，却不迟了？"王员外若是个有主意的，还该往别处访问个的确，也不做了有始无终薄倖之人。只因他是个直性汉子，不曾转这念头，遂听信了赵昂言语，点头道："是。"晓得浑家平昔喜欢廷秀，恐怕拦阻，也不到后边与他说知，同赵昂坐在厅中，专等廷秀回来不题。

且说廷秀至家，见过母亲，也恐丈人寻问，急急就回家。到厅前见丈人与赵昂坐着说话，便上前作揖。王宪也不回礼，变着脸问道："你不在学中读书，却到何处去游荡？"廷秀看见词色不善，心中惊骇。答道："因母亲有病，回去探看。”王员外道：“这也罢了。且问你：自我去后，做有多少功课？可将来看。”廷秀道：“只为爹爹被陷，终日奔走，不曾十分读书，功课甚少。”王员外怒道：“当初指望你读书有些好日，故此不计贫富，继你为子，又聘你为婿。那知你家是个不良之人，做下这般勾当，玷辱我家。你这畜生，又不学好，乘我出外，终日游荡嫖赌，被人取笑！我的女儿从小娇养起来，若嫁你恁样无籍，有甚出头日子？这里不是你安身之处，快快出门，饶你一顿孤拐。若再迟延，我就要打了。”那些童仆，看见家主盘问这事，恐怕叫来对证，都四散走开。

廷秀见丈人忽地心变，心中苦楚，哭倒在地道：“孩儿父子，蒙爹爹大恩，正图报效，不幸被人诬陷，悬望爹爹归家救拔。不知何人嗔怪孩儿，搬斗是非，离间我父子。孩儿倘有不到之处，但凭责罚，死而无怨。若要孩儿出门，这是断然不去！”一头说，一头哭，好不凄惨。赵昂恐丈人回心转来，便衬道：“三官，只是你不该这样没正经，如今哭也迟了。”廷秀道：“我何尝干这等勾当，却霹空生造！”赵昂道：“这话一发差了。那个与你有仇，造言谤你？况岳父又不是肯听是非的。必定做下一遭两次，露人眼目。如今岳父察晓的实，方才着恼，怎么反归怨别人？”廷秀道：“有那个看见的，须叫他来对证！”王员外骂道：“畜生！若要不知，除非不为。你在外胡行，那个不晓得，尚要抵赖。”便抢过一根棒子，劈头就打道：“畜生，还不快走！”廷秀反向前抱住痛哭道：“爹爹，就打死也决不去的。”赵昂急忙扯开道：“三官，岳父是这样执性的，你且依他暂去，待气平了，少不得又要想你，那时却不原是父子翁婿。如今正在气恼上，你便哭死，料必不听。”

廷秀见丈人声势凶狠，赵昂又从旁尖言冷语帮扶，心中明白是他撺掇，料道安身不住，乃道：“既如此，待我拜谢了母亲去罢。”王员外那里肯容，连先生也不许他见。赵昂推着廷秀背上，往外而走，道：“三官，你怎么恁样不识气，只要见岳母做甚？”将他掇出大门而去，正是：

人情若比初相识，到底终无怨恨心。

且说徐氏在里面听得堂中喧嚷哭泣，只道王员外打小厮们，那里想到廷秀身上，故此不在其意。童仆们也没一个露些声息。到午后闻得先生也打发去了，心中有些疑惑，问众家人，都推不知。至晚，王员外进房，询问其故，才晓得廷秀被人搬了是非赶逐去了。徐氏再三与他分辨，劝员外原收留回来。怎奈王员外被谗言蛊惑，立意不肯，反道徐氏护短。那玉姐心如刀割，又不敢在爹妈面前明言，只好背地里啼哭。徐氏放心不下，几遍私自差人去请他来见。那些童仆与赵昂通是一路，只推寻访不着。

按下徐氏母子，且说廷秀离了王家，心中又苦又恼，不顾高低，乱撞回来。只见文秀正在门首，问道：“哥哥如何又走转来？”廷秀气塞咽喉，那里答得出半个字儿。文秀道："哥哥因甚气得这般模样？"廷秀停了一回，方将上项事，说与兄弟。文秀道："世态炎凉，自来如此，不足为异。只是王员外平昔待我父子何等破格，今才到家，蓦地生起事端。赵昂又在旁帮扶，必然都是他的缘故。如今且莫与母亲说知，恐晓得了，愈加烦恼。"廷秀道："贤弟之言甚是。"次日，来到牢中，看觑父亲。那时张权亏了种义，棒疮已好，身体如旧。

廷秀也将其事哭诉。张权闻得，嗟叹王员外有始无终。种义便道："恁般说起来，莫不你的事情，也是赵昂所为？"张权道："我与他素无仇隙，恐没这事！"廷秀道："只有定亲时，闻得他夫妻说我家是木匠，阻当岳父不要赘我。岳父不听，反受了一场抢白。或者这个缘故上起的。"种义道："这样说，自然是他了。如今且不要管是与不是，目下新按院将到镇江，小官人可央人写张状子去告。只说赵昂将银买嘱捕人强盗，故此扳害，待他们自去分辨。若果然是他陷害，动起刑具，少不得内中有人招称出来。若不是时，也没甚大害。"张权父子连声道是。廷秀作别出监。兄弟商议停当，央人写下状词，要往镇江去告状。

常言道："机不密，祸先行。"这样事体，只宜悄然商议。那张权是个老实头，不曾经历事体的。种义又是粗直之人，说话全不照管，早被一个禁子听见。这禁子与杨洪乃是姑舅弟兄，闻此消息，飞风便去报知。杨洪听得，吃了一唬，连忙来寻赵昂商议。走到王员外门首，不敢直入。见个小厮进去，央他传报说："有府前姓杨的，要寻赵相公说话。"赵昂料是杨洪，即便出来相见，问道："杨兄有甚话说？"杨洪扯到一个僻静所在，将"张廷秀已晓得你我害他，即日要往按院去告状。倘若准了，到审问时，用起刑具，一时熬不得，招出真情，反坐转来，却不自害自身！幸喜表弟闻得来报，故此特来商议。"赵昂听了，惊得半晌说不出话来。乃道："如此却怎么好？"杨洪道："一不做，二不休，尊相便拼用几两银子，我便拼折些工夫，连这两个小厮一并送了，方才斩草除根。"赵昂道："银子是小事，只没有个妙策。"杨洪道："不打紧，他们是个穷鬼，料道雇船不起，少不得是趁船。我便装起捕盗船来，教我兄弟同两个副手，泊在阊门。再令表弟去打听了起身日子，暗随他出城，招揽下船。我便先到镇江伺候。孩子家那知路径。载他径到江中，撺入水里，可不干净？"赵昂大喜。教杨洪少待，便去取出三十两银子，送与杨洪道："烦兄用心，务除其根！事成之日，再当重谢。"杨洪收了银子，作别而去。

且说廷秀打听得按院已到，央人写了状词，要往镇江去告。那时陈氏病体痊愈，已知王员外赶逐回来，也只索无奈。见说要去告状，对廷秀道："你从未出路，独自个去，我如何放心。须是弟兄同行，路上还有些商量。"

廷秀道："若得兄弟去便好，只是母亲在家，无人伏侍。"陈氏道："来往不过数日，况且养娘在家陪伴，不消牵挂。"廷秀依着母亲，收拾盘缠，来到监中，别过父亲，背上行李，径出阊门来搭船。刚走到渡僧桥，只听得背后有人叫道："二位小官人往那里去？"廷秀道："往镇江去。"那人道："到镇江有便船在此，又快当，又安稳。"廷秀听说有便船，便立住脚，与文秀说道："若是便船，到强如在航船上挨挤。"文秀道："任凭哥哥主张。"廷秀对船家说道："你船在那里？可就开么？"船家道："我们是本府理刑厅捉来差往公干的，私已搭一二人，路上去买酒吃。若没人也就罢了，有甚担阁。"廷秀道："既如此，带了我们去。"船家引他下了船，住在艄上。少顷，只见一人背着行李而来，艄公接着上船。那人便问："这两个孩子是何人？"艄公道："这两个小官人，也要往镇江的，容小人们带他去，趁几文钱，路上买酒吃。望乞方便。"那人道："只这两个，便容了你，多便使不得。"艄公道："只此两个，也是偶然遇着，岂敢多搭。"说罢，连忙开船。

你道这人是何等样人？就是杨洪兄弟杨江，艄公便是副手。当下杨江问道："二位小官人姓甚，住在何处？到镇江去何干？"廷秀说了姓名居处，又说父亲被人陷害缘由，如今要往按院告状。杨江道："原来是好人家儿女，可怜，可怜！你住在艄上不便，也到舱中来坐。"廷秀道："如此多谢了！"弟兄搬到舱中住下。杨江一路殷勤，到买酒肉相请，又许他到衙门上看顾。弟兄二人，感激不尽。那船乃是捕盗的快船，趁着顺风，连夜而走，次日傍晚就到了镇江。船家与廷秀讨了船钱，假意催促上岸。廷秀取了行李，便要起身。杨江道："你这船家，忒煞不行方便！这两位小官人，从不曾出路的。此时天色已晚，教他那里去寻宿处？"又向廷秀道："莫要理他！今夜且在舟中住了，明早同上涯去，寻寓所安下，就到察院前去打听按院几时按临，却不又省了今夜房钱？"廷秀弟兄只认做好人，连声称谢，依原把包裹放下。?杨江取出钱钞，教艄公买办些酒肉，分付移船到稳处安歇。艄公答应，将船直撑出西门闸外，沿江阔处停泊。艄公安排鱼肉，送入舱里。杨江满斟苦劝，将廷秀弟兄灌得大醉，人事不省，倒在舱中。那时，杨洪已约定在此等候。艄公口中嗯哨一声，便跳下船。即忙解缆开船，悄悄的摇出江口，沿溜而下。过了焦山，到一宽阔处，取出索子，将他弟兄捆绑起来，恰如两只馄饨相似。二子身上疼痛，从醉梦中惊醒，挣扎不动，却待喊叫，被杨洪、杨江扛起，向江中扑通的撺将下去。眼见得二子性命休了。

可怜世上聪明子，化作江中浪宕魂。

你想长江中是何等样水！那水从四川、湖广、江西一路上流冲将下来，浑如滚汤一般紧急，到了镇江，直溜入海，就是落下一块砂石，少不得随流而下。偏有廷秀弟兄，撇入水中，却反逆流上去。杨洪、杨江望见，也道奇怪，拨转船头赶上，各提起篙子，照着头上便射。说时迟，那时快，篙子离身不上一尺，早被三四个大浪，把二子直涌开去，连船险些儿掀翻，那篙子便不能伤。杨江料道必无活理，原移至沿口泊下。次早开船，归到苏州，回覆了赵昂。赵昂心中大喜，又找了三十两银子。杨洪兀自嫌少，两下面红颈赤而别。不在话下。

且说河南府有一人唤做褚卫，年纪六十已外，平昔好善，夫妻二人，吃着一口长斋。并无儿女，专在江南贩布营生。一日正装着一大船布匹，出了镇江，望河南进发。行不上三十馀里，天色将晚，风逆浪大，只得随帮停泊江中。睡到半夜，听得船旁像有物踵响，他也不在其意。方欲合眼，又像有人推醒一般，那船旁踵得越响了，隐隐又有人声。心中奇怪，爬起来，开了篷窗，打一看时，只见水面上浮着一人，口内微微有声。褚卫慌忙叫起水手，捞救上船。打起火来看时，却是十五六岁一个小厮，生得眉清目秀，浑身绑缚，微微止有一息。与他下了索子，烧起热汤灌了几口，那孩子渐渐醒转，呕出许多清水。褚卫将干衣与他换了，询其缘故。小厮哭诉道："小人名唤张文秀，只因父亲被人陷害在牢，同哥哥廷秀，来镇江按院告状，趁了个便船，说是苏州理刑差人，一路假意殷勤照顾。昨夜到了镇江，又留住在船，将酒灌醉我弟兄，双双绑入水中。正不晓得他是何人，害我等性命！天幸得遇恩人救拔，但不知恩人高姓大名？这里是何处？离镇江多少路了？怎地送得小人归家，决不忘恩！"

褚卫本是好善之人，见他说得苦楚，心下十分可怜。初时到有送他回去之念，忽地想起："镇江到此乃是逆水，怎么反淌了上来？莫非此子后来有些好处，暗中自有鬼神护佑么？我今尚无子嗣，何不留他回去，做个螟蛉之子，却不是好？"乃哄他道："我是河南褚卫，贩布回去。这里离镇江已远，有一千馀里，怎能送你归家？况昨夜谋你的必是对头，是差来心腹，故此下这样毒手。今依旧回家，必然又寻别事来害你。我今又无儿子。若不弃嫌，认做父子，随归家去。明年带你下来，访出昨夜之人，然后去告理，救你父亲，可不好么？"文秀虽然记挂父母，到此无可奈何，只得依允。就拜褚卫为父，改名褚嗣茂，带上河南不题。

且说张廷秀被杨洪捆入水中，自分必死。不想半沉半浮，被大浪直涌到一个沙洲边芦苇之旁。到了天明，只见船只甚多，俱在江中往来，叫喊不闻。至午后，有一只船旁洲而来，廷秀连叫救命。那船拢到洲边，捞上船去，割断绳索，放将起来，且喜得毫无伤损。廷秀举目看船中时，却是两个中年汉子，十来个小厮，约莫俱有十六七岁。你道是何等样人？原来是浙江绍兴府孙尚书府中戏子。那两个中年人，一个是师父潘忠，一个是管箱的家人，领着行头往南京去做戏，在此经过，恰好救了廷秀。取几件干衣与他换了，问其缘故。廷秀把父亲被害，要到按院伸冤，被船上谋害之事，哭诉一遍，又道：“多蒙救了性命。若得送我回家，定然厚报。”那潘忠因班中装生的哑了喉咙，正要寻个顶替。见廷秀人物标致，声音响亮，却又年纪相仿，心下暗喜道：“若教此人起来，到好个生脚。”心下怀了这个私念，就是顺路往苏州去，谅道也还不肯放他转身，莫说如今却是逆路。当下潘忠道：“我们乃绍兴孙尚书府中子弟，到南京去做生意，那有工夫拗转去，送你回家？如今到京已近，不如随我们去住下，慢慢觅便人带你归家。你若不肯时，我们也不管闲帐，原送你到沙洲上，等别个便船来带回去罢。”廷秀听得说出这话，连忙道：“既然不是顺路，情愿随列位到京。”潘忠道：“这便使得。”廷秀自己虽然得了性命，却又想着兄弟，必定死了，不住流泪。那日乃是顺风，晚间便到南京。次早人城，寻寓所安下。

那孙府戏子，原是有名的。到京中，便有人叫去扮演。廷秀也随着行走。过了数日，潘忠对廷秀道：“众人在此做生意，各要趁钱回去养家的，谁个肯白白养你！总然有便带你回家，那盘费从何而来？不如暂学些本事，吃些活饭，那时回去，却也容易。”廷秀思想：“亏他们救了性命，空手坐食，心上已是过意不去。”又听了潘忠这班说话，愈觉羞惭，暗道：“我只指望图个出身的日子，显祖扬宗，那知霹空降下这场没影奇祸，弄得家破人亡，父南子北，流落至此！若学了这等下贱之事，还有甚么长俊？如不依他，定难存住。”却又想道：“昔日箕子为奴，伍员求乞，他们都是大豪杰，在患难之际，也只得从权，我今日到此地位，也角不得羞耻了。且暂度几时，再做区处。”遂应承了潘忠，就学个生角。他资性本来聪慧，教来曲子，那消几遍，却就会了。不勾数日，便能登场。扮来的戏，出人意表，贤愚共赏，无一日空闲。在京半年有馀，积趱了些银两，想道：“如今盘缠已有，好回家了。”谁想潘忠先揣知其意，悄悄溜过了他的银子，廷秀依旧一双空手，不能归去。溜忠还恐他私下去了，行坐不离。廷秀脱身不得，只得住下。这叫做：

　　情知不是伴，事急且相随。

话分两头。却说陈氏自从打发儿子去后，只愁年幼，上司衙门利害，恐怕言语中差错，再不想到有人谋害。已到十日之外，风吹草动，也认做儿子回了，急出门观看。渐渐过了半月二十日，一发专坐在门首盼望。那时还道按院未曾到任，在彼等候。后来闻得按院镇江行事已完，又按临别处。得了这个消息，急得如煎盘上蚂蚁，没奔一头处。急到监中对丈夫说知，央人遍贴招帖，四处寻访，并无踪迹，正不知何处去了。夫妻痛哭懊悔道：“早知如此，不教他去也罢！如今冤屈未伸，到先送了两个孩儿，后来倚靠谁人？”转思转痛，愈想愈悲。初时还痴心妄想有归家日子。过了年馀，不见回来，料想已是死了。招魂设祭，日夜啼啼哭哭。一个养娘却又患病死了。止留得孤身孤影，越发凄惨。正是：

屋漏更遭连夜雨，船迟又遇打头风。

且说王员外自那日听信了赵昂言语，将廷秀逐出，意欲就要把玉姐另配人家。一来恐廷秀有言，二来怕人诽议，未敢便行。次后闻得廷秀弟兄往镇江按院告状，只道他告赖亲这节，老大着忙，口虽不言，暗自差人打听。渐渐知得二子去后，不知死活存亡。有了这个消耗，不胜欢喜，即央媒寻亲。媒人得了这句口风，互相传说开去。那些人家只贪王员外是个无子富翁，那管曾经招过养婿，数日间就有几十家来相求。玉姐初时见逐出廷秀，已是无限烦恼，还指望父亲原收留回来，总然不留回家，少不得嫁去成亲。后来微闻得有不好的信息，也还半信半疑。今番见父亲流水选择人家改嫁，料想廷秀死是实了，也怕不得羞耻，放声哭上楼去。

原来王员外的房屋，却是一间楼子，下边老夫妻睡处，楼上乃玉姐卧室。当下玉姐在楼上啼哭，送来茶饭也不肯吃。他想道："我今虽未成亲，却也从幼夫妻。他总无禄夭亡，我岂可偷生改节！莫说生前被人唾驾，就是死后亦有何颜见彼！与其忍耻苟活，何不从容就死。一则与丈夫争气，二则见我这点真心。只有母亲放他不下。事到如今，也说不得了。"想一回，哭一回，渐渐哭得前声不接后气。那徐氏把他当做掌上之珠，见哭得恁般模样，急得无法可治，口中连连的劝他："莫要哭。且说为甚缘故？"自己却又鼻涕眼泪流水淌出来。玉姐只得从实说出。徐氏劝道："儿，不要睬那老没志气！凡事有我在此做主。明日就差人去访问三官下落。设或他有些山高水低，好歹将家业分一半与你守节。若老没志气执意要把你改嫁，我拼得与他性命相搏。"又对丫鬟道："快去叫员外来，说个明白。"又分付："倘有人在彼，莫说别话。"丫鬟急忙忙的来请。

谁想王员外因有个媒人说：一个新进学小秀才来求亲。闻得才貌又美，且是名门旧族，十分中意。款留媒人酒饭，正说得浓酽，饮得高兴。丫鬟说声院君相请，只当耳边风，如何肯走起身。丫鬟站勾腿酸脚麻，只得进去回覆。徐氏百般苦劝，刚刚略止，又加个赵昂老婆闯上楼来，重新哭起。你道却是为何？那赵昂摆布了张权，赶逐了廷秀，还要算计死了玉姐，独吞家业，因无机会，未曾下手。今见王员外另择人匹配，满怀不乐，又没个计策阻挡，在房与老婆商议。这时听得玉姐不愿，在楼啼哭，却不正中其意！故此瑞姐走来，故意说道："妹子，你如何不知好歹？当初爹爹一时没志气，把你配个木匠之子，玷辱门风。如今去了，另配个门当户对人家，乃是你万分造化了，如何反恁地哭泣？难道做强盗的媳妇，木匠的老婆，到胜似有名称人家不成？"玉姐被这几句话，羞得满面通红，颠倒大哭起来。徐氏心中已是不悦。瑞姐还不达时务，扯做娘的到半边，低低说道："母亲，莫不妹子与那小杀才，背地里做下些蹊跷勾当，故此这般牵挂?”只这句话，恼得徐氏两太阳火星直爆，把瑞姐劈面一啐。又恐怕气坏了玉姐，不敢明说，止道：“你是同胞姐妹，不怀好念。我方劝得他住，却走来激得重复啼哭，还要放恁般冷屁！由他是强盗媳妇、木匠老婆罢了，着你甚急，胡言乱语！”瑞姐被娘这场抢白，羞惭无地，连忙下楼，一头走一头说道：“护短得好！只怕走尽天下，也没见人家有这样无耻闺女。早是不曾做亲，便恁般疼老公。若是生男育女的，真个要同死合棺材哩。亏他到挣得一副好老脸皮，全没一毫羞耻。”夹七夹八一路嚷去，明明要气玉姐上路。徐氏怕得合气，由他自说，只做不听见。玉姐正哭得头昏眼暗，全不觉得。

看看到晚，王员外吃得烂醉。小厮扶进来，自去睡了，竟不知女儿这些缘故。徐氏陪伴玉姐坐至更馀，渐渐神思困倦，睡眼朦胧，打熬不住，向玉姐道：“儿，不消烦恼，总在明早，还你个决裂。夜深了，去睡罢。”推至床上，除去簪钗，和衣衾在被里，下了帐幔，又分付丫鬟们照管火烛。大凡人家使女，极是贪眠懒做，十个里边，难得一个长俊。徐氏房中共有七八个丫鬟，有三个贴身伏侍玉姐的，就在楼上睡卧。那晚守到这时候，一个个拗腰凸肚，巴不能睡卧，见徐氏劝玉姐睡了，各自去收拾傢火，专等徐氏下楼，关上楼门，尽去睡了。徐氏下得楼来，看王员外醉卧正酣，也不去惊动他，将个灯火四面检点一遍，解衣就寝不题。

且说玉姐睡在床上，转思转苦，又想道：“母亲虽这般说，未必爹爹念头若何。总是依了母亲，到后终无结果。”又想起：“母亲忽地将姐姐抢白，必定有甚恶话伤我，故此这般发怒。我乃清清白白的人，何苦被人笑耻！不如死了，到得干净!”又哭了一个更次，听丫鬟们都齁齁睡熟，楼下也无一些声息。遂抽身起来，一头哭，一头检起一条汗巾，走到中间，掇个杌子垫脚，把汗巾搭在梁上做个圈儿，将头套入。两脚登空，呜呼哀哉！正是：

难将幽恨和人说，愿向泉台诉丈夫。

也是玉姐命不该绝。刚上得吊，不想一个丫鬟，因日间玉姐不要吃饭，瞒着那两个丫鬟，私自收去，尽情饱啖。到晚上，夜饭亦是如此。睡到夜半，心胸涨满，肚腹疼痛，起身出恭，床边却摸不着了净桶。那恭又十分紧急，叫苦连连。原来起初性急要睡，忘记担得，心下想着，精赤条条，跑去寻那净桶。因睡得眼目昏迷，灯又半明半灭，又看见玉姐吊在梁间，心慌意急，扑的撞着，连杌子跌倒楼板上。一声响亮，楼下徐氏和丫鬟们，都从梦中惊觉。王员外是个醉汉，也唬醒了，忙问：“楼上什么响?”那丫鬟这一交跌去杌子，磕着了小腹，大小便齐流，撒做一地，滚做一身，抬头仔细看时，唬得叫声：“不好了！玉姐吊死!”

王员外闻言，惊得一滴酒也无了，直跳起身，一面寻衣服，一面问道：

"这是为何？"徐氏一声儿，一声肉，哭道："都是你这老天杀的害了他！还问怎的？"王员外没心肠再问，忙忙的寻衣服，只在手边混过，那里寻得出个头脑。偶扯着徐氏一件袄子，不管三七二十一，披在身上。又寻不见鞋子，赤着脚赶上楼去。徐氏止摸了一条裙子，却没有上身衣服。只得把一条单被，卷在身上，到拖着王员外的鞋儿，随后一步一跌，也哭上来。那老儿着了急，走到楼梯中间，一脚踏错，谷碌碌滚下去，又撞着徐氏，两个直跌到底，绞做一团。也顾不得身上疼痛，爬起来望上又跑。那门却还闭着，两个拳头如发擂般乱打。楼上楼下丫鬟，一齐起身，也有寻着裙子不见布衫的，也有摸了布衫不见裤子的，也有两只脚穿在一个裤管里的，也有反披了衣服摸不着袖子的。东扯西拽，你夺我争，纷纷乱嚷。

那撒粪的丫鬟也自揩抹身子，寻觅衣服，竟不开门。王员外打得急了，三个丫鬟，都提着衣服来开。老夫妻推门进去，徐氏望见女儿这个模样，心肠迸裂，放声大哭。到底男子汉有些见识，王员外忍住了哭泣，赶向前将手在身上一摸，遍体火热，喉间厮琅琅痰响，叫道："妈妈莫要哭，还可救得！"便双手抱住，叫丫鬟拿起杌子上去解放。一面又叫扇些滚汤来。徐氏闻说还可救得，真个收了眼泪，点个灯来照着。那丫鬟扶起杌子，捏着一手腌臜，向鼻边一闻，臭气难当，急叫道："杌上怎有许多污秽？"恰好徐氏将灯来照，看见一地尿屎。王员外踏在中间，还不知得。徐氏只认是女儿撒的，将火望下一撇："这东西也出了，还有甚救！"又哭起来。原来缢死的人，大小便走了，便救不得。当下王员外道："莫管他！且放下来看。"丫鬟带着一手腌　，站上去解放，心慌手软，如何解得开。王员外不耐烦，叫丫鬟寻柄刀来，将汗巾割断，抱向床上，轻轻放开喉间死结，叫徐氏嘴对嘴打气。接连打了十数口气，只见咽喉气转，手足展施。又灌了几口滚汤，渐渐苏醒，还呜呜而哭。

徐氏也哭道："起先我恁样说了，如何又生此短见？"玉姐哭道："儿如此薄命，总生于世，也是徒然！不如死休！"王员外方问徐氏道："适来说我害了他，你且说个明白。"徐氏将女儿不肯改节的事说出。王员外道："你怎地恁般执迷！向日我一时见不到，赚了你终身。如今畜生无了下落，别配高门，乃我的好意，为何反做出这等事来，险些把我唬死！"玉姐也不答应，一味哭泣。徐氏嚷道："老无知！你当初称赞廷秀许多好处，方过继为子，又招赘为婿，都是自己主张，没有人撺掇。后来好端端在家，也不见有甚不长俊，又不知听了那个横死贼的说话，刚到家，便赶逐出去，致此无个下落。纵或真个死了，也隔一年半载，看女儿志向，然后酌量而行。何况目今未知生死，便瞒着我闹轰轰寻媒说亲，教他如何不气！早是救醒了还好，倘然完了帐，却怎地处？如今你快休了这念头，差人四下寻访。若还无恙，不消说起。设或真有不好消息，把家业分一半，与他守节。如若不听我言语，逼迫女儿一差两讹，与你须干休不得！”王员外见女儿这般执性，只得含糊答应，下楼去了。

徐氏又对玉姐道：“我已说明了，不怕他不听。莫要哭罢！且脱去腌臜衣服睡一觉，将息身子。”也不管玉姐肯不肯，流水把衣带乱扯。玉姐被娘逼不过，只得脱衣睡卧。乱到天明，看衣服上并无一毫污秽。那丫鬟隐瞒不过，方才实说。众丫鬟笑得个嘴歪。自此之后，玉姐住在楼上，如修行一般，足迹不走下来。王员外虽不差人寻觅廷秀，将亲事也只得阁过一边。徐氏恐女儿又弄这个把戏，自己伴他睡卧，寸步不离。见丈夫不着急寻问，私自赏了家人银子，差他体访。又教去与陈氏讨个消耗。正是：

　　但愿应时还得见，须知胜似岳阳金。

且说赵昂的老婆，被做娘的抢白下楼，一路恶言恶语，直嚷到自己房中，说向丈夫。又道：“如今总是抓破脸了，待我朝一句，暮一句，好歹送这丫头上路。”到次早，闻得玉姐上吊之事，心中暗喜，假意走来安慰，背地里只在王员外面前冷言酸语挑拨。又悄地将钱钞买嘱玉姐身边丫鬟，分付如下次上吊，由他自死，莫要声张。又打听得徐氏差人寻访廷秀，也多将银两买定，只说无处寻觅。赵昂见了丈人，马前健假殷勤，随风倒舵，掇臀捧屁，取他的欢心。王员外又为玉姐要守着廷秀，触恼了性子，到爱着赵昂夫妇小心热闹，每事言听计从。

赵昂诸色趁意，自不必说，只有一件事在心上打搅。你道是甚的事？乃是杨洪的这桩。那杨洪因与他干了两桩大事，不时来需索。赵昂初时打发了几次，后来颇觉厌烦，只是难好推托。及至送与，却又争多竞寡。落后回了两三遍，杨洪心中怀恨，口出怨言。赵昂恐走漏了消息，被丈人知得，忍着气依原馈送。杨洪见他害怕，一发来得勤了。赵昂无可奈何，想要出去躲避几时。恰好王员外又点着白粮解户，趁这个机会与丈人商议，要往京中选官，愿代去解粮，一举两便。王员外闻女婿要去选官，乃是美事，又替了这番劳碌，如何不肯。又与丈人要了千金，为干缺之用。亲朋饯行已毕，临期又去安放了杨洪，方才上路。

话分两头。再说张廷秀在南京做戏，将近一年，不得归家。一日，有礼部一位官长唤去承应。那官长姓邵名承恩，进士出身，官为礼部主事，本贯浙江台州府宁海县人氏。夫人朱氏，生育数胎，止留得一个女儿，年方一十五岁，工容贤德俱全。那日却是邵爷六十诞辰，同僚称贺，开筵款待。廷秀当场扮演，却如真的一般，满座称赞。那邵爷深通相法，见廷秀相貌堂堂，后来必有好处；又恐看错了，到半本时，唤廷秀近前仔细一观，果是个未发积的公卿，只可惜落于下贱。问了姓名，暗自留意。到酒阑人散，分付众戏子都去，止留正生在此，承应夫人，明日差人送来。潘忠恐廷秀脱身去了，满怀不欲，怎奈官府分付，可敢不依！连声答应。引着一班徒弟自去。

廷秀随着邵爷直到后堂。只见堂中灯烛辉煌，摆着桌榼，夫人同小姐向前相迎，众家人各自远远站立。廷秀也立在半边。堂中伏侍，俱是丫鬟之辈。先是小姐拜寿，然后夫人把盏称庆。邵爷回敬过了，方才就坐，唤廷秀叩见夫人，在旁唱曲。廷秀唱了一套。邵爷问道："张廷秀，我看你相貌魁梧，决非下流之人。你且实说：是何处人氏？今年几岁了？为甚习此下贱之事？细细说来，我自有处。"廷秀见问，向前细诉前后始末根由。又道："小的年纪十八，如今扮戏，实出无奈，非是甘心为此。"邵爷闻言，嗟叹良久，乃道："原来你抱此大冤。今若流为戏子，那有出头之日！既曾读书，必能诗词，随意作一首来，看是何如。"即令左右取过文房四宝，放在旁边一只桌上。廷秀拈起笔来，不解思索，顷刻而成，呈上。邵爷举目观看，乃是一首寿词，词名《千秋岁》，词云：

琼台琪草，玄鹤翔云表，华筵上笙歌绕。玉京瑶岛客，笑傲乾坤小。齐拍手唱道：长春人不老。　北阙龙章耀，南极祥光照，海屋内筹添了。青鸟衔笺至，传报群仙到，同嵩祝万年，称寿考。

邵爷看了这词，不胜之喜，连声称好，乃道："夫人，此子才貌兼美，定有公卿之分；意欲螟蛉为子，夫人以为何如?"夫人道："此乃美事，有何不可!"邵爷与廷秀道："我今年已六十，尚无子嗣，你若肯时，便请个先生教你，也强如当场献丑。"廷秀道："若得老爷提拔，便是再生之恩。但小人出身微贱，恐为父子玷辱老爷。"邵爷道："何出此言!"当下四双八拜，认了父母，又与小姐拜为兄妹。就把椅子坐在旁边，改名邵翼明，分付家人都称大相公，如有违慢，定行重责，不在话下。

且说潘忠那晚眼也不合，清早便来伺候。等到午上，不见出来，只得央门上人禀知。邵爷唤进去说道："张廷秀本是良家之子，被人谋害，亏你们救了，暂为戏子。如今我已收留了。你们另自合人罢。"教家人取五两银子赏他。潘忠听见邵爷留了廷秀，开了口半晌还合不下，无可奈何，只得叩头作谢而去。

邵爷即日就请个先生，收拾书房读书。廷秀虽然荒废多时，恰喜得昼夜勤学，埋头两个多月，做来文字，浑如锦绣一般。邵爷好不快活。那年正值乡试之期，即便援例入监。到秋间应试，中了第五名正魁，喜得邵爷眼花没缝。廷秀谢过主司，来禀邵爷，要到苏州救父。邵爷道："你且慢着！不如先去会试。若得连科，谋选彼处地方，查访仇人正法，岂不痛快！倘或不中，也先差人访出仇家，然后我同你去，与地方官说知，拿来问罪。如今若去，便是打草惊蛇，必被躲过，可不劳而无功，却又错了会试!"廷秀见说得有理，只得依允。那时邵爷满意欲将小姐配他。因先继为子，恐人谈论。自不好启齿，倩媒略露其意。廷秀一则为父冤未泄，二则未知玉姐志向何如，不肯先作负心之人。与邵爷说明，止住此事，收拾上京会试。正是：

未行雪耻酬凶事，先作攀花折桂人。

话分两头。且说张文秀自到河南，已改名褚嗣茂。褚长者夫妻珍重如宝，延师读书。文秀因日夜思念父母兄长，身子虽居河南，那肝肠还挂在苏州，那有心情看到书上。眼巴巴望着褚长者往下路去贩布，跟他回家。谁知褚长者年纪老迈，家道已富，褚妈妈劝他弃了这行生意，只在家中营运。文秀闻得这个消息，一发忧郁成病。褚长者请医调治，再三解劝。约莫住了一年光景，正值宗师考取童生。文秀带病去赴试，便得入泮。常言道：“福至心灵。”文秀入泮之后，到将归家念头撇过一边，想道：“我如今进身有路了，且赶一名遗才入场。倘得侥幸联科及第，那时救父报仇，岂不易如翻掌？”有了这般志气，少不得天随人愿，果然有了科举，三场已毕，名标榜上。赴过鹿鸣宴，回到家中拜见父母。喜得褚长者老夫妻天花乱坠。那时亲邻庆贺，宾客填门，把文秀好不奉承。多少富室豪门，情愿送千金礼物聘他为婿。文秀一心在父亲身上，那里肯要！忙忙的约了两个同年，收拾行李，带领仆从起身会试。褚长者老夫妻直送到十里外，方才分别。

在路晓行夜宿，非止一日，到了京都。觅个寓所安下。也是天使其然，廷秀、文秀兄弟恰好作寓在一处。左右间壁，时常会面。此时居移气，养移体，已非旧日枯槁之容了。然骨韵犹存，不免睹影思形。只是一个是浙江邵翼明贵介公子，一个是河南褚嗣茂富室之儿，做梦也不想到亲弟兄头上。不一日，三场已毕，同寓举人候榜，拉去行院中游串，作东戏耍。只有邵、褚二人，坚执不行。褚嗣茂遂于寓中邀请邵翼明闲讲，以遣寂寞。两下坐谈，愈觉情热。嗣茂遂问：“邵兄何以不往曲中行走？莫非尊大人家训严切？”翼明潸然下泪答道：“小弟有伤心之事，就是今日会试，亦非得已，况于闲串，那有心情！只是尊兄为何也不去行走？如此少年老成，实是难得。”嗣茂凄然长叹道：“若说起小弟心事，比仁兄加倍不堪。还候仁兄高发，替小弟做个报仇泄恨之人。”翼明见话头有些相近，便道：“你我虽则隔省同年，今日天涯相聚，便如骨肉一般。兄之仇，即吾仇也。何不明言，与小弟知之？”

嗣茂沉吟未答，连连被逼，只得叙出真情。才说得几句，不待词毕，翼明便道：“原来你就是文秀兄弟，则我就是你哥哥张廷秀！”两下抱头大哭，各叙冒姓来历。且喜都中乡科，京都相会。一则以悲，一则以喜。

分明久旱逢甘雨，赛过他乡遇故知。

莫问洞房花烛夜，且看金榜挂名时。

春榜既发，邵翼明、褚嗣茂俱中在百名之内。到得殿试，弟兄俱在二甲。

观政已过，翼明选南直隶常州府推官，嗣茂考选了庶吉士，入在翰林。救父心急，遂告个给假，与翼明同回苏州。一面寓书打发家人归河南，迎褚长者夫妻至苏州相会，然后入京，不题。

弟兄二人离了京师，由陆路而回。到了南京，廷秀先来拜见邵爷，老夫妇不胜欢喜。廷秀禀道："兄弟文秀得河南褚长者救捞，改名褚嗣茂，亦中同榜进士，考选庶吉士，与儿同回，要见爹爹。"邵爷大惊道："天下有此奇事！快请相见！"家人连忙请进。文秀到了厅上，扯把椅儿正中放下，请邵爷上坐，行拜见之礼。邵爷那里肯要，说道："岂有此理！足下乃是尊客，老夫安敢僭妄？"文秀道："家兄蒙老伯收录为子，某即犹子也，理合拜见。"两下谦让一回，邵爷只得受了半礼。文秀又请老夫人出来拜见。邵爷备起庆喜筵席，直饮至更馀方止。次日，本衙门同僚知得，尽来拜访。弟兄二人以次答拜。

是日午间小饮，邵爷问文秀道："尊夫人还是向日聘在苏州？还是在河南娶的？"文秀道："小侄因遭家难，尚未曾聘得。"邵爷道："原来贤侄还没有姻事。老夫不揣，止有一女，年十六岁了。虽无容德，颇晓女红。贤侄倘不弃嫌，情愿奉侍箕帚。"文秀道："多感老伯俯就，岂敢有违！但未得父母之命，不敢擅专。"廷秀道："爹爹既有这段美情，俟至苏州，禀过父母，然后行聘便了。"邵爷道："这也有理。"正话间，只听得外边喧嚷，教人问时，却是报邵爷升任福建提学佥事。邵爷不觉喜溢于面，即分付家人犒劳报事的去了。廷秀弟兄起身把盏称贺。邵爷道："如今总是一路，再过几日同行何如？"廷秀道："待儿辈先行，在苏州相候罢。"邵爷依允。

次日即雇了船只，作别邵爷，带领仆从，离了南京，顺流而下，只一日已抵镇江。分付船家，路上不许泄漏是常州理刑，舟人那敢怠慢。过了镇江、丹阳，风水顺溜，两日已到苏州，把船泊在胥门码头上。弟兄二人只做平人打扮，带了些银两，也不教仆从跟随，悄悄的来到司狱司前。望见自家门首，便觉凄然泪下。走入门来，见母亲正坐在矮凳上，一头绩麻，一边流泪。上前叫道："母亲，孩儿回来了！"哭拜于地。陈氏打磨泪眼，观看道："我的亲儿，你们一向在那里不回？险些想杀了我！"相抱大哭。二子各将被害得救之故，细说一遍，又低低说道："孩儿如今俱得中进士，选常州府推官，兄弟考选庶吉士。只因记挂爹妈，未去赴任，先来观看母亲。但不知爹爹身子安否？"

陈氏听见儿子都已做官，喜从天降，把一天愁绪撇开，便道："你爹全亏了种义，一向到也安乐。如今恤刑坐于常熟，解审去了，只在明后日回来。你既做了官，怎地救得出狱？"

廷秀道："出狱是个易事。但没处查那害我父子的仇人，出这口恶气。"

文秀道："且救出了爹爹，再作区处。"廷秀又问道："向来王员外可曾有人来询问？媳妇还是守节在家，还是另嫁人了？"陈氏道："自你去后，从无个小使来走遭。我又日夜啼哭，也没心肠去问得。到是王三叔在门首经过说起，方晓得王员外要将媳妇改配，不从，上了吊救醒的。如今又隔年馀，不知可能依旧守节？我几遍要去，一则养娘又死，无人同去；二则想他既已断绝我家，去也甘受怠慢，故此却又中止。你今只记他好处，休记他歹处。总使媳妇已改嫁，明日也该去报谢。"廷秀听了这话，又增一番凄惨，齐答道："母亲之言有理！"廷秀向文秀道："爹爹又不在此，且去寻一乘轿来，请母亲到船上去罢。"文秀即去雇下。陈氏收拾了几件衣服，其馀粗重家火，尽皆弃下。上了轿子，直至河口下船。可怜母子数年隔别，死里逃生；今日衣锦还乡，方得相会。这才是：

兄弟同榜，锦上添花；

母子相逢，雪中送炭。

次早，二人穿起公服，各乘四人轿，来到府中。太爷还未升堂，先来拜理刑朱推官。那朱四府乃山东人氏，父亲朱布政与邵爷却是同年。相见之间，十分款洽。朱四府道："二位老先生至此，缘何馆驿中通不来报？"廷秀道："学生乃小舟来的，不曾干涉驿递，故尔不知。"朱四府道："尊舟泊在那一门？"廷秀道："舟已打发去了，在专诸巷王玉器家作寓。"

朱四府又道："还在何日上任？"廷秀道："尚有冤事在苏，还要求老先生昭雪，因此未曾定期。"朱四府道："老先生有何冤事？"廷秀教朱爷屏退左右，将昔年父亲被陷前后情节，细细说出。朱四府惊骇道："原来二位老先生乃是同胞，却又罹此奇冤！待太老先生常熟解审回时，即当差人送到寓所，查究仇家治罪。"弟兄一齐称谢。别了朱四府，又来拜太守，也将情事细说。俗语道："官官相为。"见放着兄弟两个进士，莫说果然冤枉，便是真正强盗，少不得也要周旋。当下太守说话，也与朱四府相同。廷秀弟兄作谢相别，回到船里。对兄弟道："我如今扮作贫人模样，先到专诸巷打探，看王员外如何光景。你便慢慢随后衣冠而来。"商议停当，廷秀穿起一件破青衣，戴个帽子，一径奔到王员外家来。

且说赵昂二年前解粮至京，选了山西平阳府洪同县县丞。这个县丞，乃是数一数二的美缺，顶针捱住。赵昂用了若干银子，方才谋得。在家候缺年馀，前官方满，择吉起身。这日在家作别亲友，设戏筵款待，恰好廷秀来打探，听得里边锣鼓声喧，想道："不知为甚恁般热闹？莫不是我妻子新招了女婿么？"心下疑惑，又想道："且闯进去看是何如？"望着里边直闯，劈面遇见王进。廷秀叫声："王进那里去？"王进认得是廷秀，吃了一惊，乃道："呀，三官一向如何不见？"廷秀道："在远处顽耍，昨日方回。我且问你，今日为何如此闹热？可是玉姐新招了女夫么？”王进在急处间，不觉真心露吐，乃道：“阿弥陀佛！玉姐为了你，险些送了性命，怎说这话！”廷秀先已得了安家帖，便道：“你有事自去。”王进去后，又望里面而来。到了厅前，只见宾客满座，童仆纷纭。分开众人，上前先看一看，那赵昂在席上扬扬得意，戏子扮演的却是王十朋《荆钗记》。心中想道：“当日丈人赶逐我时，赵昂在旁冷言挑拨，他今日正在兴头上，我且羞他一羞。”便推入厅中，举着手团团一转道：“列位高亲请了！”

廷秀昔年去时，还未曾冠，今且身材长大，又戴着帽子，众亲眷便不认得是谁。廷秀覆身向王员外道：“爹爹拜揖！”终须是旦夕相见的眼熟，王员外举目观看，便认得是廷秀，也吃一惊，想道：“闻得他已死了，如何还在？”又见满身褴褛，不成模样，便道：“你向来在何处？今日到此怎么？”廷秀道：“孩儿向在四方做戏，今日知赵姨夫荣任，特来扮一出奉贺。”

王员外因女儿作梗，不肯改节，初时见了到有个相留之念，故此好言问他。今听说在外做戏，恼得登时气涨紫了面皮，气倒在椅上，喝道：“畜生！谁是你的父亲？还不快走！”廷秀道：“既不要我为父子称呼，叫声岳丈何如？”王员外又怒道：“谁是你的岳丈？”廷秀道：“父亲虽则假的，岳丈却是真的，如何也叫不得？”赵昂一见了廷秀，已是唬勾，面如土色，暗道：“这小杀才，已撇在江里死了，怎生的全然无恙？莫非杨洪得了他银子放走了，却来哄我？”又听得称他是姨夫，也喝道：“张廷秀，那个是你的姨夫，到此胡言乱语？若不走，教人打你这花子的孤拐！”廷秀道：“赵昂，富贵不压于乡里。你便做得这个蚂蚁官儿，就是这等轻薄。我好意要做出戏儿贺你，反恁般无礼！”赵昂见叫了他名字，一发大怒，连叫家人快锁这花子起来。

那时王三叔也在座间，说道：“你们不要乱嚷。是亲不是亲，另日自说。既是他会做戏，好情来贺你，只当做戏子一般，演一出儿顽顽，有何不可，却这般着恼！”推着廷秀背道：“你自去扮起来，不要听他们。”众亲戚齐拍手道：“还是三叔说得有理！”将廷秀推入戏房中，把纱帽员领穿起，就顶王十朋《祭江》这一折。廷秀想着玉姐曾被逼嫁上吊，恰与玉莲相仿，把胸中真境敷演在这折戏上，浑如王十朋当日亲临。众亲戚鼻涕眼泪都看出来，连声喝采不迭。只有王员外、赵昂又羞又气。

正做之间，忽见外面来报，本府太爷来拜常州府理刑邵爷、翰林院褚爷。慌得众宾客并戏子，就存坐不住，戏也歇了。王员外、赵昂忽奔出外边，对赍帖的道：“并没甚邵爷、褚爷在我家作寓。”赍帖的道：“邵爷今早亲口说寓在你家，如何没有？”将帖子撇下道：“你们自去回覆。”竟自去了。王员外和赵昂慌得手足无措，便道：“怎得个会说话的回覆？”廷秀走过来道：“爹爹，待我与你回罢。”王员外这时，巴不得有个人回话，便是好了。见廷秀肯去，到将先前这股怒气撇开，乃道："你若回得，甚好。"看他还穿着纱帽、员领，又道："既如此，快去换了衣服。"廷秀道："就是恁样罢了，谁耐烦去换！"赵昂道："官府事情，不是取笑的。"廷秀笑道："不打紧，凡是有我在此，料道不累你。"王员外道："你莫不风了？"廷秀又笑道："就是风了，也让我自去，不干你们事。"只听得铺兵锣响，太守已到。王员外、赵昂着了急，撇下廷秀，都进去了。廷秀走出门前，恰好太守下轿。两下一路打恭，直至茶厅上坐下攀谈。吃过两杯茶，谈论多时，作别而去。有诗为证：

谁识毗陵邵理刑，就是场中王十朋？

太守自来宾客散，仇人暗里自心惊。

却说玉姐日夕母子为伴，足迹不下楼来。那赵昂妻子因老公选了官，在他面前卖弄，他也全然不理。这一日外边开筵做戏，瑞姐来请看戏，玉姐不肯。连徐氏因女儿不愿，也不走出来瞧。少顷，瑞姐见廷秀在厅前这番闹炒，心下也是骇异。又看见当场扮戏，故意跑进来报道："妹子，好了！你日逐思想妹夫，如今已是来了，见在外边扮戏。"玉姐只道是生这话来笑他，脸上飞红，也不答应。徐氏也认是假话，不去采他。瑞姐见他们冷淡，又笑道："再去看妹夫做戏。"即便下楼。

不一时，丫鬟们都进来报，徐氏还不肯信，亲至遮堂后一望，果是此人，心下又惊又喜。暗叹道："如何流落到这个地位？"瑞姐道："母亲，可是我说谎么？"徐氏不去应他，竟归楼上说与女儿。玉姐一言不发，腮边珠泪乱落。徐氏劝道："女儿不必苦了，还你个夫妻快活过日。"劝了一回，恐王员外又把廷秀逐去，放心不下，复走出观看，只见赵昂和瑞姐望里边乱跑，随后王员外也跑进来。你道为何？原来王员外、赵昂，太守到时，与众宾客躲入里边，忽见家人报道："三官陪着太守，坐了说话。"众人通不肯信，齐至遮堂后张看，果然两下一递一答说话。王员外暗道："原来这冤家已做官了，却乔妆来哄我？懊悔昔时错听了谗言，将他逐出。幸喜得女儿有志气，不肯改嫁，还好解释。不然，却怎生处？只是适来又伤了他几句言语，无颜相见，且叫妈妈来做个引头。"因此乱跑。自古道："贼人心虚。"那赵昂因有旧事在心上，比王员外更是不同，唬的魂魄俱无。报知妻子，跑回房里，忙忙收拾，打帐明日起身，躲避这个冤家，连酒席也不想终了。正是：

早知今日，悔不当初！

且说王员外跑来撞见徐氏，便喊道："妈妈，小女婿回了。"徐氏道："回了便罢，何消恁般大惊小怪！"王员外道："不消说起，适来如此如此。我因无颜见他，特请你去做个解冤释结。"徐氏得了这几句话，喜从天降，乃道："有这等事！"教丫鬟上楼报知玉姐，与王员外同出厅前。廷秀正送了太守进来，众亲眷都来相迎。徐氏道："三官，想杀我也！你往何处去了？再无处寻访。"廷秀方上前请老夫妇坐下，纳头便拜。王员外以手扶住道："贤婿，老夫得罪多矣，岂敢又要劳拜！"廷秀道："某实不才，不能副岳丈之望，何云有罪！"拜罢起来，与众亲眷一一相见已毕。廷秀道："赵姨夫如何不见？快请来相会。"童仆连忙进去。赵昂本不欲见他，又恐不出去，反使他疑心，勉强出来相见，说道："适来言语冲撞，望勿记怀！"廷秀笑道："是我不达，自取其辱，怎敢怪姨夫？"赵昂羞惭无地。王员外见廷秀冷言冷语，乃道："贤婿，当初一时误听谗言，一时错怪你了，如今莫计较罢。"徐氏道："你这几年却在那里？怎地就得了官？"廷秀乃将被人谋害，直至做官前后事细说。却又不说出兄弟做官的缘由。众亲眷听了，无不嗟叹。乃道："只是有甚冤家下此毒手，可晓得么？"廷秀道："若是晓得，却便好了。"那时廷秀便说，赵昂在旁边脸上一回红，一回白，好不着急。直听到不晓得这句，方才放下心肠。王三叔道："不要闲讲了，且请坐着。待我借花献佛，奉敬一杯贺喜。"众亲眷多要逊廷秀坐第一位。廷秀不肯，再三谦逊不过，只得依了他，竟穿着行头中冠带，向外而坐。戏子重新登场定戏。这时众亲眷把他好不奉承。徐氏自归楼上，不在话下。

却说张权解审恤刑，却原是杨洪这班人押解。原来捕人拿了强盗，每至审录，俱要原捕押解，其中恐有冤枉，便要对审，故此脱他不得。那杨洪临起解时，先来与赵昂要来若干盘缠，与兄弟杨江一齐同去。及至转来，将张权送入狱中，弟兄二人假意来回覆赵昂，又要需索他东西。到了专诸巷内，一路听得人说太守刚才到王家拜望。杨洪弟兄疑惑道："赵昂是个监生官，如何太爷去拜他？且又不是属下。"到了王家门首，只听得里边便闹热做戏，门首静悄悄不见一人，却又不敢进去，坐在门前石头上，等候人出来传信。刚刚坐得，忽见一乘四人轿抬到门前歇下，走出一位少年官员。他二人连忙站起。那官员是谁？便是庶吉士张文秀。他跨入门来，抬头看见二人，到吃一唬。认得一个是杨洪，一个是谋他性命的公差，想道："原来是他一路，不知为何坐在此间？"且不说破，竟望里面而去。杨洪已不认得，对兄弟说："赵昂多大官儿，却有大官府来拜？"你道杨洪如何便认不得了？文秀当初谋他命时，还是一个小厮，如今顶冠束带，换了一番气象，如何便认得出。文秀乃切骨之仇，日夜在心，故此一经眼，即便认得。

且说文秀走入里边，早有人看见，飞报进去道："又有一位官府来拜了。"说声未了，文秀已至厅前。众亲眷并戏子们看见，各自四散奔开，只单撇下廷秀一人。王员外原在遮堂后张看。这官员却又比先前太守不同，廷秀也不与他作揖，站起来说道："你来了。"那官府道："如何见我来都走散了？"廷秀忍不住笑。文秀道："莫要笑！有句紧话在此。"附耳低声道：

“便是谋你我的公差与杨洪，都坐在外面。”廷秀惊道：“有这等事！如何坐在这里？其中可疑。快些拿住，莫被他走了。”一面讨过冠带，换下身上行头。文秀即差众家人出去擒拿。廷秀一面讨过冠带，换去行头。且说众人赶出去，揪翻杨洪兄弟，拖入里边来。杨洪只道是赵昂的缘故，口中骂道：“忘恩负义的贼！我与你干了许多大事，今日反打我么？”

正在乱时，报道：“理刑朱爷到了。”众家人将杨洪推在半边。廷秀弟兄出来相迎，接在茶厅上坐下。廷秀耐不住，乃道：“老先生，天下有这般怪事！谋害愚弟兄的强盗，今日自来送死，已被拿住。”朱四府道：“如今在那里？”廷秀教众人推到面前跪下。廷秀道：“你二人可认得我了？”杨洪道：“小人却认不得二位老爷。”文秀道：“难道昔年趁船到镇江告状，绑入水中的人就不认得了？”二人闻言，已知是张廷秀弟兄。唬的缩作一堆。朱四府道：“且问你有甚冤仇，谋害他一家？”二人道：“没甚冤仇。”朱四府道：“既无仇隙，如何生此歹心？”二人料然性命难存，想起赵昂平日送的银子，又不爽利，怎生放得他过！便道：“不干小人之事，都是赵昂与他有仇，要谋害二位老爷父子，央小人行的。”廷秀弟兄闻言失惊道：“原来正是这贼！我与他有何冤仇，害我父子？”朱四府道：“赵昂是何人？住在那里？”廷秀道：“是个粟监，就住在此间。”朱四府喝声：“快拿！”手下人一声答应，蜂拥进去，把赵昂拿出。那时惊得一家儿啼女喊，不知为甚。众亲都从后门走了，戏子见这等沸乱，也自各散去讫。

那赵昂见了杨洪二人，已知事露，并无半言。朱四府即起身回到府中，先差人至狱内将张权释放，讨乘轿子送到王家。然后细鞫赵昂。初时抵赖，用起刑具，方才一一吐实。杨洪又招出两个摇船帮手，顷刻也拿到来。赵昂、杨洪、杨江各打六十，依律问斩，两个帮手各打四十，拟成绞罪，俱发司狱司监禁。朱四府将廷秀父子被陷始末根由，备文申报抚按，会同题请，不在话下。

且说廷秀弟兄送朱四府去后，回至里边，易了公服。那时王员外已知先来那官便是张文秀，老夫妇齐出来相见，问朱四府因甚拿了赵昂，廷秀诉出其情。王员外咬牙切齿，恨道：“原来都是这贼的奸计！”正说间，丫鬟来报，瑞姐吊死了。原来瑞姐知得事露，丈夫拿去，必无活理，自觉无颜见人，故此走了这条径路。王员外与徐氏因恨他夫妻生心害人，全无苦楚。一面买棺盛殓，自不必说。王员外分付重整筵席款待，一面差人到舟迎取陈氏。一时间家人报道：“朱爷差人送太老爷来了。”廷秀弟兄、王员外一齐出去相迎。恰好陈氏轿子也至，夫妻母子一见，相抱而哭。正是：

苦中得乐浑如梦，死里逃生喜欲狂。
一家骨肉重相聚，千载令人笑赵昂。

张权道："我只道今生永无见期了，不料今日复能父子相逢！"一路哭入堂中，先向王员外、徐氏称谢。王员外再三请罪。然后二子叩拜，将赵昂设谋陷害前后情由，细细诉说。说到伤心之处，父子又哭。不想哭兴了，竟忘记打发了朱爷差人。那差人央家人们来禀知，廷秀发个谢帖，赏差人三钱银子而去。当下徐氏邀陈氏自归后房，玉姐下楼拜见。娘媳又是一番凄楚。少顷，筵宴已完，内外两席，直饮到半夜方止。次日，廷秀弟兄到府中谢过朱四府，打发了船只，一家都住于王员外家中。等邵爷到后，完姻赴任。廷秀又将邵爷愿招文秀为婿的事，禀知父母。备下聘礼，一到便行。

半月之后，邵爷方至，河南褚长者夫妻也到，常州府迎接的吏书也都到了。那时王员外门庭好不热闹。廷秀主意，原作成王三叔为媒，先行礼聘了邵小姐，然后选起吉期，弟兄一齐成亲。到了是日，王员外要夸炫亲戚，大开筵席，广请亲朋，笙箫括地，鼓乐喧天。花烛之下，乌纱绛袍，凤冠霞帔，好不气象。恰好两对新人，配着四双父母。有诗为证：

> 四姓亲家皆富贵，两双夫妇倍欢娱。
> 枕边忽诉伤心话，泪珠犹然洒绣帼。

那府县官闻知，都去称贺。三朝之后，各自分别起身。张权夫妻随廷秀常州上任，褚长者与文秀自往京中，邵爷自往福建。王员外因家业广大，脱身不得，夫妻在家受用。不则一日，圣旨倒下，依拟将赵昂、杨洪、杨江处斩。按院就委廷秀监斩。行刑之日，看的人如山如海，都道赵昂自作之孽，亲戚中无有怜之者。连丈人王员外也不到法场来看。正是：

> 善恶到头终有报，只争来早与来迟。
> 劝君莫把欺心使，湛湛青天不可欺。

廷秀念种义之恩，托朱爷与他开招释罪。又因父亲被人陷害，每事务必细询，鞫出实情，方才定罪，为此声名甚著。行取至京，升为给事。文秀以散馆点了山西巡按。那张权念祖茔俱在江西，原归故里，恢复旧业，建第居住。后来邵爷与褚长者身故，廷秀兄弟，各自给假，为之治丧营葬。待三年之后，方上表，复了本姓。廷秀生得三子，将次子继了王员外之后，三子继邵爷之后，以表不负昔年父子之恩。文秀亦生二子，也将次子绍了褚长者香火。张权夫妇寿至九旬之外，无疾而终。王员外夫妻亦享遐龄。廷秀弟兄俱官至八座之位，至今子孙科甲不断。诗云：

> 由来白屋出公卿，眼底穷通未可凭。
> 凡事但将天理念，安心自有福来迎。